Le bleu de tes yeux

Mary Higgins Clark

Le bleu de tes yeux

ROMAN

Traduit de l'anglais (États-Unis)
par Anne Damour

Albin Michel

COLLECTION « SPÉCIAL SUSPENSE »

Pour John
Et à nos enfants et petits-enfants
Clark et Conheenay
Avec amour

Prologue

Le Dr Greg Moran poussait Timmy, son petit garçon de trois ans, sur la balançoire du terrain de jeu de la 15e Rue Est de Manhattan, à quelques pas de leur appartement.

« Plus que deux minutes », dit-il, et il rit en donnant au siège une nouvelle poussée suffisamment forte pour faire plaisir à son jeune casse-cou, mais sans risquer de le voir passer par-dessus le haut de la balançoire. Longtemps auparavant, il avait été témoin d'une telle scène. Personne n'avait été blessé parce que c'était un siège de sécurité pour enfant. Malgré tout, avec ses longs bras et sa stature d'un mètre quatre-vingt-dix, Greg était toujours très prudent quand Timmy s'amusait sur une de ces balançoires. Médecin urgentiste, il n'était que trop habitué aux accidents.

Il était dix-huit heures trente, et le soleil du soir projetait de longues ombres à travers le terrain de jeu. L'air était maintenant un peu plus frais, rappelant que le week-end du Labor Day approchait. « Plus qu'une minute », prévint Greg d'un ton ferme. Avant d'emmener Timmy s'amuser, il avait été de garde pendant douze heures aux urgences et le service, surchargé comme d'habitude, avait passé la nuit sur les dents. Deux voitures remplies d'adolescents avaient fait la course sur la Première Avenue et s'étaient percutées et fracassées. Par miracle, tout le monde s'en était sorti vivant, mais trois gosses avaient été sérieusement blessés.

Greg lâcha la balançoire. Il était temps de la laisser ralentir et s'arrêter. Que Timmy n'ait pas protesté signifiait qu'il était sans doute prêt à rentrer à la maison, lui aussi. De toute façon, ils étaient maintenant seuls.

« Docteur ! »

Greg se retourna et se trouva face à un homme de taille moyenne solidement charpenté, le visage recouvert d'un foulard. Il tenait une arme pointée sur sa tête. Instinctivement, Greg fit un grand pas de côté pour s'écarter le plus loin possible de Timmy. « Écoutez, mon portefeuille est dans ma poche, dit-il calmement. Servez-vous. »

« Papa. » La voix de Timmy était empreinte de frayeur. Il s'était retourné sur le siège de la balançoire et regardait l'homme armé dans les yeux.

Durant ses derniers instants sur terre, Greg Moran, trente-quatre ans, médecin réputé, mari et père très aimé, tenta de se jeter sur son agresseur, mais il n'avait aucune chance d'échapper au tir fatal qui l'atteignit avec une précision mortelle en plein front.

« PAPPAAAAA », hurla Timmy.

L'agresseur courut jusqu'à la rue, puis s'arrêta et se retourna. « Toi, dis à ta mère qu'elle est la prochaine, cria-t-il. Puis ce sera ton tour. »

Le coup de feu et la menace furent entendus par Margy Bless, une femme d'un certain âge qui rentrait chez elle après son travail à mi-temps à la boulangerie du coin. Elle resta un long moment sans bouger, s'imprégnant de la scène de cauchemar : la silhouette qui fuyait, le pistolet se balançant dans sa main, et disparaissait au coin de la rue, l'enfant qui hurlait sur la balançoire, le corps affaissé sur le sol.

Ses doigts tremblaient tellement qu'elle dut s'y reprendre à trois fois avant de pouvoir composer le 911.

Quand l'opérateur répondit, Margy put seulement gémir : « Vite ! Vite ! Il pourrait revenir ! Il a tué un homme, ensuite il a menacé un enfant ! »

Sa voix se voila tandis que Timmy hurlait : « Z'yeux Bleus a tué mon papa… Z'yeux Bleus a tué mon papa ! »

1

LAURIE MORAN regardait par la fenêtre de son bureau au vingt-quatrième étage du 15 Rockefeller Center. Elle avait vue sur la patinoire située au milieu du célèbre ensemble d'immeubles de Manhattan. C'était une journée froide et ensoleillée de mars et, de son poste d'observation, elle voyait les débutants vaciller, mal assurés sur leurs patins, tandis que d'autres filaient sur la glace avec la grâce de danseurs de ballet.

Timmy, son petit garçon de huit ans, avait une passion pour le hockey sur glace et s'était mis en tête d'être assez bon pour jouer dans l'équipe des New York Rangers quand il en aurait vingt et un. Laurie sourit en songeant à Timmy dont les yeux bruns expressifs brillaient de plaisir quand il s'imaginait gardien de but dans de futurs matchs des Rangers. Il sera le portrait de Greg, songea-t-elle, mais elle se ressaisit et se concentra sur le dossier posé sur son bureau.

À trente-six ans, avec des cheveux couleur de miel retombant sur ses épaules, des yeux noisette plus verts que bruns, une silhouette svelte et des traits classiques que ne soulignait aucun maquillage, Laurie était le genre de femme sur laquelle les gens se retournaient quand ils la croisaient. « Jolie et élégante », c'était la description qui lui convenait le mieux.

Productrice attachée aux Studios Fisher Blake, plusieurs fois primée, Laurie était sur le point de lancer une nouvelle série pour le câble, une idée qu'elle avait déjà en tête avant la mort de Greg. Elle l'avait ensuite mise de côté – jugeant que les gens pourraient l'accuser de l'avoir conçue à la suite du meurtre jamais élucidé de son mari.

Il s'agissait de faire la reconstitution de crimes non résolus, mais, au lieu d'utiliser des acteurs, de réunir des amis et des parents des victimes afin d'entendre de leur bouche *leur* version des faits. Dans la mesure du possible, le véritable théâtre du crime servirait de décor. Une tentative risquée – avec un grand potentiel de réussite mais des complications en perspective.

Elle sortait d'une réunion avec son patron, Brett Young, qui lui avait rappelé qu'elle avait juré de ne plus jamais toucher à des émissions de téléréalité. « Les deux dernières ont été des échecs commerciaux, Laurie, avait-il dit. Nous ne pouvons nous permettre d'en essuyer un autre. » Puis il avait ajouté sur un ton qui en disait long : « Ni vous non plus. »

Maintenant, en finissant le café qu'elle avait rapporté de la réunion, elle passait en revue les arguments qu'elle avait utilisés pour le convaincre. « Brett, avant que vous me rappeliez une fois de plus que vous en avez marre des émissions de téléréalité, je vous promets que celle-ci sera différente. Nous l'appellerons *Suspicion*. La deuxième page du dossier que je vous ai remis contient une longue liste d'affaires criminelles qui n'ont jamais été élucidées, et d'autres soi-disant résolues alors qu'il est possible que le vrai coupable ne soit pas celui qui a été envoyé en prison. »

Laurie contempla son bureau. Une vision qui renforça sa détermination à ne pas le quitter. Il était assez spacieux pour contenir un canapé installé sous les fenêtres et une longue bibliothèque où étaient disposés des souvenirs, les prix qui lui avaient été décernés, et des photos de famille, en particulier de son père et de Timmy. Elle avait décidé depuis longtemps que les photos de Greg avaient leur place dans sa chambre, et non ici, où elles rappelleraient inévitablement à chacun qu'elle était veuve, et que le meurtre de son mari n'avait jamais été élucidé.

« Le kidnapping de l'enfant Lindbergh est le premier sur votre liste. Il a eu lieu voilà environ quatre-vingts ans. Vous n'avez pas l'intention de reconstituer cette affaire-là, je suppose ? » demanda Brett.

Laurie lui avait dit que c'était l'exemple d'un crime dont les gens avaient parlé pendant des générations à cause de l'horreur qu'il avait suscitée, mais aussi parce que beaucoup de questions étaient restées sans réponses. Bruno Hauptmann, un immigrant allemand qui avait été exécuté pour avoir kidnappé le petit Lindbergh, était presque certainement un de ceux qui avaient fabriqué l'échelle menant à la chambre de l'enfant. Mais comment avait-il su que la nounou sortait dîner tous les soirs à la même heure exactement en laissant le petit seul pendant quarante-cinq minutes ? Comment Hauptmann était-il au courant ? Qui le lui avait dit ?

Puis elle lui avait parlé du meurtre mystérieux d'une des deux filles jumelles du sénateur Charles H. Percy. Il avait été commis au début de sa première campagne pour les élections sénatoriales de 1966. Percy avait été élu, mais le crime n'avait jamais été élucidé, et une question était restée en suspens : la jeune fille qui avait été assassinée était-elle la victime visée ? Et pourquoi le chien n'avait-il pas aboyé si un étranger était entré dans la maison ?

Laurie se renfonça dans son fauteuil. Elle avait dit à Brett que le problème avec des affaires de ce genre était que, dès qu'on les mentionnait, tout le monde y allait de sa théorie. « La série concernera des crimes vieux de vingt à trente ans, pour lesquels nous rassemblerons le point de vue des personnes qui étaient les plus proches de la victime, et j'ai un cas parfait pour la première émission : le Gala des Lauréates », dit-elle.

C'était à partir de là que Brett s'était montré vraiment intéressé, se souvint Laurie. Habitant Westchester County, il était au courant de l'histoire : vingt ans plus tôt, quatre jeunes filles qui avaient grandi ensemble à Salem Ridge étaient sorties diplômées de quatre universités différentes. Le beau-père de l'une d'elles, Robert Nicholas Powell, avait donné ce qu'il avait appelé un « gala des lauréates » en l'honneur des quatre jeunes filles. Trois cents invités, smokings, caviar et champagne, feu d'artifice, tout le tralala. Après la fête, sa belle-fille et les trois autres diplômées étaient restées pour la nuit. Au matin, l'épouse de Powell, Betsy Bonner Powell, une séduisante femme du monde de quarante-deux ans, avait été découverte étouffée dans son lit. L'énigme n'avait jamais été résolue. Rob, comme on appelait Powell, avait aujourd'hui soixante-dix-huit ans, était en excellente forme physique et mentale et vivait toujours dans la même maison.

Powell ne s'était jamais remarié. Il avait récemment accordé une interview à un journal, *The O'Reilly Factor*, dans laquelle il disait être prêt à donner n'importe quoi pour résoudre le mystère de la mort de sa femme, et il savait que sa belle-fille et ses amis partageaient son sentiment. Tous pensaient que, jusqu'à ce que la vérité éclate, les gens se demanderaient si l'un des participants à la soirée n'était pas le meurtrier de Betsy.

C'est à ce moment-là que j'ai eu le feu vert de Brett pour contacter Powell et les quatre lauréates et leur demander s'ils seraient d'accord pour participer à l'émission, pensa Laurie. Un moment plutôt plaisant.

Il était temps de faire part de cette bonne nouvelle à Grace et Jerry. Elle décrocha son téléphone et demanda à ses deux assistants de la rejoindre. Une minute plus tard, la porte de son bureau s'ouvrit brusquement.

Grace Garcia, son assistante administrative, entra la première. Vingt-cinq ans, vêtue d'une robe courte de lainage rouge sur des leggins de coton et de bottes hautes à boutons, avec de longs cheveux noirs retenus par un peigne. Des mèches folles encadraient son visage ovale. Une couche de mascara habilement appliqué accentuait ses yeux sombres au regard vif.

Jerry Klein suivait immédiatement derrière elle. Il casa sa silhouette longiligne sur une des chaises du bureau de Laurie. Comme à l'accoutumée, il portait un pull à col roulé et un cardigan. Il prétendait vouloir conserver son unique costume trois-pièces bleu marine et son unique smoking pendant vingt ans. Laurie était persuadée qu'il réussirait. Entré trois ans plus tôt dans la société comme stagiaire, à vingt-trois ans, il s'était révélé un assistant de production indispensable.

« Je ne vais pas vous laisser dans l'incertitude, annonça Laurie. Brett a donné son feu vert.

– J'en étais sûre ! s'exclama Grace.

– Je l'ai su quand j'ai vu votre expression en sortant de l'ascenseur, renchérit Jerry.

– Sûrement pas. J'ai le regard impénétrable d'un joueur de poker, dit Laurie. Bon, la première chose à faire est de contacter Robert Powell. Si j'obtiens son aval, d'après l'interview qu'il a donnée, il est vraisemblable que sa belle-fille et ses trois amies seront d'accord aussi.

– Surtout qu'elles seront payées grassement pour leur coopération, et qu'aucune d'entre elles n'est vraiment fortunée, dit Jerry, pensif, en se remémorant les informations qu'il avait rassemblées en vue de l'émission. « La fille de Betsy, Claire Bonner, est assistante sociale à Chicago. Elle ne s'est jamais mariée. Nina Craig est divorcée, vit à Hollywood, gagne sa vie comme figurante dans des films. Alison Schaefer est pharmacienne dans un petit drugstore de Cleveland. Son mari est infirme. Il a été victime d'un accident dont l'auteur a pris la fuite. Regina Callari est allée s'installer à St. Augustine, en Floride. Elle gère une petite agence immobilière. Divorcée, un enfant à l'université.

– L'enjeu est élevé, les avertit Laurie. Brett n'a pas manqué de me rappeler que les deux dernières séries ont été des flops.

– Est-ce qu'il a mentionné que les deux premières étaient toujours programmées ? demanda Grace d'un ton indigné.

– Non, il n'en a rien dit et il n'en dira rien. Mais j'ai le pressentiment que nous allons faire un tabac, cette fois. Si Robert Powell nous donne son accord, les autres suivront », dit Laurie. Elle ajouta avec ferveur : « C'est du moins ce que j'espère, et je prie pour que les autres filles le fassent. »

2

Le bruit courait que Leo Farley, premier commissaire adjoint du département de la police de New York, allait être nommé commissaire en chef quand il remit subitement sa demande de mise à la retraite dès le lendemain de l'enterrement de son gendre. Aujourd'hui, plus de cinq ans après, Leo n'avait jamais regretté cette décision. À soixante-trois ans, il était un policier dans l'âme et il avait toujours eu l'intention de le rester jusqu'à l'âge réglementaire de la retraite, mais quelque chose de plus important avait modifié ses plans.

Le meurtre épouvantable de Greg accompli de sang-froid et la menace que cette vieille femme avait entendue : « Toi, dis à ta mère qu'elle est la prochaine, puis ce sera ton tour » avait été une raison suffisante pour qu'il consacre son existence à protéger sa fille et son petit-fils. De taille moyenne mais droit comme un i, avec une épaisse chevelure gris foncé et un corps musclé et bien entraîné, Leo Farley était du matin au soir en état d'alerte.

Il savait qu'il ne pouvait pas faire davantage pour Laurie. Elle avait un travail dont elle avait besoin et qu'elle aimait. Elle utilisait les transports publics, faisait du jogging dans Central Park et, par beau temps, déjeunait souvent dans un des petits jardins publics proches de son bureau.

Il en allait autrement pour Timmy. Dans l'esprit de Leo, rien n'empêchait l'assassin de Greg de s'en prendre d'abord à Timmy, et il s'était donc institué son gardien. C'était lui qui accompagnait l'enfant à l'école St. David tous les matins et c'était lui qui l'attendait à la sortie. Si Timmy avait des activités après l'école, Leo montait discrètement la garde aux alentours de la patinoire ou du terrain de sport.

Pour Leo, Greg Moran avait été le fils qu'il aurait voulu avoir. Ils s'étaient rencontrés dix ans auparavant, au service des urgences de l'hôpital de Lennox Hill. Eileen et lui s'y étaient rués après avoir appris que leur fille Laurie avait été renversée par un taxi dans Park Avenue et qu'elle était inconsciente.

Greg, dans sa blouse verte d'hôpital, impressionnait par sa haute taille. Il les avait accueillis avec un sourire rassurant : « Elle est revenue à elle. Une cheville cassée et une commotion cérébrale. Nous allons la mettre en observation mais elle va s'en sortir. »

À ces mots, folle d'inquiétude pour son unique enfant, Eileen s'était évanouie, et Greg s'était retrouvé avec une patiente de plus sur les bras. Il avait rattrapé Eileen avant qu'elle tombe. Il n'est jamais sorti de notre vie depuis, se rappela Leo. Laurie et lui se sont fiancés trois mois plus tard. Il a été notre soutien quand Eileen est morte, un mois après.

Comment avait-on pu le tuer ? Une enquête minutieuse avait été menée, toutes les pierres avaient été retournées pour découvrir quelqu'un susceptible d'avoir eu un différend avec Greg, aussi impensable que cela puisse paraître pour quiconque le connaissait. Après avoir rapidement éliminé les amis et les camarades de classe, on avait passé au peigne fin les archives des deux hôpitaux où Greg avait exercé comme médecin interne puis directeur de l'équipe médicale, afin de découvrir si un patient ou un membre d'une famille l'avait jamais accusé d'une erreur de diagnostic ou d'un traitement ayant entraîné un handicap permanent ou un décès. Il n'en était rien résulté.

Dans le bureau du procureur, l'affaire était connue sous le nom du « Meurtre des Yeux Bleus ». Parfois une expression d'inquiétude se peignait sur le visage de Timmy quand il se retournait brusquement et regardait Leo. Les yeux de Leo étaient bleu foncé. Il était certain, et Laurie et le psychologue aussi, que l'assassin avait de grands yeux du même bleu intense.

Laurie lui avait parlé de son projet d'une nouvelle série, qui commencerait par le Gala des Lauréates. Leo lui avait caché sa consternation. L'idée de réunir un groupe de personnes dont l'une était sans doute une meurtrière n'avait rien de rassurant. Quelqu'un avait haï Betsy Bonner

Powell au point de presser un oreiller sur sa tête jusqu'à expulser le dernier souffle de son corps. Cette même personne avait probablement un exceptionnel instinct de conservation. Leo savait que, vingt ans auparavant, les quatre jeunes femmes avaient été interrogées par les meilleurs inspecteurs criminels. À moins qu'une autre personne soit parvenue à pénétrer en douce dans la maison, si la série recevait le feu vert, le meurtrier et les suspects seraient à nouveau réunis, une situation particulièrement dangereuse.

Leo ressassait ces pensées tandis qu'il raccompagnait Timmy de l'école St. David, dans la 89e Rue, à l'angle de la Cinquième Avenue, jusqu'à l'appartement situé à huit blocs de là, entre Lexington Avenue et la 94e Rue. Après la mort de Greg, Laurie avait aussitôt déménagé, incapable de supporter la vue du terrain de jeu où son mari avait été tué.

Une voiture de patrouille ralentit à leur hauteur. Le policier assis à la place du passager salua Leo.

« J'aime bien les voir passer, grand-père, déclara Timmy. Ça me rassure », ajouta-t-il tout naturellement.

Sois attentif, s'enjoignit Leo. J'ai toujours dit à Timmy que si je n'étais pas dans les parages et que lui ou ses amis avaient un problème, ils devaient courir trouver un policier et lui demander de l'aide. Instinctivement, il serra plus fort le poignet de Timmy.

« Eh bien, j'ai toujours été là pour t'aider. » Puis il ajouta prudemment : « Autant que je sache. »

Ils marchaient dans Lexington Avenue, en direction du nord. Le vent avait tourné et giflait leurs visages. Leo s'arrêta et enfonça le bonnet de laine de Timmy sur son front et ses oreilles.

« Un des garçons de la classe de quatrième était sur le chemin de l'école ce matin et un type en bicyclette a essayé de lui voler son téléphone portable. Un policier l'a vu et a arrêté le type », raconta Timmy.

Il n'avait pas été question cette fois d'un individu aux yeux bleus. Et Leo avait dû s'avouer qu'il en était soulagé. Jusqu'à ce que le meurtrier de Greg soit arrêté, il lui fallait être sûr que Laurie et Timmy étaient en sécurité.

Un jour, justice sera faite, se jura-t-il.

Ce matin-là, quand Laurie eut quitté l'appartement quelques secondes après son arrivée en disant qu'elle allait enfin savoir si son projet d'émission était accepté ou non, l'esprit de Leo était sans cesse revenu à ce qui le préoccupait. Il lui faudrait attendre jusqu'au soir pour connaître la réponse. Une fois que Timmy aurait fini de dîner et se serait pelotonné dans le grand fauteuil avec un livre, elle en discuterait en prenant une tasse de café avec lui. Puis il regagnerait son appartement, un bloc plus loin. Quand le soir tombait, il voulait que Laurie et Timmy soient tranquilles chez eux, et avoir la certitude qu'aucun individu ne passerait devant le portier de leur immeuble sans que soit averti le résident qu'il prétendait rencontrer.

Si elle a le feu vert pour cette série, ce sera une mauvaise nouvelle, pensa Leo.

Un homme en sweat-shirt à capuche, avec des lunettes noires, un sac de toile à l'épaule, et semblant surgir de nulle part, les dépassa à toute vitesse en patins et faillit renverser Timmy, puis frôla une jeune femme enceinte qui marchait à environ trois mètres devant eux.

« Descendez du trottoir ! » cria Leo au moment où l'homme tournait au coin de la rue et disparaissait.

Derrière les lunettes teintées, des yeux d'un bleu intense étincelèrent et l'homme éclata de rire.

Pareille rencontre renforçait le sentiment de puissance qu'il éprouvait quand il s'approchait de Timmy, sûr et certain qu'un jour ou l'autre il pourrait mettre sa menace à exécution.

3

À SOIXANTE-DIX-HUIT ANS, Robert Nicholas Powell en paraissait dix ans de moins. Une masse de cheveux blancs encadrait son beau visage et il se tenait encore parfaitement droit, bien qu'il ait perdu un peu de sa haute taille. Son air d'autorité frappait sur-le-champ ceux qui se trouvaient en sa présence. À l'exception du vendredi, il passait encore ses journées à son bureau de Wall Street où le conduisait son fidèle chauffeur Josh Damiano.

Ce mardi 16 mars, Rob avait décidé de rester chez lui, à Salem Ridge, et d'y recevoir la productrice de télévision Laurie Moran. Elle lui avait donné la raison de sa visite, et sa proposition l'avait laissé perplexe : « Monsieur Powell, je crois que si vous acceptez, avec votre belle-fille et ses amies, de faire revivre ce qui s'est passé le soir du Gala des Lauréates, le public comprendra qu'il est impossible que l'un de vous soit responsable de la mort de votre épouse. Vous formiez un couple heureux. Tous ceux qui vous connaissaient le savaient. Votre belle-fille et sa mère étaient très proches. Les trois autres diplômées avaient souvent séjourné chez Betsy quand elles étaient au lycée et, ensuite, après votre mariage, elles s'étaient toujours senties les bienvenues. Vous avez une très grande maison et, avec une telle affluence à cette réception, il est parfaitement possible qu'un intrus soit passé inaperçu. Votre femme était connue pour avoir des bijoux de grande valeur. Elle portait ce soir-là ses boucles d'oreilles, son collier et sa bague en émeraudes. »

Il avait répondu sèchement : « La presse people a transformé cette tragédie en scandale. » Bon, elle sera bientôt là, pensa-t-il. Advienne que pourra.

Il était assis dans son spacieux bureau du rez-de-chaussée. De grandes fenêtres s'ouvraient sur les jardins à l'arrière de la propriété. Une vue magnifique aussi bien au printemps qu'en été ou au début de l'automne, songea Rob. Sous la neige, le paysage austère et dépouillé était adouci et prenait parfois un aspect magique, mais par un jour humide, froid et sans soleil de mars, lorsque les arbres étaient nus, la piscine recouverte et la pool-house fermée, aucune des coûteuses plantations ne pouvait égayer la sévère réalité du paysage hivernal.

Son fauteuil rembourré était très confortable, et Rob sourit en lui-même à la pensée du secret qu'il n'avait jamais partagé avec personne. Il était certain que le seul fait d'être assis derrière cet impressionnant bureau d'acajou, avec ses côtés et ses pieds ornés de sculptures compliquées, conférait encore plus de prestige à l'image qu'il avait si soigneusement cultivée. Une image élaborée dès son départ de Detroit, à l'âge de dix-sept ans, pour entrer en tant que boursier en première année à Harvard. Il avait déclaré que sa mère était professeur d'université et son père ingénieur ; en réalité elle était employée aux cuisines de l'université du Michigan et lui, mécanicien dans une usine Ford.

Rob sourit en se rappelant qu'en deuxième année il avait acheté un manuel de bonnes manières, un service de table d'occasion et s'était entraîné à l'usage d'instruments aussi peu familiers que des couverts à poisson, jusqu'à acquérir une aisance parfaite. Après sa remise de diplôme, un stage chez Merrill Lynch avait lancé sa carrière dans le monde de la finance. Aujourd'hui, malgré quelques années difficiles en cours de route, les fonds d'investissement R.N. Powell étaient considérés parmi les meilleurs et les plus sûrs de Wall Street.

À onze heures précises, le carillon retentit à la porte d'entrée, annonçant l'arrivée de Laurie Moran. Rob se redressa. Il se lèverait quand elle serait introduite dans la pièce, mais pas avant qu'elle l'ait vu assis à son bureau. Il se rendit compte à quel point il était curieux de la rencontrer. Il était difficile de deviner son âge d'après sa voix au téléphone. Elle s'était exprimée avec précision, s'était présentée sans affectation, puis elle avait parlé de la mort de Betsy, d'un ton empreint de sympathie.

Après leur conversation, il avait fait des recherches sur Google. Qu'elle soit la veuve du médecin qui avait été assassiné sur un terrain de jeu et qu'elle ait mené une carrière impressionnante de productrice de télévision l'avait intrigué. Sa photo montrait une jeune femme très séduisante. Je suis encore assez jeune pour savoir apprécier ces détails, songea-t-il.

On frappa à la porte et Jane, sa fidèle gouvernante depuis son mariage avec Betsy, entra, suivie de Laurie Moran.

« Merci, Jane », dit Rob, et il attendit que celle-ci soit sortie en refermant la porte derrière elle pour se lever. « Madame Moran », dit-il d'un ton courtois. Il tendit la main à Laurie et lui indiqua un fauteuil en face de son bureau.

Robert Powell ne pouvait pas savoir ce que pensait Laurie. Bon, nous y voilà, se dit-elle en s'installant dans le fauteuil avec un large sourire. La gouvernante l'avait débarrassée de son manteau dès son arrivée. Elle portait un tailleur-pantalon bleu marine à rayures, une blouse blanche sans manches et des boots de cuir bleu marine. Ses seuls bijoux étaient une paire de petites boucles d'oreilles ornées de perles et son alliance en or. Ses cheveux étaient tirés en arrière et noués en chignon, un style qui lui donnait de l'assurance.

Cinq minutes lui suffirent pour pressentir que Robert Powell avait déjà décidé de donner suite au projet, mais elle dut attendre dix minutes pour qu'il le lui confirme.

« Monsieur Powell, je suis ravie que vous acceptiez que cette soirée du Gala des Lauréates soit reconstituée. Naturellement, nous aurons besoin de l'aide de votre belle-fille et de ses amies. Pourrez-vous m'aider à les persuader de nous prêter leur concours ?

– Je le ferai volontiers, bien que je ne puisse parler au nom d'aucune d'entre elles.

– Êtes-vous resté proche de votre belle-fille depuis la disparition de votre femme ?

– Non. Pourtant je l'aurais sincèrement désiré. J'aimais et j'aime toujours beaucoup Claire. Elle a vécu ici de l'âge de treize ans à vingt-deux. La mort de sa mère a été un choc terrible pour elle. J'ignore ce que vous connaissez de son passé, mais son père et sa mère ne s'étaient jamais mariés. Il est parti lorsque Betsy est tombée enceinte. Betsy tenait de petits rôles à Broadway et, quand elle ne jouait pas, elle était employée comme ouvreuse. La vie n'a pas été tendre pour elle et sa fille jusqu'à mon arrivée. »

Puis il ajouta : « Betsy était ravissante. Je suis sûr qu'elle aurait pu se marier avec quelqu'un d'autre entre-temps, mais après son aventure avec le père de Claire, je crois qu'elle craignait de s'engager.

– Je peux la comprendre, dit Laurie.

– Moi aussi. N'ayant jamais eu d'enfants, j'ai considéré Claire comme ma propre fille. J'ai été peiné de la voir s'en aller aussi rapidement après la mort de Betsy. Mais je pense que nous partagions un trop grand chagrin pour rester sous le même toit et qu'elle l'a très vite senti. Vous savez sans doute qu'elle travaille à Chicago comme assistante sociale. Elle ne s'est jamais mariée.

– Elle n'est jamais revenue ici ?

– Non, et elle n'a jamais accepté mon offre d'une généreuse aide financière.

– Pourquoi pensez-vous qu'elle l'a refusée ?

– Elle était terriblement jalouse de ma relation avec sa mère. N'oubliez pas qu'elles avaient vécu toutes les deux en vase clos pendant treize ans

– Pensez-vous qu'elle puisse refuser d'apparaître dans l'émission ?

– Je ne le crois pas. De temps à autre, il arrive qu'un journaliste écrive un article sur l'affaire et certains ont parfois cité Claire ou l'une des autres filles. Leur position est la même. Elles ont toutes l'impression qu'on les regarde avec suspicion et elles voudraient que cela cesse.

– Nous avons l'intention de leur proposer cinquante mille dollars pour leur participation, ajouta Laurie.

– J'ai suivi leurs parcours. Il n'y en a pas une qui n'ait pas besoin d'une aide financière. Afin de les convaincre d'accepter, je vous autorise à annoncer que je suis prêt à verser à chacune d'elles deux cent cinquante mille dollars pour leur coopération.

– Vous feriez cela ? s'exclama Laurie.

– Oui. Dites-moi, qui d'autre voulez-vous interviewer dans votre émission ?

– Votre gouvernante, bien sûr, dit Laurie.

– Proposez-lui les cinquante mille dollars que vous donnez aux autres et j'en ajouterai cinquante mille. Je ferai en sorte qu'elle vous parle. Il n'est pas nécessaire de lui donner autant qu'aux autres. J'ai soixante-dix-huit ans et trois stents dans les artères. Je sais que je suis considéré comme suspect au même titre que les filles, ou témoin assisté dans le jargon d'aujourd'hui. Avant de mourir, je veux être présent le jour où un tribunal condamnera le meurtrier de Betsy.

– Vous n'avez entendu aucun bruit venant de sa chambre ?

– Non. Nos chambres étaient situées de part et d'autre du petit salon. Je dois avouer que j'ai le sommeil lourd et ronfle bruyamment. Après que nous nous sommes dit bonsoir, je suis allé dans ma chambre. »

Ce soir-là, Laurie attendit de voir Timmy plongé dans son Harry Potter pour raconter à son père son entretien avec Powell :

« Je sais que je ne devrais pas porter un jugement aussi rapide, mais j'ai senti de la sincérité dans le ton de cet homme, dit-elle. Et son offre de rémunérer chacune des filles à hauteur d'un quart de million de dollars est extraordinaire.

– Un quart de million de dollars en plus de ce que tu les payes, c'est extraordinaire en effet, confirma Leo. Tu dis que Powell sait qu'elles ont besoin d'argent.

– C'est ce qu'il a dit en tout cas. »

Laurie se rendit compte qu'elle paraissait sur la défensive.

« Powell a-t-il aidé l'une d'entre elles entretemps, y compris sa belle-fille ?

– Il a affirmé que non.

– Je crois que c'est une question que tu devrais creuser. Quel est le motif qui le pousse à distribuer tout cet argent ? »

Leo ne pouvait s'empêcher de douter des intentions de ces gens. C'était le policier qui ressortait en lui. Et le père. Et le grand-père.

Sur ce, il décida de terminer son café et de rentrer chez lui. Je deviens trop nerveux, se dit-il, et ce n'est bon ni pour Laurie ni pour Timmy. Quand j'ai crié après ce type en patins, j'avais raison, il aurait pu blesser quelqu'un ; mais c'est surtout de le voir frôler Timmy qui m'a effrayé. S'il avait eu un pistolet ou un couteau, je n'aurais pas eu le temps de le protéger.

Leo connaissait la sinistre réalité : lorsqu'un meurtrier veut passer à l'acte, aucune mesure de protection ou de vigilance ne peut l'empêcher de satisfaire son besoin de tuer.

4

CLAIRE BONNER s'installa à une table du Seafood Bar de l'hôtel Breakers à Palm Beach. Elle faisait face à la mer et observait avec une certaine indifférence les vagues qui se brisaient contre la digue en contrebas du restaurant. Le soleil brillait, mais en ce début de printemps les vents étaient plus forts en Floride qu'elle ne l'avait imaginé.

Elle portait un blouson bleu clair qu'elle venait d'acheter parce qu'il portait le nom THE BREAKERS inscrit sur la poche de poitrine. Elle avait toujours rêvé de passer ce long week-end ici. Ses cheveux courts d'un blond clair encadraient un visage à demi caché par d'énormes lunettes de soleil. Elle s'abritait la plupart du temps derrière elles, dévoilant rarement ses traits ravissants et l'apparente sérénité qu'elle avait mis des années à acquérir. En fait, un observateur attentif aurait vite décelé que cette expression reflétait la résignation plutôt que la tranquillité d'esprit. Son corps mince avait une apparence fragile, suggérant qu'elle avait été récemment malade. Le même observateur aurait pu imaginer qu'elle n'avait guère plus de trente-cinq ans. Dans ce cas, il aurait été dans l'erreur. Elle en avait quarante-deux.

Depuis quatre jours elle était servie par le même jeune homme courtois qui l'appelait maintenant par son nom quand il s'approchait de sa table. « Laissez-moi deviner, madame Bonner, dit-il. Soupe de poisson et deux gros crabes.

– Exactement, répliqua Claire avec un petit sourire.

– Et l'habituel verre de chardonnay », ajouta-t-il en notant la commande.

Vous faites la même chose pendant quelques jours et cela devient une habitude, pensa-t-elle ironiquement.

Le chardonnay se trouva devant elle sur la table presque aussitôt. Elle porta le verre à ses lèvres et regarda la salle autour d'elle en buvant une gorgée.

Tous les clients portaient des tenues décontractées de grande marque. The Breakers était un hôtel de luxe, un refuge pour gens fortunés. C'était la semaine de Pâques, et les écoles étaient fermées dans tout le pays. Au petit déjeuner dans la salle à manger, elle avait observé que les familles avec enfants étaient en général accompagnées de nounous qui s'occupaient des plus petits afin que les parents puissent profiter en paix du somptueux buffet.

Au bar, la foule du déjeuner était presque entièrement composée d'adultes. Claire avait remarqué que les familles plus jeunes gravitaient autour des restaurants de la piscine, où le choix de plats simples était plus grand.

À quoi ressemble une enfance où vous passez tous vos étés ici ? se demanda-t-elle. Elle s'efforça de refouler les souvenirs de l'époque où elle s'endormait dans les salles de cinéma à moitié vides où sa mère travaillait comme ouvreuse. C'était avant leur rencontre avec Rob Powell, bien sûr. Mais Claire n'était plus une enfant alors.

Pendant que ces pensées lui traversaient l'esprit, deux couples, encore en vêtements de voyage, s'assirent à la table près de la sienne. Elle entendit une des femmes pousser un soupir de satisfaction : « C'est si agréable d'être de retour. »

Je vais prétendre que je suis de retour moi aussi, pensa-t-elle. Je vais prétendre que chaque année j'occupe la même chambre sur la mer et que je suis impatiente de faire de longues promenades sur la plage avant le petit déjeuner.

Le serveur arriva avec la soupe de poisson. « Elle est très chaude, comme vous l'aimez, madame Bonner », dit-il.

Le premier jour, elle avait demandé que la soupe soit très chaude et les crabes servis comme plat principal. Le serveur avait gardé en mémoire ce souhait.

La première cuillerée faillit lui brûler le palais et elle remua le reste dans le pain évidé qui servait de bol. En attendant que la soupe refroidisse, elle avala une longue gorgée de chardonnay. Il était exactement comme elle s'y attendait, aussi vif et sec que les jours précédents.

Au-dehors le vent avait forci et de longues gerbes d'écume volaient au-dessus de la crête des vagues.

Claire avait l'impression de ressembler à cette houle, qui cherchait à atteindre le rivage, mais était à la merci d'un vent puissant. La décision lui appartenait encore. Elle pouvait dire non. Pendant des années elle avait refusé de revenir dans la maison de son beau-père. Et elle n'avait pas plus envie de le faire maintenant. Personne ne pouvait la forcer à participer à une émission de télévision câblée dont l'objet était de faire revivre la fête et la nuit passée dans cet endroit, vingt ans plus tôt, avec ses meilleures amies, pour célébrer la remise de leurs diplômes.

Mais si elle acceptait, la société de production lui verserait cinquante mille dollars et Rob deux cent cinquante mille.

Trois cent mille dollars. Qui lui permettraient de prendre un long congé de son travail dans les services sociaux de Chicago. La pneumonie qui l'avait frappée en janvier avait failli la tuer et elle se sentait encore très faible.

Elle n'avait jamais accepté l'argent que lui avait proposé Powell. Pas un centime. Elle avait déchiré ses lettres et les lui avait renvoyées.

Après ce qu'il avait fait.

Il avait appelé ça le « Gala des Lauréates ». Une fête magnifique, merveilleuse, se souvint Claire. Ensuite, Alison, Regina et Nina étaient restées pour la nuit. Et à un moment cette nuit-là, sa mère avait été assassinée. Betsy Bonner Powell, la belle, brillante, généreuse, drôle et bien-aimée Betsy.

Je détestais ma mère de toutes mes forces, pensa calmement Claire. Et je hais son mari adoré, bien qu'il ait constamment essayé de m'envoyer de l'argent.

5

REGINA CALLARI regrettait d'être allée à la poste pour y chercher la lettre recommandée envoyée par Laurie Moran, une productrice des Studios Fisher Blake. Participer à une émission qui consisterait en une reconstitution du Gala des Lauréates ! soupira-t-elle, consternée – et même franchement choquée.

Regina était agent immobilier et la lettre l'avait bouleversée au point qu'elle avait raté une vente. Il lui avait fallu fouiller dans ses documents pour trouver les caractéristiques de la maison qu'elle faisait visiter et, au milieu de la visite, le client avait dit brusquement : « Je pense que j'en ai vu assez, ce n'est pas le genre de maison que je recherche. »

Puis, après avoir regagné l'agence, elle avait dû téléphoner à la propriétaire, Bridget Whiting, une dame de soixante-six ans, et lui dire qu'elle s'était trompée. « J'étais sûre que nous avions un bon prospect mais l'affaire ne s'est pas faite », s'était-elle excusée.

La voix de Mme Whiting avait trahi sa déception : « Je ne sais pas combien de temps ils vont me garder cet appartement dans la résidence médicalisée, c'est *exactement* ce qu'il me faut. Oh Regina, ma chère, peut-être ai-je trop espéré. Ce n'est pas votre faute. »

Mais si, c'est ma faute, avait pensé Regina, s'efforçant de ne pas laisser la colère percer dans sa voix tandis qu'elle promettait à la dame de lui trouver rapidement un autre acheteur, même si elle savait que ce serait difficile dans le marché actuel.

Son bureau, un ancien garage aménagé, avait autrefois fait partie d'une résidence privée donnant sur la rue principale de St. Augustine. Le marché immobilier, un temps déprimé, s'était redressé, mais pas suffisamment pour que Regina arrive à joindre les deux bouts. Elle appuya ses coudes sur son bureau et pressa son front entre ses doigts. Quelques fines mèches bouclées lui rappelèrent que ses cheveux noirs poussaient avec leur habituelle et ennuyeuse rapidité. Sa coupe avait besoin d'être rafraîchie. Le fait que la coiffeuse soit un vrai moulin à paroles l'avait retenue de prendre rendez-vous – ça et le prix.

Agacée contre elle-même, elle se reprocha son impatience. Et alors, se dit-elle, quelle importance si pendant vingt minutes Lena jacasse comme une pie ? Elle est la seule à savoir discipliner cette crinière et lui donner un aspect décent.

Les yeux marron foncé de Regina se tournèrent vers la photo posée sur son bureau. Zach, son fils de dix-neuf ans, lui souriait. Il terminait sa deuxième année à l'université de Pennsylvanie, dont les frais étaient entièrement payés par son père, l'ex-mari de Regina. Zach lui avait téléphoné la veille. Hésitant, il avait demandé si elle voyait un inconvénient à ce qu'il fasse un tour d'Europe et du Moyen-Orient sac au dos pendant l'été. Il avait projeté de revenir à la maison et de travailler à St. Augustine, mais les jobs étaient rares dans la région. Le voyage ne coûterait pas très cher, et son père le financerait.

« Je serai de retour assez tôt pour passer dix jours avec toi avant le début du semestre, maman », lui avait-il assuré d'un ton implorant.

Regina lui avait dit que c'était une occasion merveilleuse et qu'il devait la saisir. Elle n'avait pas laissé sa déception percer dans sa voix. Zach lui manquait. Le charmant petit garçon qui accourait dans son bureau en descendant du bus scolaire, prêt à partager chaque moment de sa journée avec elle lui manquait. Ou le grand adolescent qui avait préparé le dîner et l'attendait quand elle était retardée par un client.

Depuis leur divorce, Earl avait habilement concocté des moyens de la séparer de Zach. Il avait commencé quand, à l'âge de dix ans, Zach était parti en été dans un camp de voile au Cape Cod. Le camp avait été suivi par des vacances avec Earl et sa nouvelle femme, qui avaient emmené Zach skier en Suisse ou quelque part dans le sud de la France.

Elle savait que Zach était très attaché à elle, mais une petite maison et un budget serré ne faisaient pas le poids, comparés à la vie que lui offrait un père excessivement fortuné. Et voilà qu'il allait être absent pendant la plus grande partie de l'été.

Regina tendit lentement la main vers la lettre de Laurie Moran et la relut tout haut. « Elle paye cinquante mille dollars et le puissant Robert Nicholas Powell en versera à chacune d'entre nous deux cent cinquante mille. Monsieur Générosité en personne. »

Elle pensa à ses amies, invitées comme elle au Gala des Lauréates. Claire Bonner. Belle, mais toujours si effacée, comme une ombre à côté de sa mère. Alison Schaefer, si intelligente qu'elle nous faisait honte, se souvint-elle. J'étais convaincue qu'elle deviendrait la prochaine Marie Curie. Elle s'est mariée en octobre après la mort de Betsy, puis Rod, son mari, a eu un grave accident. D'après ce que je sais, il marche depuis des années avec des béquilles. Nina Craig. Nous l'appelions « la rousse flamboyante ». Je me souviens que même en première année, il valait mieux ne pas riposter quand elle se mettait en rogne contre vous. Elle était capable de s'en prendre à un professeur si elle estimait qu'elle n'avait pas eu une note suffisante à un devoir.

Et il y a moi, pensa Regina. À l'âge de quinze ans, j'ai ouvert la porte du garage pour y ranger ma bicyclette et j'ai trouvé mon père se balançant au bout d'une corde. Ses yeux étaient exorbités et sa langue pendait sur son menton. S'il devait se pendre, pourquoi ne l'avait-il pas fait dans son bureau ? Il savait que ce serait moi qui le trouverais dans le garage. Je l'aimais tant ! Comment a-t-il pu me faire ça ?

Les cauchemars n'avaient jamais cessé depuis. Ils commençaient toujours de la même façon : elle descendait de bicyclette et...

Avant d'appeler la police et les voisins chez lesquels sa mère jouait au bridge, elle avait ôté le mot épinglé à la chemise de son père et l'avait dissimulé. En arrivant sur place, les policiers avaient dit que la plupart des suicidés laissaient une lettre pour la famille. En sanglotant, la mère de Regina avait fouillé la maison pour la trouver, pendant qu'elle faisait semblant de chercher avec elle.

Les filles l'avaient aidée à tenir le coup, se rappela Regina. Nous étions de vraies amies. Après le gala et la mort de Betsy, Claire, Nina et moi avons été les demoiselles d'honneur d'Alison. Une décision stupide, si tôt après la mort de Betsy. Les journaux à scandale en ont fait leurs choux gras. Les titres ne parlaient que du meurtre du Gala des Lauréates. C'est alors que j'ai compris que nous serions toujours soupçonnées, soupira-t-elle. Peut-être pour le restant de notre vie.

Nous ne nous sommes jamais revues depuis, regrettait Regina. Après le mariage, nous avons tout fait pour nous éviter. Nous nous sommes toutes installées dans des villes différentes.

Qu'éprouverons-nous en nous revoyant, en nous retrouvant sous le même toit ? Nous étions jeunes alors, tellement choquées et effrayées quand on a découvert le corps de Betsy. Et la manière dont la police nous a interrogées, ensemble, puis séparément. C'est un miracle que l'une de nous ne se soit pas effondrée, et n'ait pas déclaré l'avoir étouffée, tant ils nous harcelaient. *Nous savons qu'il y avait quelqu'un à l'intérieur de la maison. Laquelle de vous a fait le coup ? Si ce n'est pas vous, peut-être est-ce l'une de vos amies. Défendez-vous. Dites-nous ce que vous savez.*

Regina se souvint que la police s'était demandé si les émeraudes de Betsy n'avaient pas été le mobile du crime. Elle les avait laissées sur le plateau de verre posé sur sa coiffeuse avant de se coucher. Les policiers pensaient qu'elle avait pu se réveiller pendant la nuit alors qu'on essayait de les lui dérober et que l'intrus avait été pris de panique. Une des boucles d'oreilles était sur le sol. Betsy l'avait-elle laissée tomber quand elle l'avait ôtée ou avait-elle échappé au voleur, affolé, qui portait des gants ?

Regina se leva lentement et regarda autour d'elle. Elle tenta de s'imaginer avec trois cent mille dollars en banque. Presque la moitié partirait en impôts, se rappela-t-elle. Malgré tout, ce serait un incroyable cadeau du ciel. Peut-être cela ramènerait-il l'époque de la réussite de son père où ils avaient, comme Betsy et Robert Powell, la grande maison de Salem Ridge et tout ce qui allait avec, gouvernante, cuisinière, jardinier, chauffeur, un des meilleurs traiteurs de New York pour leurs nombreuses réceptions…

Elle embrassa du regard sa petite agence immobilière.

Avec ses murs en placoplâtre peints en bleu ciel pour s'harmoniser avec son bureau et ses fauteuils blancs garnis de coussins bleus prêts à accueillir les clients potentiels, la pièce ressemblait à ce qu'elle était : un effort courageux pour masquer un budget maigrelet. Un garage reste un garage, se dit-elle. Elle ne s'était offert qu'un seul luxe après son divorce.

Toujours fermée à clé, la luxueuse salle de bains privée équipée d'un jacuzzi, d'une douche vapeur, d'un meuble-lavabo et d'une penderie se trouvait plus loin dans le couloir, après les toilettes mixtes. C'était là que parfois, à la fin de la journée, elle prenait une douche, se changeait avant de retrouver ses amies, de dîner seule ou d'aller au cinéma.

Earl l'avait quittée dix ans auparavant quand Zach avait presque neuf ans. Il n'avait pas supporté ses crises de dépression. « Je n'y peux rien, Regina. J'en ai assez de tes sautes d'humeur. J'en ai assez de tes cauchemars. Ce n'est pas bon non plus pour notre fils, au cas où tu ne l'aurais pas remarqué. »

Après le divorce, Earl, qui était à l'époque représentant commercial d'une boîte d'informatique et dont le hobby était d'écrire des chansons, avait fini par vendre plusieurs de ses compositions à un artiste célèbre. Il avait ensuite épousé Sonya Miles, une chanteuse de rock à la carrière prometteuse. Quand l'album qu'il avait écrit pour Sonya avait figuré au Top 50 des meilleures ventes, Earl était devenu une célébrité dans le monde dont il rêvait. Et il évoluait dans ce monde comme un poisson dans l'eau, pensa Regina en se dirigeant vers le meuble classeur au fond de la pièce.

Elle prit un dossier en bas du classeur fermé à clé. Enfouie sous diverses annonces immobilières, se trouvait une boîte en carton qui contenait tous les articles se rapportant au meurtre du Gala des Lauréates.

Je ne les ai pas regardés depuis des années, pensa Regina. Elle apporta la boîte à son bureau et l'ouvrit. Certains journaux commençaient à s'effriter, mais elle trouva ce qu'elle cherchait. C'était une photo de Betsy et de Robert Powell portant un toast aux quatre diplômées – Claire, Alison, Nina et elle-même.

Nous étions toutes si jolies, pensa Regina. Je me souviens que nous étions allées ensemble acheter nos robes. Nous avions réussi nos études. Nous avions des projets et des rêves d'avenir. Tous ont été réduits à néant cette nuit-là.

Elle remit les journaux dans le carton, le rangea à nouveau dans le classeur, le cachant soigneusement sous les annonces. Je vais accepter ce maudit fric, se dit-elle. Ainsi que celui de la productrice. Peut-être pourrai-je alors reprendre pied. Et j'utiliserai une partie de l'argent pour payer de belles vacances à Zach.

Elle referma le classeur, accrocha l'écriteau FERMÉ dans la vitrine de l'agence, éteignit la lumière, verrouilla la porte et gagna sa salle de bains privée. Là, pendant que l'eau coulait dans le jacuzzi, elle se déshabilla et s'observa dans le miroir. Il me reste deux mois avant le tournage, et je dois perdre dix kilos, pensa-t-elle. Je veux être en forme le jour où j'irai là-bas pour raconter ce dont je me souviens. Je veux que Zach soit fier de moi.

Une crainte la saisit. Earl s'était toujours demandé si je n'avais pas tué Betsy. Aurait-il transmis ses soupçons à Zach ?

Regina n'aimait plus Earl, elle n'avait plus besoin de lui désormais, mais, surtout, elle ne voulait plus faire de cauchemars.

Le jacuzzi était plein. Elle s'y glissa, se laissa aller en arrière et ferma les yeux.

Elle sentit ses muscles se détendre, ses boucles brunes se plaquer autour de son visage. Elle murmura : « C'est ma dernière chance de démontrer que ce n'est pas moi qui ai tué cette infâme salope. »

6

ROD KIMBALL signa le reçu de la lettre recommandée et l'ouvrit, pendant que sa femme, Alison, était occupée à exécuter une ordonnance. Le client parti, elle s'approcha de son mari.

« Qui peut m'envoyer une lettre recommandée ? » demanda-t-elle d'un air inquiet en s'en emparant. Elle regagna le comptoir des prescriptions sans laisser à Rod le temps de la prévenir du contenu de la lettre. Consterné, il la vit rougir, puis pâlir tandis qu'elle lisait la missive longue de deux pages. Puis elle la laissa tomber sur le comptoir. « Je ne peux pas revivre tout ça », s'écria-t-elle d'une voix tremblante. « Dieu du ciel, est-ce qu'ils pensent que je suis *folle* ?

– Calme-toi, ma chérie », dit Rod. Retenant une grimace douloureuse, il se glissa à bas du tabouret placé derrière la caisse et s'empara de ses béquilles. Vingt ans après l'accident qui l'avait rendu infirme, la douleur faisait partie de son quotidien. Parfois, comme aujourd'hui, en cette journée froide et humide de mars à Cleveland, Ohio, elle était plus sévère que d'habitude. Une souffrance qui était gravée dans les rides autour de ses yeux et dans la ligne résolue de sa mâchoire. Ses cheveux châtain foncé étaient devenus presque entièrement gris. Il savait qu'il paraissait plus que ses quarante-deux ans. Il boitilla jusqu'à Alison. De l'autre côté du comptoir, dominant de son mètre quatre-vingts la petite silhouette de sa femme, il ressentit un besoin irrésistible de la protéger. « Tu n'es pas obligée de faire quelque chose que tu ne veux pas faire, dit-il d'un ton ferme. Déchire cette lettre.

– Non », répliqua Alison en secouant la tête. Elle ouvrit le tiroir sous le comptoir et y fourra la lettre. « Je ne peux pas en parler maintenant, Rod », dit-elle.

Le tintement signalant l'ouverture de la porte leur indiqua qu'un client venait d'entrer, et Rod regagna la caisse.

Il était trois-quarts arrière des New York Giants quand Alison et lui s'étaient mariés. Il avait été élevé par sa mère, qui gagnait sa vie comme aide-soignante auprès d'un invalide. Son père, un alcoolique invétéré, était décédé quand il avait deux ans. Les journalistes sportifs lui avaient tous prédit une brillante carrière lorsqu'il avait signé son premier gros contrat. Alison et lui avaient vingt-deux ans alors et il était amoureux d'elle depuis la maternelle. Il avait même annoncé à toute sa classe qu'il se marierait avec elle.

La famille d'Alison n'avait jamais été riche. Son père était gérant d'une épicerie. Les frais d'Alison à l'université avaient été couverts par les bourses d'étudiant et des emplois occasionnels. Elle habitait un quartier modeste de Salem Ridge, proche de l'endroit où vivait Rod Kimball. Elle n'avait pas obtenu de bourse pour passer son doctorat.

Il lui avait demandé officiellement sa main le jour où on lui avait proposé ce gros contrat avec les New York Giants. C'était deux mois après le meurtre de Betsy Powell. Il connaissait son désir de faire des études de médecine, puis de se consacrer à la recherche. Il avait promis de prendre en charge ses frais de scolarité, de marcher sur la pointe des pieds dans la maison quand elle étudierait et d'attendre pour avoir des enfants qu'elle ait obtenu le diplôme qu'elle désirait tant.

Mais, trois semaines après le mariage, il avait été victime de cet accident et Alison avait passé la plus grande partie des quatre années suivantes à son chevet, à l'aider à récupérer. L'argent qu'il avait mis de côté au cours de sa seule saison avec les Giants avait rapidement fondu.

C'est alors qu'Alison avait contracté de nouveaux prêts et repris ses études pour devenir pharmacienne. Son premier emploi lui avait été fourni par un cousin qui l'avait engagée pour travailler avec lui dans son drugstore de Cleveland. « Rod, avait-il dit, il y a aussi un job pour toi. Mon assistante s'en va. Elle gère toutes les commandes, sauf celles des produits pharmaceutiques, et elle s'occupe de la caisse. »

Ils avaient été soulagés de quitter la région de New York, où ils avaient l'impression d'entretenir les soupçons concernant la mort de Betsy Powell.

Quelques années après leur installation à Cleveland, le cousin avait pris sa retraite et ils avaient acquis la pharmacie. À présent, ils avaient un large groupe d'amis et personne ne les questionnait jamais sur le meurtre du Gala des Lauréates.

C'était à l'université qu'on avait commencé à l'appeler « Rod », quand un journaliste sportif, en le voyant courir sur le terrain de football, l'avait surnommé « Rod l'Éclair. » Après son accident, Thomas « Rod » Kimball était parvenu à ne pas considérer ce surnom avec amertume.

La matinée avait été relativement calme, contrairement à l'après-midi. Ils avaient deux assistants à mi-temps, un pharmacien en semi-retraite et une employée qui garnissait les rayons et aidait à la caisse. Malgré leur efficacité, la journée avait été exceptionnellement chargée, et quand ils fermèrent, à huit heures du soir, ils étaient tous les deux épuisés.

La pluie redoublait maintenant, une pluie froide et drue. Alison incita son mari à utiliser la chaise roulante pour aller jusqu'à la voiture. « Nous allons être noyés tous les deux si tu prends tes béquilles », dit-elle, une note d'impatience dans la voix.

Au fil des années, Rod avait eu maintes fois envie de l'inciter à le quitter, à rencontrer un autre homme et à avoir une vie normale. Mais il n'avait jamais eu le courage de prononcer les mots. Il ne pouvait envisager la vie sans elle, pas plus qu'il n'aurait pu l'imaginer quand il était jeune.

Il pensait souvent à une remarque qu'avait faite sa grand-mère autrefois : « Dans un couple il y en a un qui aime plus que l'autre, et il est préférable que ce soit l'homme. Le mariage aura plus de chances de durer. »

Rod n'avait pas besoin qu'on lui dise que c'était lui qui était le plus amoureux. Il savait au fond de lui qu'Alison n'aurait pas accepté sa demande en mariage s'il n'avait pas offert de l'aider à faire ses études de médecine. Et ensuite, après l'accident, elle avait été trop honnête pour l'abandonner.

Rod ne se laissait pas souvent aller à ce genre de considération, mais la lettre d'aujourd'hui ramenait tant de choses à la surface – le Gala des Lauréates, les photos des quatre filles étalées dans tous les journaux, le cirque des médias autour de leur mariage.

Quand ils arrivèrent à la voiture, Alison dit : « Rod, laisse-moi conduire. Je sais que tu as mal. »

Elle l'abrita sous son parapluie en ouvrant la porte et, sans protester, il se glissa sur le siège du passager. Puis elle se débattit pour replier la chaise roulante. Impuissant, il la regarda faire, la pluie lui cinglant le visage et les cheveux, jusqu'à ce qu'elle s'installe enfin derrière le volant. Elle se tourna alors vers lui. « Je vais accepter », dit-elle. Elle avait un ton de défi, comme si elle s'attendait à une opposition de sa part.

Comme il ne disait rien, elle patienta une longue minute avant de démarrer. « Pas d'objection ? » Il nota un léger tremblement dans sa voix.

Il ne lui dirait pas ce qu'il pensait – qu'avec ses longs cheveux bruns mouillés tombant sur les épaules, elle paraissait tellement jeune et vulnérable. Il savait qu'elle était effrayée. Non, pensa-t-il. Terrifiée.

« Il ne serait pas bon que les autres acceptent de participer à l'émission et pas toi, dit-il calmement. Je pense qu'il faut que tu y ailles. Je pense qu'il faut que nous y allions, se reprit-il aussitôt.

– J'ai eu de la chance la dernière fois. J'en aurai peut-être moins cette fois-ci. »

Ils restèrent silencieux pendant le reste du trajet. Leur maison de plain-pied, conçue pour faciliter les déplacements de Rod, était à vingt-cinq minutes de route de la pharmacie. Ils sortirent de la voiture sans se faire tremper davantage car le garage donnait sur la cuisine. Une fois à l'intérieur, Alison se laissa tomber dans un fauteuil et enfouit son visage dans ses mains. « Rod, j'ai tellement peur. Je ne te l'ai jamais dit mais, ce soir-là, quand nous sommes allées nous coucher toutes les quatre, ma seule pensée était que je haïssais Betsy et Rob Powell. » Elle se tut avant de continuer d'une voix hésitante : « Je crois que j'ai eu une crise de somnambulisme cette nuit-là et que je suis peut-être allée dans la chambre de Betsy.

– Tu penses que tu es allée dans la chambre de Betsy ? » répéta-t-il. Rod laissa tomber ses béquilles, approcha une chaise de celle d'Alison et passa un bras autour de ses épaules. « Crois-tu que quelqu'un aurait pu te voir ?

– Je ne sais pas. »

Alison se dégagea de l'étreinte de son mari et se tourna vers lui. Remplis de larmes, ses grands yeux marron, expressifs, semblaient affolés et sans défense. C'est alors que Rod l'entendit poser la question qu'il avait espéré ne jamais entendre.

« Rod, demanda-t-elle, n'est-ce pas que tu as toujours cru que j'avais tué Betsy Powell ?

– Tu es folle ! Tu es complètement folle ! »

Mais il savait bien que sa protestation sonnait faux.

7

« BON, TU VAS Y ALLER, oui ou non ? »

Ce fut la question qui accueillit Nina Craig quand elle poussa la porte de son appartement de West Hollywood. Oh, Seigneur, elle s'est encore levée du pied gauche, pensa Nina, et elle se mordit la lèvre pour se retenir de répondre sèchement à sa mère. Il était dix-sept heures trente et il était visible que Muriel Craig, soixante-deux ans, avait déjà commencé à boire bien avant l'heure où elle attaquait d'habitude sa carafe de Martini à la pomme ou une bouteille de vin.

Muriel était encore en chemise de nuit et robe de chambre, signe que, quelle que soit l'heure à laquelle elle se réveillait, c'était dans un brouillard dépressif chronique. La soirée va être longue, se dit Nina, amère.

« Pas de réponse de la gagnante de l'Academy Award ? » lui demanda sa mère d'un ton sarcastique en vidant le reste de la bouteille dans son verre.

Dix ans auparavant, Nina avait abandonné l'espoir de devenir un jour une brillante actrice et s'était inscrite au syndicat des figurants, ces gens destinés à animer les arrière-plans. Arrivée à cinq heures du matin, elle avait passé la journée sur le tournage d'un film qui décrivait une révolution et fait partie des trois cents figurants brandissant des bannières. Le tournage avait lieu dans le désert près de Palm Springs et la chaleur était accablante.

« Je ne sais pas ce que je vais faire, maman, dit Nina, s'efforçant de garder un ton calme.

– Pourquoi ne pas y aller ? Trois cent mille dollars, c'est une jolie somme. Je t'accompagnerai. Je ne verrais pas d'inconvénient à revoir ce bon vieux Robert Nicholas Powell. »

Nina regarda sa mère. Ses cheveux qui, comme les siens, avaient été d'un beau roux profond et naturel, étaient aujourd'hui teints en un rouge criard qui contrastait désagréablement avec son visage. Des années d'addiction à la cigarette avaient laissé des rides profondes autour de sa bouche et sur ses joues, et sa peau était marbrée de taches brunes. Ses épaules s'affaissèrent quand elle se pencha en avant sur le canapé, tenant son verre à deux mains.

Il était difficile de se représenter la très belle femme qui, à une époque, avait été l'une de ces rares actrices qui travaillent régulièrement. *Elle* avait du talent, songea Nina avec rancœur, contrairement à moi. Et voilà ce qu'elle est devenue !

Ne ressasse pas tout ça, se raisonna-t-elle. C'est la fin de la journée, tu as chaud et tu en as marre de tout. « Maman, je vais prendre une douche et me mettre quelque chose de confortable sur le dos, dit-elle. Je viendrai prendre un verre de vin avec toi quand je serai habillée.

– Accepte les trois cent mille dollars, cria sa mère. Tu pourras m'acheter un appartement. Tu n'as pas plus envie que moi de me voir habiter chez toi. »

Muriel avait suivi Nina en Californie lorsque les engagements étaient devenus de plus en plus rares à New York. Un an plus tôt, elle avait failli périr dans un incendie quand une cigarette qu'elle avait imprudemment laissée tomber avait mis le feu au tapis du living-room de son appartement situé dans une maison mitoyenne à Los Angeles. Le propriétaire avait refusé de l'y reloger quand les réparations avaient été terminées. « La même chose pourrait se produire au milieu de la nuit, avait-il dit à Nina. Je ne veux pas prendre de risque. »

Muriel habitait chez sa fille depuis presque un an à présent. Elle aussi était figurante, mais il lui arrivait trop souvent d'avoir la flemme de travailler.

Je ne pourrai pas supporter cette situation beaucoup plus longtemps, pensa Nina en fermant à clé la porte de sa chambre. Dans l'état où elle était, sa mère n'aurait pas manqué de la suivre pour continuer leur discussion à propos de la lettre de la productrice.

La chambre était fraîche et accueillante. Murs immaculés, parquet ciré, descentes de lit blanches de chaque côté du lit, rideaux vert pomme aux fenêtres. Les coussins vert et blanc mettaient en valeur la courtepointe blanche. Le lit à baldaquin et la commode assortie étaient ce qui restait de dix ans de mariage avec un acteur moyennement doué qui s'était révélé un coureur invétéré. Il était heureux qu'ils n'aient pas eu d'enfants.

Ils étaient divorcés depuis trois ans. J'aimerais trouver quelqu'un d'autre, se disait Nina, mais c'est impossible tant que je suis coincée avec ma mère. Qui sait ? Je suis encore pas mal. Si je participe à cette émission, je pourrai m'en servir pour retrouver un vrai rôle d'actrice, peut-être même dans une émission de téléréalité. Je ne crains personne pour jouer les ménagères cinglées.

Quel effet cela me fera-t-il de revoir Claire, Alison et Regina ? Nous étions si jeunes. Nous avions si peur. Les flics déformaient tout ce que nous disions. Maman a fait sensation quand on lui a demandé s'il était exact qu'elle sortait avec Powell avant qu'il fasse la connaissance de Betsy. « Je sortais avec au moins trois hommes à cette époque, a-t-elle répondu. Il était l'un d'eux. »

Je n'ai pas eu droit à la même version, se rappela Nina avec ironie. Sa mère lui reprochait d'avoir présenté Betsy à Powell. Elle me l'a reproché, reproché et encore reproché. C'est la seule chose qu'elle m'ait jamais dite. Que j'avais ruiné sa vie.

Muriel avait refusé le rôle qui aurait fait d'elle une star parce que Powell ne voulait pas qu'elle soit liée par les obligations d'un contrat quand ils seraient mariés. C'étaient les mots exacts qu'il avait employés, « quand nous serons mariés ».

Elle les avait maintes fois lancés à la tête de Nina au cours des années.

Nina sentit monter la colère froide que ces souvenirs évoquaient chez elle. Elle se remémora le soir du Gala des Lauréates. Sa mère avait refusé d'assister à la réception. « C'est moi qui devrais *habiter* cette maison », avait-elle dit.

Betsy avait mis un point d'honneur à aller trouver Nina. « Où est votre mère ? avait-elle demandé. Est-ce qu'elle n'a toujours pas avalé d'avoir perdu Rob ? »

Heureusement que personne ne l'a entendue me poser cette question ce soir-là, songea Nina. On s'en serait souvenu quand Robert Powell a découvert le corps de sa femme le lendemain matin. Mais il est vrai qu'à ce moment-là, si j'avais eu un oreiller, je le lui aurais appuyé avec plaisir sur le visage.

J'avais beaucoup trop bu ce soir-là. Je ne me souviens même pas de m'être couchée. Ça ne se voyait sans doute pas parce que personne n'en a fait la remarque, même pas cette fouineuse de Jane Novak, la gouvernante, qui avait pourtant dit qu'Alison était ivre.

Quand elle et les autres étaient entrées dans la chambre, Powell s'était évanoui, et c'était Novak qui avait retiré l'oreiller du visage de Betsy.

À présent, sa mère tournait en vain la poignée de la porte. « Il faut que je te parle, criait-elle. Je veux que tu participes à cette émission. »

Dans un suprême effort, Nina parvint à dissimuler la rage qui l'habitait. « Maman, je vais prendre une douche. D'accord. Je vais accepter cette proposition. Et je t'achèterai ton appartement. »

Avant de te tuer, ajouta-t-elle en son for intérieur. Et elle se demanda à nouveau ce qu'elle avait pu oublier concernant la nuit où Betsy Powell avait été étouffée.

8

LES ACCORDS DES LAURÉATES étaient parvenus l'un après l'autre au bureau de Laurie. Le dernier avait pris presque deux semaines, et c'était celui de Nina Craig. La lettre indiquait qu'elle avait consulté un avocat et estimait que des clauses supplémentaires étaient nécessaires. Robert Powell devrait verser en garantie sur un compte bloqué deux cent cinquante mille dollars, un montant net pour chacune des quatre lauréates. « Les Studios Fisher Blake devront également leur verser cinquante mille dollars net. M. Powell et Fisher Blake se doivent de nous rémunérer correctement, écrivait Nina. Maintenant que j'ai repris contact avec mes anciennes amies d'enfance, je me rends compte que notre présence chez les Powell la nuit de la mort de Betsy nous a fait un tort considérable sur le plan émotionnel. En nous exposant une nouvelle fois aux feux de la publicité, nous allons perdre un anonymat chèrement acquis, c'est pourquoi nous sommes en droit de recevoir un dédommagement approprié. »

Consternée, Laurie relut la lettre. « Leur garantir un montant net sur une somme aussi élevée signifie que nous devrons pratiquement doubler ce que nous leur avons proposé, dit-elle.

– Cela m'étonnerait que Brett accepte. »

Le ton neutre de Jerry ne correspondait pas à la déception qui se lisait sur son visage. Il avait signé le reçu de la lettre recommandée de Nina et l'avait apportée dans le bureau de Laurie.

« Il le faudra, dit Laurie. Et je pense qu'il le fera. Il a commencé à vanter la série, il ne pourra pas se désister.

– D'accord, mais il ne le fera pas de gaieté de cœur. » L'expression déjà soucieuse de Jerry s'assombrit. « Laurie, j'espère que vous n'avez pas pris trop de risques avec cette idée de *Suspicion* ?

– Je l'espère aussi. »

Laurie contempla par la fenêtre la patinoire du Rockefeller Center. Il faisait chaud pour un début de mois d'avril et il y avait peu de patineurs. La patinoire serait bientôt fermée, remplacée par les tables et les chaises du restaurant de plein air.

Greg et moi venions parfois dîner là, se rappela-t-elle, envahie par un flot de regrets. Elle savait bien la raison de cette soudaine tristesse. Le thème de l'émission tournait autour du deuil. Même si elle n'avait pas l'intention de montrer son inquiétude devant Grace ou Jerry, elle savait qu'elle avait raison. Après avoir manifesté publiquement son enthousiasme pour le projet, le patron, Brett Young, doublerait sans doute la mise plutôt que de faire machine arrière.

« Et Robert Powell ? demanda Jerry. Pensez-vous qu'il va raquer et payer les taxes pour qu'elles touchent deux cent cinquante mille net ?

– Je ne peux que lui poser la question, répondit Laurie. Et il est préférable que je le fasse en personne. Je vais appeler pour demander s'il peut me recevoir aujourd'hui.

– Est-ce qu'il ne faudrait pas d'abord connaître la réaction de Brett ? suggéra Jerry.

– Non. Pas la peine de le mettre en branle si la cause est perdue. Si Powell ne veut pas payer, ma prochaine démarche sera de prendre l'avion pour Los Angeles et d'essayer de convaincre Nina Craig d'accepter notre offre. Les autres n'ont pas remis en cause les termes du contrat initial, mais il est visible qu'elle les a ébranlées.

– Que lui direz-vous ?

– La vérité. Que nous nous passerons d'elle si besoin est, mais que ça ne lui donnera pas le beau rôle. Betsy Bonner Powell avait quarante-deux ans quand elle est morte. Elle n'en aurait que soixante-deux aujourd'hui. De nos jours il est courant de vivre jusqu'à quatre-vingts ans ou plus. Betsy a été privée de la moitié de la vie qu'elle aurait pu avoir si quelqu'un ne l'avait pas étouffée cette nuit-là. Son assassin se réveille tous les matins pour profiter d'un nouveau jour pendant que le corps de Betsy repose au cimetière. »

Laurie savait que l'émotion et la colère qui vibraient dans sa voix n'avaient pas seulement pour cause la mort de Betsy Bonner Powell mais aussi celle de Greg, dont l'assassin courait toujours. Non seulement libre, mais en vie, menaçant sa vie et celle de Timmy. « Désolée, Jerry, soupira-t-elle. Je sais que je ne dois pas en faire une croisade personnelle. »

Elle s'empara du téléphone. « Voyons si je peux obtenir un rendez-vous avec Robert Nicholas Powell. »

9

Rob Powell s'entraînait sur son terrain de golf de trois trous aménagé à l'arrière de sa propriété. La chaleur de cette journée d'avril l'avait incité à sortir ses clubs et pratiquer son swing avant de s'aligner pour une partie à quatre au Winged Foot Golf Club. Pas mal, estima-t-il, tandis qu'un putt bien frappé envoyait la balle au fond du trou.

Se concentrer sur son jeu lui permettait d'oublier qu'il attendait toujours une réponse de son médecin. La chimiothérapie commencée trois ans plus tôt semblait être venue à bout des nodules dans ses poumons, mais il n'ignorait pas qu'existait toujours une possibilité de récidive. Il avait passé son check-up semestriel plus tôt dans la semaine.

« Le par pour le parcours », dit-il tout haut tandis qu'il retournait vers la maison en balançant son club, un quart d'heure avant l'arrivée de sa visiteuse.

Pourquoi Laurie Moran désirait-elle le voir ? Elle avait paru préoccupée. Va-t-elle m'annoncer que l'une de ces filles refuse de participer à l'émission ?

Rob fronça les sourcils. Il faut qu'elles soient toutes là, se dit-il. Quoi qu'il en coûte.

Même si ce que Laurie Moran venait lui annoncer était positif, Rob avait la sensation que le temps passait trop vite. Il avait besoin de faire son deuil et, quand elle était venue le voir en mars et lui avait exposé son idée de faire revivre le Gala des Lauréates, il avait eu l'impression qu'elle répondait à une prière de sa part. Sauf, se dit Rob, que je n'ai jamais été très fort pour prier. Je laissais ça à Betsy.

Cette pensée le fit rire d'un rire sans joie, une sorte d'aboiement rauque suivi d'une quinte de toux.

Pourquoi le médecin n'avait-il pas appelé pour lui donner les résultats ?

Sa gouvernante, Jane Novak, ouvrit la porte vitrée coulissante au moment où il pénétrait dans le patio. « Un trou en un, monsieur Powell ? demanda-t-elle d'un ton enjoué.

– Pas tout à fait, mais pas mal quand même, Jane », dit Rob, essayant de ne pas s'agacer en l'entendant poser chaque fois la même question comme s'il s'agissait d'une plaisanterie. S'il était une chose qu'il aurait bien aimé changer chez Jane, c'était son absence totale d'humour.

C'était une femme robuste aux cheveux gris acier avec des yeux du même gris. Elle était venue travailler chez lui peu après son mariage avec Betsy. Il avait compris que Betsy ne se sentait pas à l'aise avec la gouvernante précédente qui avait été engagée par sa première femme et était restée avec lui lorsqu'il s'était retrouvé veuf. « Rob, cette femme ne m'aime pas, avait dit Betsy. Je le sens. Dis-lui que nous ne sommes pas très satisfaits et donne-lui une confortable indemnité de départ. Je sais qui j'aimerais avoir à sa place. »

La personne que voulait Betsy, c'était Jane Novak, qui avait été employée dans les coulisses du théâtre quand elle-même était ouvreuse. Betsy en avait brossé un tableau élogieux. « C'est une merveilleuse organisatrice. Elle s'occupait des loges à la perfection. Et c'est une fine cuisinière. »

Jane était tout cela. Originaire de Hongrie, elle avait obtenu sa carte verte et s'était réjouie à l'idée d'avoir la charge de la maison des Powell. Et, comme Betsy l'avait annoncé, elle s'était montrée à la hauteur de la tâche. Du même âge que Betsy, elle avait aujourd'hui soixante-deux ans. Si elle avait de la famille ou des amis proches, Rob ne les avait jamais vus. Son confortable appartement était situé à l'arrière de la cuisine, et même pendant ses jours de congé, pour autant qu'il puisse en juger, elle le quittait rarement. À moins qu'il soit en voyage, il savait qu'à sept heures et demie tous les matins elle serait dans la cuisine, prête à lui préparer son petit déjeuner.

Au cours des années, Rob avait appris à déceler dans la placide expression de Jane les légères nuances qui étaient le signe d'un certain trouble. Ce fut exactement ce qu'il entrevit quand il franchit le seuil de la maison. « Vous dites que vous attendez la venue de Mme Moran, monsieur Robert ? dit Jane. J'espère ne pas être indiscrète, mais cela veut-il dire que l'émission va bien avoir lieu ?

– Votre question ne me dérange pas, Jane, mais la réponse est que je l'ignore. »

Il s'avoua pourtant que la curiosité de Jane le dérangeait, en effet, car il y percevait une note de réprobation.

Il eut à peine le temps d'enfiler une chemise de sport et de redescendre que le carillon de la porte d'entrée sonnait.

Il était exactement dix-sept heures. Rob se demanda si Laurie avait prévu d'être là à l'heure pile ou si elle était arrivée un peu en avance et avait attendu dans sa voiture avant de se présenter.

C'était le genre de spéculations sans queue ni tête auxquelles il lui arrivait de s'adonner depuis quelque temps. Des « rêvasseries ». Il avait pris la peine d'aller chercher la signification exacte du mot dans le dictionnaire. La définition était : « Pensées vague concernant des sujets imprécis et changeants ; manque d'attention. »

Rob se força à revenir sur terre. Il avait demandé à Jane d'introduire Laurie Moran dans la bibliothèque plutôt que dans son bureau. Betsy aimait la coutume anglaise du *Five o'clock tea.* Une habitude qu'il avait délaissée après sa mort, mais qui lui paraissait soudain appropriée.

Me voilà encore en train de rêvasser, reconnut-il, comme Jane entrait dans la pièce, suivie de Laurie Moran.

Laurie Moran lui avait paru séduisante lorsqu'elle était venue chez lui le mois dernier, mais aujourd'hui, en la voyant hésiter un instant dans l'embrasure de la porte, il se rendit compte qu'elle était très belle. Ses cheveux d'un blond de miel retombaient sur ses épaules, et elle avait troqué son tailleur-pantalon à rayures contre un chemisier imprimé à manches longues et une jupe à haute ceinture noire qui soulignait sa taille fine. Elle portait des escarpins en cuir vernis noir, et non ces talons aiguilles ridicules à la mode.

L'homme de soixante-dix-huit ans admira en connaisseur la ravissante silhouette.

« Entrez, madame Moran, entrez, dit-il avec chaleur. Je ne vais pas vous mordre.

– Je n'avais aucune crainte, monsieur Powell », dit Laurie avec un sourire en traversant la pièce pour venir s'asseoir sur le canapé face au vaste fauteuil de cuir où lui-même était en train de s'installer.

« J'ai demandé à Jane de nous préparer du thé, dit-il. Vous pouvez le servir maintenant, Jane, merci.

– C'est très aimable. »

C'était *réellement* aimable de sa part, pensa Laurie.

Elle respira profondément. Maintenant qu'elle était devant lui, avec un tel enjeu, elle avait du mal à paraître calme. Ces quatre femmes, les vedettes du Gala des Lauréates, allaient coûter à Powell presque deux millions de dollars, au lieu d'un, pour apparaître dans l'émission.

Laurie rassembla ses arguments, mais attendit de voir disparaître la figure peu avenante de Jane Novak pour se lancer.

« Je vais vous faciliter la tâche, dit Robert Powell à brûle-pourpoint. Un problème est survenu. Je n'ai pas besoin d'être particulièrement malin ni bon psychologue pour deviner qu'il s'agit d'argent. Une des quatre filles – des jeunes femmes, plutôt – estime que nous ne les payons pas suffisamment pour les convaincre de s'exposer à la curiosité du public. »

Laurie hésita quelques secondes avant de dire : « C'est bien ça. »

Powell sourit. « Laissez-moi deviner laquelle. Ce ne peut pas être Claire. Elle a toujours refusé mon aide depuis la mort de Betsy. Quand elle apprendra que je lui ai laissé par testament une somme conséquente, elle ne sera pas impressionnée. Le jour dit, il est très possible qu'elle fasse don de cet argent à une organisation charitable.

« Nous étions *très* proches, mais Claire était également très proche de sa mère. La mort de Betsy l'a anéantie. D'une certaine façon, elle m'en a tenu rigueur. Non qu'elle ait cru que j'avais tué sa mère, bien sûr. Malgré son sentiment de colère, elle savait que c'était impossible, mais je pense qu'elle m'en voulait de passer du temps seul avec Betsy. » Il regarda dans le vide pendant un long moment.

« À mon avis, continua-t-il lentement, c'est Nina Craig qui veut obtenir davantage d'argent. En cela, elle ressemble tout à fait à sa mère. Je suis sorti avec Muriel Craig pendant un certain temps. Une femme très attirante mais dure de caractère. Je n'ai pas cessé de la voir parce que j'avais rencontré Betsy ; ce serait arrivé de toute façon. Que ce soit tombé au même moment est une coïncidence. »

Jane apporta le plateau du thé, interrompant ses réflexions. Elle le posa sur la table basse entre le canapé et le fauteuil. « Désirez-vous que je serve, monsieur Powell ? » demanda-t-elle. Elle avait déjà la théière à la main et remplissait la tasse de Laurie.

Robert Powell haussa les sourcils et lança un regard amusé à Laurie. Après que Jane eut proposé du lait ou du citron, du sucre ou un édulcorant, puis quitté la pièce, il dit : « Comme vous le voyez, Jane a posé une question théorique. C'est sa façon de faire. »

Laurie se rendit compte qu'elle n'avait pas déjeuné et qu'elle mourait de faim. Elle se força à n'avaler qu'une petite bouchée d'un sandwich au saumon, résistant à son envie de l'engloutir d'un coup et de se resservir.

Mais, tout en se forçant à manger lentement, délicatement, elle avait le sentiment que Robert Powell jouait au chat et à la souris avec elle. Avait-il réellement deviné que c'était Nina Craig qui cherchait à obtenir plus d'argent, ou Nina l'avait-elle contacté directement ?

Et savait-il combien elle allait demander ?

« Ai-je raison à propos de Nina ? » demanda Powell en croisant les jambes.

Il porta sa tasse à ses lèvres.

« Oui, dit Laurie.

– Combien veut-elle ?

– Deux cent cinquante mille dollars net pour chacune d'entre elles.

– Elle est encore plus cupide que ne l'était sa mère dans mon souvenir, murmura Powell. Si semblable à elle. » Le ton amusé disparut de sa voix. « Dites-lui que je paierai. »

Le changement abrupt de son ton et de son expression frappa Laurie.

« Madame Moran, expliqua-t-il, il faut que vous compreniez quelque chose : comme les quatre filles du gala, j'ai vécu avec ce nuage de suspicion au-dessus de ma tête pendant trop longtemps. Aujourd'hui, certains vivent jusqu'à cent ans, mais qui sait si ce sera mon cas. Avant de mourir, je voudrais qu'un large public ait l'occasion de voir ces quatre jeunes femmes et moi-même, de se rendre compte de la taille de cette maison, d'imaginer combien de personnes sont entrées et sorties ce soir-là. De comprendre qu'un intrus aura pu se mêler à la foule. Comme vous le savez, j'ai de nombreux films de la réception.

– Oui, je sais, dit Laurie. Je crois avoir lu tout ce qui a été écrit sur l'affaire.

– Bien, dans ce cas, vous pouvez comprendre qu'à part de généreuses donations à des organisations charitables et aux écoles que Betsy, Claire et moi avons fréquentées, j'ai beaucoup d'argent à dépenser avant de mourir et que par conséquent, le montant réclamé par Nina est pour moi insignifiant.

« Mais accordez-moi une faveur. Quand vous expliquerez à Nina que j'accepte ses conditions, voulez-vous lui dire que j'espère que sa mère l'accompagnera dans l'Est. Cela me ferait grand plaisir de la revoir. »

Il anticipa la protestation de Laurie : « Bien entendu, je n'ai pas l'intention de l'inviter chez moi. Je réserverai une suite pour elle au St. Regis. »

Il est d'accord ! Laurie ne s'attendait pas à la vague de soulagement qui la submergea. La possibilité que l'émission se réalise devenait réelle. Si Powell avait brutalement rejeté la demande de Nina Craig, son projet serait tombé à l'eau, et son job par la même occasion. Deux séries ratées et une proposition rejetée après avoir soulevé l'intérêt des médias, le tout aurait signifié son licenciement.

Brett Young ne tolérait pas l'échec.

Elle commença à remercier Powell, puis s'aperçut qu'il regardait le patio, derrière les baies vitrées de son bureau. Elle se retourna pour voir ce qui était la cause de son air de désapprobation soudain.

Un jardinier était en train de tailler la bordure de la pelouse avec une paire de cisailles.

Le regard de Powell revint à Laurie. « Excusez-moi, dit-il. Je n'aime pas que l'on travaille si tard. J'ai clairement dit que je voulais que les travaux sur la propriété soient terminés à midi. Si j'ai des invités, je ne veux pas avoir de gros camions qui encombrent l'allée. »

Au-dehors, Yeux Bleus vit que Powell le regardait. Il finit de tailler la dernière bordure sans lever la tête et rapporta rapidement ses outils au camion. C'était son premier jour de travail pour Parcs et Jardins. Si Powell râlait parce qu'il était resté trop tard, Yeux Bleus dirait à son nouveau patron qu'il avait fait des heures supplémentaires pour faire bonne impression.

Les lauréates ne seront pas seules sur place quand ils filmeront, j'y serai aussi.

Le décor parfait pour s'attaquer à Laurie Moran.

Il avait déjà préparé la note qu'il déposerait sur son corps.

D'ABORD GREG
PUIS VOUS
LE PROCHAIN SERA TIMMY

10

En juin la préproduction du Gala des Lauréates démarra sur les chapeaux de roues. Laurie s'était déjà procuré tous les films disponibles tournés au moment de la réception, et Robert Powell lui avait remis ceux que les autres invités avaient eux-mêmes réalisés.

On aurait cru voir le bal de Cendrillon. Sauf qu'il y avait quatre Cendrillon, songea Laurie en visionnant toutes les bandes.

Après la mort de Betsy, George Curtis, un membre du Winged Foot Golf Club de Mamaroneck, avait remis à la police les séquences qu'il avait tournées ce soir-là. Mais c'était en grande partie un doublon de ce qu'ils avaient déjà. Une copie du film avait été remise à Robert Powell qui l'avait réclamée. « C'est très semblable à ce que je vous ai déjà donné », avait-il dit à l'inspecteur chargé de l'enquête, « mais il y a certaines scènes avec Betsy et moi qui me sont particulièrement chères. » Il avait fait faire des tirages de plusieurs vues sur lesquelles ils se trouvaient ensemble – l'une où ils se regardaient tendrement, une autre où ils dansaient dans le patio, une autre encore où ils portaient un toast aux lauréates.

« Ces films nous donnent une image véritable de cette fête », dit Laurie à Grace et Jerry tandis qu'ils les passaient et repassaient dans la salle de projection du bureau, essayant de décider quelles scènes ils voulaient inclure dans l'émission.

Je commencerai par la découverte du corps et l'arrivée de la police, ajouta Laurie in petto. Il était huit heures du matin. Powell était allé réveiller Betsy. Il lui apportait une tasse de café. Il lui apportait toujours une première tasse à cette heure-là, même si elle s'était couchée tard.

Ensuite, Jane s'était ruée dans la chambre, hurlant le nom de Betsy, criant aux autres d'appeler le 911.

Nous conclurons la première partie avec Betsy et Powell portant un toast aux lauréates. Le narrateur dira : « À ce moment, la belle Betsy Bonner Powell n'avait plus que quatre heures à vivre », décida Laurie.

George Curtis savait qu'il risquait d'être filmé par les caméras de surveillance autour de la propriété Powell, mais ne s'en inquiéta pas. La moitié de Salem Ridge passe devant cette maison, se dit-il en suivant le flot de voitures qui roulait sur cette route tranquille.

Et qu'importe si les flics me prennent pour un voyeur. Pratiquement tous ceux qui empruntent cette route le sont.

Il avait préféré prendre le 4 × 4, plutôt que sa Porsche rouge décapotable. À moins que les caméras aient enregistré les numéros des plaques, il doutait fort qu'on le reconnaisse. Beaucoup de résidents de Salem Ridge roulaient en 4 × 4 de luxe. Il portait une casquette et des lunettes noires.

À soixante-trois ans, grand, doté d'une abondante chevelure grise, George Curtis avait le corps d'un athlète aguerri. Marié depuis trente-cinq ans, avec des jumeaux à l'université, il était le descendant et seul héritier d'une importante chaîne de restauration rapide. À vingt-sept ans, à la mort de son père, il avait repris l'affaire. Il menait jusque-là une existence de play-boy, et tout le monde s'était attendu à le voir vendre la chaîne et vivre de sa fortune. Au lieu de quoi il s'était marié peu après et, en quelques années, avait triplé le nombre de ses restaurants aux États-Unis et à l'étranger. Sa société pouvait aujourd'hui se vanter de servir un million de repas par jour.

Au contraire de Robert Powell, George était entré à Harvard en tant qu'héritier de la quatrième génération. Le tapis rouge avait été déroulé devant lui, tout comme avait été facilitée son admission au Hasty Pudding, la société théâtrale des étudiants de l'université.

Leurs quinze années d'écart n'avaient jamais été un obstacle à son amitié avec Robert Powell. Et pourtant, si jamais il apprenait, si jamais il devinait…, songea-t-il en s'éloignant d'Evergreen Lane.

Mais Rob Powell n'avait jamais rien suspecté. George en était sûr, il ne lui en avait jamais fourni de raison.

La sonnerie du téléphone retentit, imprévue et désagréable. Il pressa le bouton de connexion sur le volant.

« George Curtis, dit-il.

– George, c'est Rob Powell. »

Mon Dieu, était-il en train de regarder par la fenêtre ? George se sentit rougir. Non, il n'avait pas pu repérer la plaque minéralogique, et certainement pas pu le reconnaître au passage.

« Rob, comment ça va ? Quand allons-nous faire cette partie de golf ensemble ? Je te préviens, j'ai joué moins de quatre-vingts, deux samedis d'affilée.

– Eh bien ne compte pas recommencer une troisième fois ! Départ à neuf heures ?

– D'accord. Je m'occupe de la réservation. »

Soulagé, George tourna à gauche dans sa rue. Rob Powell n'était pas du genre à s'attarder en ligne plus longtemps que nécessaire. C'est pourquoi il sursauta en l'entendant ajouter : « George, j'ai une faveur à te demander.

– Quoi que ce soit, la réponse est oui, dit George d'une voix rauque.

– Je vais acheter toutes tes franchises en Europe », plaisanta Rob, puis son ton devint sérieux : « George, tu sais probablement que l'anniversaire de la mort de Betsy en juin va servir de thème à une émission de télévision.

– Oui, j'en ai entendu parler.

– Il se trouve qu'en dehors des filles, ils voudraient avoir un ou plusieurs des amis qui étaient présents cette nuit-là pour commenter la réception entre les extraits de films. J'ai proposé ton nom, et ils ont sauté sur l'occasion de t'avoir. Naturellement, j'aurais dû te le demander d'abord, mais tu peux toujours leur dire non. »

Apparaître à l'écran pour parler de cette nuit-là, s'adresser à une audience nationale ? George sentit ses paumes devenir moites sur le volant.

Une boule dans la gorge, il parvint cependant à répondre d'une voix calme et amicale : « Rob, je t'ai dit il y a une minute que quelle que soit la faveur demandée, la réponse était oui. C'était vrai quand je l'ai dit, et c'est vrai maintenant.

– Merci. Ce n'était pas facile pour moi de te le demander, et je présume que c'est difficile pour toi d'accepter. »

Un clic sec interrompit la connexion. George Curtis était baigné de sueur à présent. Rob Powell lui tendait-il un piège ? se demanda-t-il, saisi d'effroi.

Profondément troublé, il faillit rater l'allée de sa maison.

11

DEPUIS LES FENÊTRES de la salle de séjour à la décoration surchargée, rarement utilisée, Jane Novak regardait le flot de voitures défiler devant la maison.

Aujourd'hui l'équipe de télévision était à l'étage, dans la chambre de Betsy.

Je veux dire la chambre de Mme Powell, rectifia Jane en elle-même avec un sourire narquois. Betsy était devenue « Mme Powell » le jour où elle-même avait été engagée comme gouvernante, vingt-neuf ans plus tôt.

« M. Powell est très traditionnel, Jane, lui avait-elle dit. Il ne voit pas d'inconvénient à ce que je te fasse venir ici, mais il préfère que tu t'adresses à moi en ces termes. »

Jane avait trente-trois ans à l'époque et ne s'en était pas émue. Elle était trop contente d'avoir cette place. M. Powell avait insisté pour la rencontrer et envoyé son chauffeur la chercher. Il avait expliqué que la maison était tellement grande que deux employées d'un service de nettoyage venaient quatre heures par jour et qu'elle superviserait leur travail. Elle-même serait chargée de préparer les repas. S'ils donnaient une réception, leur traiteur s'en occuperait. Avec deux femmes sous ses ordres, au lieu d'avoir à nettoyer les loges après le passage d'acteurs peu soigneux, Jane pourrait consacrer le plus clair de son temps à faire la cuisine – un plaisir, pas une corvée. Elle n'en avait pas cru son bonheur.

Une fois passée sa première année au service des Powell, sa profonde gratitude envers eux avait évolué.

Elle était tombée passionnément amoureuse de Robert Powell.

Elle n'espérait pas une minute avoir la moindre chance qu'il la regarde comme un homme regarde une femme.

Veiller à son confort, rougir de fierté quand il la complimentait pour sa cuisine, entendre ses pas quand il descendait le matin chercher la tasse de café de Betsy, tout cela lui suffisait. Durant les vingt années qui s'étaient écoulées depuis la mort de Betsy, Jane avait pu vivre en imaginant qu'elle était mariée à Rob.

Chaque fois qu'il disait : « Je dînerai dehors ce soir, Jane », elle était prise de panique et regardait en cachette l'agenda qu'il rangeait sur son bureau.

Mais des noms de femmes n'y apparaissaient que rarement, et Jane avait fini par croire qu'à son âge il n'y aurait jamais d'autre Mme Powell.

L'année précédente, il avait revu les dispositions

de son testament avec son avocat, qui était aussi un ami proche, et ne l'avait pas rangé quand ensuite ils étaient sortis jouer au golf.

Jane avait feuilleté le testament de la première à la dernière page et trouvé ce qu'elle cherchait – le legs qu'il lui faisait : trois cent mille dollars pour un appartement à Silver Pines, une résidence pour personnes âgées où il savait que Jane s'était liée d'amitié avec quelques résidents qu'elle avait connus à l'église. Et un revenu de mille dollars par semaine jusqu'à la fin de ses jours.

Une lecture qui avait accru l'adoration de Jane envers Robert Powell.

Mais cette émission n'apporterait que des ennuis. Elle le savait. Il ne faut pas réveiller le chat qui dort, songea-t-elle en regardant les badauds passer devant la maison.

Jane secoua la tête et s'éloigna de la fenêtre. Elle aperçut la productrice, Laurie Moran, qui se tenait dans l'embrasure de la porte.

« Oh », fit-elle, surprise, abandonnant sa réserve habituelle.

Laurie perçut l'agacement de la gouvernante à son égard.

« Oh, madame Novak, je suis sûre que vous devez en avoir par-dessus la tête de nous voir tous là, mais je ne veux pas déranger M. Powell. J'ai juste une question. »

Jane réussit à prendre l'air aimable.

« Bien sûr. À quel sujet, madame Moran ?

– La chambre de Mme Powell est ravissante. Les rideaux et les tapis ont-ils été remplacés après sa mort ou est-ce que ce sont les mêmes que la nuit du drame ?

– Non, Mme Powell venait de faire rénover la chambre par un décorateur, puis elle n'a pas aimé l'effet produit. Elle trouvait que les couleurs étaient trop vives. »

Quel gâchis, pensa Jane, se retenant de secouer la tête. De l'argent jeté par les fenêtres.

« Elle avait commandé de nouveaux rideaux, une nouvelle tête de lit et une nouvelle moquette. Après sa mort, M. Powell les a fait installer pour respecter ses désirs. C'est le décor que vous voyez maintenant.

– C'est très beau, dit Laurie sincèrement. La chambre a-t-elle été utilisée ?

– Jamais, dit Jane, mais elle est toujours parfaitement entretenue. Vous ne verrez jamais sur la coiffeuse la brosse d'argent et le peigne sans qu'ils aient été astiqués. Même les serviettes dans la salle de bains sont changées régulièrement. M. Powell voulait que sa chambre et sa salle de bains donnent l'impression qu'elle allait pousser la porte et entrer. »

Laurie ne put s'empêcher de demander : « Passe-t-il beaucoup de temps dans cette chambre ? »

Jane se rembrunit. « Je ne crois pas, mais c'est le genre de question que vous devriez lui poser directement. »

La réprobation était cette fois évidente dans l'expression et le ton de la gouvernante.

Oh là là, pensa Laurie. Je n'aimerais pas me la mettre à dos. « Merci, madame Novak », dit-elle de son ton le plus conciliant. « Nous partons tous à présent. Nous ne reviendrons pas pendant le week-end. Nous vous verrons donc lundi matin. Et je tiens à vous rassurer : nous aurons tout fini mercredi après le déjeuner. »

Il était presque midi, et Robert Powell s'attendait à ce que l'équipe de la société de production quitte les lieux. On était aussi vendredi, le jour où il travaillait chez lui. Depuis leur arrivée, il était resté enfermé dans son bureau.

Trois jours, se dit Laurie un peu plus tard en relisant ses notes avec Jerry et Grace qui l'accompagnaient pendant les prises de vues à Salem Ridge.

Ce fut Grace qui exprima ce qu'ils pensaient tous les trois : « Cet endroit est sublime, dit-elle. D'un côté, je n'ai aucune envie de retrouver mon studio au quatrième étage sans ascenseur où on ne peut pas faire trois pas sans se cogner dans un mur. » Elle les regarda, ses yeux vifs encore plus fardés que d'habitude, et poursuivit : « Mais d'un autre côté, cette demeure me donne la chair de poule. Ma grand-mère disait qu'un pigeon qui entre dans une pièce est un signe que la mort s'approche de la maison. Laurie, étiez-vous dans la chambre de Betsy Powell quand un pigeon voletait à l'extérieur, essayant de rentrer ?

– Allons, Grace, dit Jerry. C'est exagéré, même de ta part, non ? »

Bien sûr que c'est exagéré, pensa Laurie.

Elle ne voulait pas admettre devant Grace et Jerry que la magnifique demeure où Betsy Powell était morte lui donnait à elle aussi la chair de poule.

12

Le dimanche à midi, Josh Damiano alla chercher la première arrivée des lauréates, Claire Bonner, à l'aéroport de Westchester. Bien qu'elle connût Josh, qui avait été engagé peu avant la mort de Betsy, elle ne lui accorda qu'un rapide bonjour et n'engagea aucune conversation avec lui. Tandis qu'il la conduisait jusqu'au Hilton Westchester, elle réfléchit à l'emploi du temps des trois prochains jours. Lundi, elles se retrouveraient au petit déjeuner. Elles seraient libres pendant le reste de la journée pour se réhabituer à la maison et au parc. Les entretiens individuels se dérouleraient le mardi. Elles avaient toutes accepté de dormir sur place le mardi soir dans les chambres qu'elles avaient occupées vingt ans plus tôt. Le mercredi matin aurait lieu l'interview de Robert Powell, suivie d'une séance de photos à la table du déjeuner. Ensuite, elles seraient reconduites à l'aéroport.

« Certes, nous sommes conscients de l'épreuve que représente pour vous cette reconstitution, mais le fait que vous acceptiez d'y apparaître confirme avec force votre intention de laver votre réputation », concluait Laurie dans sa lettre.

Laver notre réputation ! pensa Claire Bonner amère, tandis qu'elle remplissait sa fiche au Hilton.

Elle portait un tailleur-pantalon d'été vert clair qu'elle avait acheté dans une boutique élégante de Chicago. Depuis qu'elle avait reçu la première lettre de Laurie Moran, trois mois auparavant, elle avait éclairci et laissé pousser ses cheveux qui recouvraient désormais ses épaules d'une toison dorée. Mais aujourd'hui elle les avait ramassés en queue-de-cheval avec un foulard. De même, elle ne portait aucun maquillage, bien qu'elle ait appris à utiliser tous les produits de beauté. Maquillée et coiffée comme sa mère, elle savait que la ressemblance était frappante. Elle ne voulait pas que Josh s'en aperçoive et en parle à Robert Powell avant qu'elle le rencontre en personne.

« Votre suite est prête, madame Bonner », dit le concierge et il fit un signe de la main au chasseur. Claire surprit le regard appuyé qu'il lui lança et la nuance d'excitation dans sa voix.

Quoi d'étonnant ? Toute la presse parlait de l'émission. Les journaux à sensation s'en donnaient à cœur joie pour déterrer tout ce qu'ils pouvaient trouver concernant Betsy Bonner Powell. UNE ENTRÉE EN SCÈNE FATALE titrait un article particulièrement détestable publié en première page du *Shocker*, un hebdomadaire à scandale. L'article détaillait la première rencontre de Betsy Bonner et Robert Powell. Betsy avait emmené sa fille, Claire, déjeuner dans un restaurant de Rye pour son treizième anniversaire. Robert Powell, un veuf, se trouvait à une table à l'autre bout de la salle en compagnie d'une amie de Claire, Nina, et de sa mère. Au moment où Betsy et Claire s'apprêtaient à partir, Nina les avait appelées. Elles s'étaient dirigées vers la table de Powell, où Nina les avait présentées toutes les deux au gérant multimillionnaire de fonds d'investissement.

« La suite, comme on dit, appartient à l'histoire, concluait la dernière colonne de l'article. Robert Powell affirmait que cela avait été le coup de foudre. Betsy Bonner et lui s'étaient mariés trois mois plus tard.

« L'actrice Muriel Craig avait fait bonne figure, mais les intimes disent qu'elle était furieuse et avait reproché à sa fille Nina d'avoir fait signe à Claire dans le restaurant. »

C'est exact, pensa Claire en suivant le chasseur jusqu'à l'ascenseur. Pauvre Nina.

La suite comprenait une grande chambre et un salon, une salle de bains, et un boudoir meublé dans des teintes pastel. Elle était attrayante et reposante.

Claire donna un pourboire au chasseur, appela le service de chambre, et défit sa valise. Elle contenait les trois tenues qu'elle avait choisi d'emporter ainsi que ses nouveaux produits de beauté.

Dans l'un de ses mails, Laurie avait demandé à Claire sa taille et ses mensurations, disant qu'elle aurait une garde-robe de rechange à sa disposition.

Une garde-robe de rechange ! avait pensé Claire quand elle avait lu le mail. Pourquoi diable aurais-je besoin de me changer ?

Mais ensuite elle avait compris. Laurie Moran leur procurerait des robes presque semblables à celles qu'elles portaient vingt ans auparavant au Gala des Lauréates.

Elles rejoueraient quelques-unes des scènes qui avaient été filmées, comme celle où toutes les quatre trinquaient, se tenaient par le bras ou posaient pour les photographes. Puis celles où elles étaient interrogées individuellement par la police.

Je sais que je suis séduisante, pensa Claire. À présent, je ressemble vraiment à ma chère mère.

Un léger coup frappé à la porte lui annonça que le service de chambre était arrivé avec la salade de poulet et le thé glacé qu'elle avait commandés.

Mais tandis qu'elle grignotait sa salade et buvait son thé, Claire se rendit compte qu'elle n'était pas aussi brave qu'elle l'avait cru.

Son instinct lui soufflait de ne pas mettre son plan à exécution.

C'est de la nervosité, se dit-elle, cherchant à se rassurer. Uniquement de la nervosité.

Mais c'était davantage.

Dans sa tête, une voix scandait : *Ne fais pas ça. Ne fais pas ça. Ça ne vaut pas le coup !*

13

LE TEMPS leur avait paru long depuis Cleveland jusqu'à l'aéroport de Westchester. Un gros orage avait immobilisé leur avion sur le tarmac pendant deux heures, et bien qu'ils aient voyagé dans un appareil privé, il y avait peu de place pour bouger. Une situation très pénible pour le dos de Rod. À un moment, elle avait suggéré de tout laisser tomber.

Rod avait refusé. « Ali, c'est ta chance d'obtenir les diplômes que tu as toujours voulu avoir. Entre Powell et la société de production, tu ramasseras trois cent mille dollars. Cela paiera l'école de médecine et toutes les autres dépenses. Tu sais combien tu as toujours rêvé d'être médecin et de faire de la recherche médicale. »

Que deviendra Rod pendant que je suivrai mes cours ? se demanda Alison. J'aurai beaucoup à travailler le soir et pendant les week-ends.

Même si je peux faire le trajet quotidien jusqu'à l'université, je serai obligée d'étudier matin et soir. À quoi Rod sera-t-il réduit ? Et si je dois m'en aller et m'installer à l'université, quittera-t-il son travail à la pharmacie pour venir avec moi sans avoir rien à faire ? Dans ce cas, nous devrons tous les deux quitter la pharmacie et engager deux personnes. Je ne sais pas si ça pourra marcher.

Il était quinze heures à sa montre quand ils atterrirent à Westchester. L'expression de Rod reflétait à quel point il souffrait. Après l'avoir aidé à clopiner sur ses béquilles de la cabine jusqu'au fauteuil roulant qui lui avait été réservé, Alison se pencha sur lui et murmura : « Merci d'avoir enduré ce voyage. »

Il leva la tête vers elle et parvint à lui sourire.

Dieu merci, le chauffeur, un homme au teint rougeaud d'une cinquantaine d'années, bâti comme un ex-boxeur, les attendait dans le terminal. Il se présenta : « Je suis Josh Damiano, le chauffeur de M. Powell. Il voulait s'assurer que vous auriez un trajet agréable depuis l'aéroport jusqu'à votre hôtel.

– C'est très aimable de sa part. »

Alison espéra ne pas laisser paraître le mépris qu'elle ressentait. Maintenant qu'ils étaient de retour à New York, un flot de souvenirs envahissait son esprit. Ni l'un ni l'autre n'étaient revenus ici depuis quinze ans. Depuis le jour où les médecins avaient annoncé à Rod qu'il n'était pas opérable.

Ils n'avaient plus un sou à cette époque, et la famille de Rod avait été obligée de contracter des emprunts pour les aider, mais Alison s'était arrangée pour suivre des cours du soir pendant une année et obtenir sa licence de pharmacie. Ils avaient saisi l'occasion d'aller à Cleveland et de travailler dans la pharmacie du cousin de Rod.

J'aimais New York, pensa-t-elle, mais j'ai été heureuse de m'en aller. J'ai toujours eu l'impression qu'à la minute où les gens me rencontraient, ils se demandaient si j'avais tué Betsy Bonner Powell. À Cleveland, la plupart du temps, nous avons vécu en paix.

« Il y a des bancs près des portes, dit Damiano. Laissez-moi vous installer confortablement avant d'aller chercher la voiture. Je ne serai pas long. »

Ils le regardèrent prendre leurs bagages. Il fut de retour cinq minutes plus tard. « La voiture est juste devant », dit-il en aidant Rod à s'asseoir dans le fauteuil roulant.

Une Bentley noire rutilante était garée le long du trottoir.

Lorsque Damiano aida Rod à s'extraire du fauteuil et à s'installer sur le siège arrière, Alison sentit son cœur se serrer.

C'est tellement pénible pour lui, il ne se plaint jamais et ne parle jamais de la carrière de footballeur qu'il aurait pu avoir…

La grosse voiture s'ébranla. « La circulation est fluide, leur dit Damiano. Nous devrions être à l'hôtel dans une vingtaine de minutes. »

Ils avaient choisi de séjourner au Crowne Plaza, à White Plains. La ville était assez proche de Salem Ridge, mais assez éloignée des hôtels où étaient logées les trois autres amies d'enfance qui participaient à l'émission. Laurie Moran s'en était assurée.

« Tout va bien ? leur demanda Damiano avec sollicitude.

– Très bien », assura Alison tandis que Rod murmurait un vague oui.

Mais ensuite Rod se pencha vers son oreille : « Ali, j'y pense, quand tu seras devant les caméras, ne parle pas de ton somnambulisme ni du fait que tu es peut-être allée dans la chambre de Betsy cette nuit-là.

– Allons, Rod, cela ne me viendrait même pas à l'idée, s'écria Alison, horrifiée.

– Et ne dis pas que tu espères t'inscrire à l'école de médecine, à moins qu'on te pose la question. Cela rappellerait à tout le monde combien tu as été déçue de ne pas obtenir la bourse pour tes études de médecine, et furieuse que Robert Powell ait demandé au doyen de l'accorder à Vivian Fields. »

L'allusion à son désespoir le jour de la remise des diplômes suffit pour crisper douloureusement le visage d'Alison. « Betsy essayait d'entrer au Women's Club avec le gratin de la haute société et la mère de Vivian Fields en était la présidente. Et bien sûr, Powell avait l'influence nécessaire – il venait de faire un don pour la résidence de l'université ! Les Fields avaient de quoi payer plus de cent fois le montant des frais de scolarité. Même le recteur avait paru embarrassé en appelant son nom. Ensuite, il avait marmonné que Vivian était une étudiante remarquable. Tu parles ! Elle avait abandonné ses études dès la deuxième année. J'aurais arraché les yeux à Betsy !

– C'est pourquoi, s'ils te demandent ce que tu feras de l'argent, dis seulement que nous avons prévu de faire une croisière autour du monde », conseilla Rod.

Dans le rétroviseur, Josh Damiano avait vu Rod murmurer quelque chose à sa femme, et il avait vu celle-ci arborer aussitôt une expression de dépit. Il ne pouvait pas entendre ce qu'ils se disaient, mais il sourit en son for intérieur.

Aucune importance, pensa-t-il. Le magnétophone enregistre tout ce qui se dit dans cette voiture.

14

En apprenant que les Studios Fisher Blake et Robert Powell lui offraient en tout trois cent mille dollars pour apparaître dans l'émission, Regina Callari fut partagée entre le soulagement et un sentiment de jubilation.

Elle ne serait plus obligée pour vivre d'attendre l'arrivée au compte-gouttes de l'argent sur son compte, c'est-à-dire de réaliser une vente de temps à autre dans un marché immobilier en déconfiture.

À cette pensée, elle retrouva presque la sensation de chaleur et de sécurité qu'elle avait goûtée dans sa petite enfance, jusqu'au jour où elle avait trouvé le corps de son père pendu dans le garage.

Pendant des années, elle avait fait le même rêve. Elle se réveillait dans sa grande chambre d'enfant, avec son joli lit blanc et la pluie de fleurs roses délicates peintes sur la tête de lit, la table de chevet, la commode, le bureau et la bibliothèque. Dans son rêve, elle voyait toujours avec netteté le couvre-lit rose et blanc, les rideaux assortis et le tapis d'un rose plus clair.

Après le suicide de son père, quand sa mère s'était rendu compte qu'il restait très peu d'argent, elles avaient déménagé dans un trois pièces, où elles partageaient la même chambre.

Sa mère, passionnée de mode, avait trouvé une place de conseillère personnelle de la clientèle chez Bergdorf Goodman, dont elle avait jadis été une cliente importante. L'un dans l'autre elles s'étaient débrouillées, et Regina était fière d'être sortie diplômée de l'université grâce à une bourse d'études.

Après le mariage d'Alison et toutes les rumeurs sur la mort de Betsy, j'ai déménagé en Floride pour m'échapper, se rappela Regina, tandis qu'elle embarquait dans l'avion à St. Augustine. M'échapper autant que possible. N'y pense plus, se dit-elle. Ne continue pas à ressasser le passé, sinon tu vas devenir folle.

Quelques heures plus tôt, elle avait vu Zach partir pour son tour d'Europe. Il devait rencontrer son groupe à Boston, et s'envoler pour Paris le soir même.

Regina s'installa confortablement dans le petit avion privé et accepta le verre de vin offert avant le décollage.

Elle eut un bref sourire au souvenir de la visite de Zach et du moment qu'ils avaient partagé.

Quand il était arrivé à la maison en sortant de l'université deux semaines plus tôt, elle avait affiché un FERMÉ POUR CONGÉS sur la porte d'entrée de l'agence et annoncé à Zach qu'ils partaient ensemble en vacances – une croisière dans les Caraïbes.

Cette affection réciproque qu'elle avait eu tellement peur de perdre lorsque son ex-mari avait obtenu la garde de leur enfant s'était renforcée pendant ce voyage.

Zach lui parlait peu en général de son père et de sa belle-mère, mais il avait répondu à toutes ses questions.

« Maman, quand papa s'est mis à gagner de l'argent, beaucoup d'argent, je savais qu'il aurait dû te donner davantage. Je crois qu'il l'aurait fait, sauf qu'il avait peur de la réaction de Sonya. Elle a vraiment un caractère de chien. »

C'est à l'époque où nous étions mariés que le père de Zach a écrit les chansons qui ont ensuite fait sa fortune, mais la première ne s'est vendue qu'un an après notre divorce, avait pensé Regina avec amertume. Je ne pouvais pas m'offrir un avocat pour prouver qu'il les avait toutes écrites quand il était avec moi.

« Je crois qu'il regrette d'avoir épousé Sonya, lui avait dit Zach. Quand ils se disputent, leurs hurlements traversent le plafond. »

Regina se rappela avoir répondu : « *Rien ne me fait plus plaisir !* »

Elle se réconforta au souvenir des compliments de son fils sur sa nouvelle silhouette. Elle avait minci d'une dizaine de kilos. « Maman, tu as l'air vraiment chouette, lui avait-il dit à plusieurs reprises.

– J'ai fait de la gymnastique durant ces deux derniers mois, lui avait-elle dit. Je me suis aperçue que j'avais perdu l'habitude d'en faire régulièrement. »

Pendant la croisière, il l'avait interrogée sur ses parents. « Tout ce que tu m'as raconté en réalité, c'est que grand-père s'était suicidé parce qu'il avait fait de mauvais investissements et qu'il était ruiné, et que grand-mère avait décidé d'aller vivre en Floride quand elle avait pris sa retraite, mais qu'elle était morte dans son sommeil à peine un an après votre arrivée là-bas, dit-il.

– Elle ne s'est jamais remise d'avoir perdu mon père. »

Zach ressemble tellement à son grand-père, pensa Regina, tandis que l'avion décollait. Grand, blond, les yeux bleus.

Le dernier soir de la croisière, au moment du dîner, Zach avait interrogé sa mère sur la nuit où Betsy était morte. Il avait entendu son père raconter toute l'histoire à Sonya, et avait fait des recherches sur Google.

Regina lui avait alors parlé de la lettre.

Ai-je eu tort de lui en parler ? se demandait-elle maintenant. J'avais besoin de me confier à quelqu'un. J'ai toujours craint d'avoir fait une erreur en ne la montrant pas à ma mère.

Arrête de ressasser tout ça, s'admonesta-t-elle en acceptant un second verre de vin.

Il était vingt heures quand l'avion atterrit à Westchester. L'homme qui vint la chercher se présenta comme le chauffeur de M. Powell, Josh Damiano.

Il lui dit que M. Powell voulait s'assurer de son confort.

Elle eut du mal à ne pas éclater de rire. « Je suppose que M. Powell a renoncé aux Mercedes ? » susurra-t-elle quand il ouvrit la portière de la Bentley. Elle n'avait pas pu résister.

« Oh, non, répondit Damiano avec un sourire. Il a un break Mercedes.

– J'en suis ravie. »

Tais-toi, se reprit Regina en montant dans la voiture.

Ils avaient à peine quitté l'aéroport que son téléphone cellulaire sonna.

C'était Zach. « Nous sommes sur le point d'embarquer, maman. Je voulais m'assurer que tu étais bien arrivée.

– Oh, Zach, comme c'est gentil de ta part. Tu me manques déjà. »

Le ton de Zach changea. « Maman, la lettre. Tu m'as dit que tu avais envie de la jeter à la figure de Powell. Tu l'as emportée ?

– Oui, je l'ai. Mais ne t'inquiète pas, je ne serai pas folle à ce point. Elle est dans ma valise. Je te promets, personne ne la lira.

– Maman, déchire-la ! Si quelqu'un la trouvait, tu aurais de graves ennuis.

– Zach, si ça doit te tranquilliser, je te promets de la déchirer. »

Non, je n'en ferai rien, pensa-t-elle, mais je ne peux pas le laisser prendre cet avion en s'inquiétant pour moi.

Josh Damiano n'avait pas prévu d'enregistrer Regina, parce qu'elle voyageait seule. Quand il entendit son téléphone sonner, il alluma rapidement le magnétophone. La chance va peut-être me sourire, se dit-il.

On ne saurait être trop prudent quand on travaillait pour un homme tel que M. Powell.

15

La journée avait été longue. Assise dans son bureau avec Jerry et Grace, Laurie avait passé en revue une myriade de détails pour s'assurer que tout était en ordre pour les premières prises de vues.

Elle finit par se laisser aller en arrière dans son fauteuil et dit : « Bon, les dés sont jetés, nous ne pouvons rien faire de plus désormais. Les anciennes lauréates sont toutes là, et demain nous devons les rencontrer. Nous commençons la journée à neuf heures. M. Powell a prévenu que la gouvernante aura préparé du café, des fruits et des petits pains.

– C'est curieux. Elles affirment qu'elles ne se sont pas rencontrées une seule fois pendant toutes ces années, fit remarquer Jerry, mais je parie qu'elles se renseignent de temps en temps les unes sur les autres grâce à Google. C'est ce que je ferais si j'étais à leur place. Ma tante consulte toujours Google pour savoir ce que fabrique son ex.

– Je crains que l'atmosphère de la réunion ne soit un peu tendue, au moins pendant les premières minutes, dit Laurie, une note d'inquiétude dans la voix. Mais elles ont été les meilleures amies du monde pendant des années, et les interrogatoires de la police ont été un enfer pour elles.

– Nina Craig a expliqué un jour à un journaliste que chacune d'entre elles était accusée d'avoir pris part au projet d'assassiner Betsy, et que l'inspecteur lui avait dit qu'elle ferait mieux de se constituer témoin à charge pour obtenir une peine plus légère, rappela Jerry. Cela a dû être plutôt terrifiant.

– Je ne comprends toujours pas pour quel motif elles auraient voulu assassiner Betsy Powell », dit Grace en secouant la tête. « Elles fêtaient leur diplôme au cours d'une somptueuse célébration. Elles avaient la vie devant elles. Elles ont toutes l'air aux anges sur les images filmées pendant la réception.

– Peut-être l'une d'entre elles n'était-elle pas aussi heureuse qu'elle le paraissait, suggéra Laurie.

– C'est ce que j'ai cherché à vérifier, déclara Grace. La fille de Betsy, Claire, ne semblait pas avoir de raison de tuer sa mère. Elles étaient très proches. Le père de Regina Callari avait perdu sa fortune dans un des fonds d'investissement de Powell, mais sa mère a reconnu que Powell n'avait cessé de le prévenir que même si cela pouvait lui rapporter beaucoup, il ne devait pas investir plus qu'il ne pouvait se permettre de perdre. La mère de Nina Craig sortait avec Powell quand il a rencontré Betsy, mais à moins d'être réellement cinglé, vous n'étouffez pas quelqu'un pour ce genre de raison. Et Alison Schaefer a épousé son petit ami quatre mois après son diplôme. Quelle raison l'aurait poussée à fourrer un oreiller sur la tête de Betsy Powell ? »

Tout en parlant, Grace levait ses doigts l'un après l'autre pour souligner chaque point. « Et cette gouvernante à l'air sinistre a été engagée par Betsy, continua-t-elle. Mon idée est qu'il s'agit simplement d'une tentative de cambriolage qui a mal tourné. La maison est grande. Il y a des portes vitrées coulissantes partout. L'alarme n'était pas branchée. Une porte n'était pas fermée. N'importe qui aurait pu entrer. Je pense que c'était quelqu'un qui guignait le collier et les boucles d'oreilles en émeraudes. Ils valaient une fortune. Et n'oubliez pas qu'on a retrouvé une des boucles d'oreilles sur le sol de la chambre.

– Un intrus s'était peut-être faufilé parmi la foule, convint Laurie. Certains des invités avaient demandé à amener des amis, et il y a sur les prises de vues un couple que personne n'a été capable d'identifier. » Elle s'interrompit. « Bon, espérons que notre émission éclaircira ce point. Dans ce cas, Powell, la gouvernante et les lauréates se féliciteront d'y avoir participé.

– Elles doivent déjà se réjouir, fit remarquer Jerry. Trois cent mille dollars c'est une jolie somme à mettre dans son portefeuille. J'aimerais bien les avoir.

– Si je les avais, je m'offrirais un appartement qui ne soit qu'au troisième étage sans ascenseur, ironisa Grace avec un soupir.

– Mais s'il s'avère que l'une d'entre elles est coupable, elle pourra toujours engager Alex Buckley pour la défendre, suggéra Jerry. Avec ses honoraires, les trois cent mille dollars s'en iront en fumée. »

Alex Buckley était l'avocat pénal renommé qui serait l'animateur de l'émission et mènerait les interviews avec Powell, la gouvernante et les lauréates. À trente-huit ans, il était fréquemment invité dans des émissions télévisées concernant d'importantes affaires criminelles.

Il était devenu célèbre en défendant un magnat de la finance accusé d'avoir tué son associé. Contre toute attente, Buckley avait obtenu un verdict d'acquittement que toute la presse avait déploré, considérant qu'il favorisait une erreur judiciaire. Puis, dix mois plus tard, la femme de l'associé s'était suicidée, laissant une lettre dans laquelle elle s'accusait d'avoir assassiné son mari.

Après avoir visionné les innombrables vidéos d'Alex Buckley, Laurie avait décidé qu'il serait le présentateur idéal pour l'émission « Le Gala des Lauréates ».

Restait à le convaincre.

Elle avait pris rendez-vous avec lui.

Un moment après qu'on l'eut introduite dans son bureau, il avait pris un appel urgent et, assise dans un fauteuil en face de lui, Laurie avait pu l'examiner attentivement.

Des cheveux sombres, des yeux bleu-vert accentués par des lunettes à monture noire, un menton ferme et une haute silhouette qui rappelait qu'il avait été une star du basket-ball à l'université.

En l'observant à la télévision, elle avait conclu qu'il était le genre d'homme que les gens appréciaient d'instinct, qui inspirait confiance, et c'était la qualité qu'elle recherchait pour un présentateur qui serait aussi acteur. Cette première impression fut confirmée quand elle l'entendit rassurer son interlocuteur : Il n'avait aucune raison de s'inquiéter, lui déclarait-il avec conviction.

Quand il eut raccroché, son sourire d'excuse était chaleureux et sincère. Mais sa première question – « Que puis-je faire pour vous, madame Moran ? » – l'avertit qu'il n'avait pas de temps à perdre.

Laurie était préparée, elle répondit de façon succincte et néanmoins passionnée.

Elle revit le moment où Alex Buckley s'était renversé dans son fauteuil et avait dit : « Je participerais avec grand intérêt à cette émission, madame Moran. »

« Laurie, j'étais sûr que tu essuierais un refus ce jour-là, dit Jerry.

– Je savais que l'argent que je pouvais proposer à Buckley pour sa participation ne suffirait pas à le convaincre, mais j'avais dans l'idée qu'il pourrait être intrigué par l'affaire toujours non élucidée du Gala des Lauréates. Dieu merci, il s'est trouvé que j'avais raison.

– Tu es tombée pile, renchérit Jerry avec enthousiasme. Il sera épatant. »

Il était dix-huit heures. « Croisons les doigts », dit Laurie. Elle repoussa sa chaise et se leva. « Nous avons assez bossé. Terminé pour aujourd'hui. »

Deux heures plus tard, tout en buvant un café, Laurie disait à son père : « Comme je l'ai dit aujourd'hui à Jerry et à Grace, les dés sont jetés.

– Qu'est-ce que ça veut dire, maman ? » demanda Timmy.

Ce soir-là il n'avait pas demandé à quitter la table après avoir fini son dessert.

« Ça veut dire que j'ai fait tout ce qui était possible, et que nous commençons à filmer demain les gens qui participent à l'émission.

– Ce sera une série télévisée ? demanda Timmy.

– Dieu t'entende », dit Laurie avec ferveur, puis elle sourit à son fils.

Le portrait vivant de Greg, pensa-t-elle, non seulement ses traits, mais cette expression qu'il prend quand il réfléchit...

Il posait toujours des questions sur ses projets. Elle avait décrit celui-ci dans des termes vagues, comme « une réunion de quatre amies qui ont grandi ensemble mais ne se sont pas revues depuis vingt ans ».

À quoi Timmy avait répondu : « Pourquoi elles ne se sont pas revues ?

– Parce qu'elles vivaient dans des États différents », expliqua Laurie.

Les derniers mois avaient été difficiles, songea-t-elle. Pas seulement à cause de la pression due à l'intense préparation du film. Timmy avait fait sa première communion le 25 mai, et elle n'avait pas été capable de retenir ses larmes derrière ses lunettes noires. *Greg devrait être là. Greg devrait être là, mais il ne sera plus jamais là, pour aucun des événements importants de la vie de Timmy. Ni pour sa confirmation, ni pour ses examens, ni pour son mariage. Pour aucun d'entre eux.* Ces pensées avaient résonné à la façon d'un battement de tambour dans sa tête, se répétant comme un refrain, encore et encore, tandis qu'elle faisait un effort désespéré pour cesser de pleurer.

Laurie se rendit compte que Timmy la regardait avec un air inquiet.

« Maman, tu as l'air triste.

– C'est malgré moi. » Laurie avala la boule qui se formait dans sa gorge et sourit. « Pourquoi le serais-je ? Je vous ai, toi et grand-père. N'est-ce pas, papa ? »

Leo Farley connaissait bien l'émotion qu'il devinait chez sa fille. Lui-même avait souvent des moments de grande tristesse quand il songeait aux années pendant lesquelles Eileen et lui étaient restés mariés. Et ensuite, perdre Greg à cause d'un monstre…

Il ne voulut plus y penser. « Et moi je vous ai tous les deux, dit-il avec chaleur. N'oubliez pas, ne veillez pas trop tard ce soir. Nous devons nous lever tôt demain. »

Le lendemain matin, Timmy partait camper pendant deux semaines avec quelques-uns de ses amis.

Leo et Laurie avaient lutté contre l'inquiétude récurrente de voir le dénommé Z'yeux Bleus découvrir où allait Timmy, puis ils s'étaient rendu compte que s'ils l'isolaient et le privaient de ses activités avec ses amis, il deviendrait à terme un enfant nerveux et craintif. Pendant cinq ans, depuis le meurtre de Greg, ils avaient fait leur possible pour que Timmy mène une vie normale, tout en veillant à sa sécurité.

Leo s'était rendu sur place pour voir à quoi ressemblait le camp, il avait parlé avec le moniteur en chef et s'était assuré que les garçons de l'âge de Timmy étaient constamment surveillés, et qu'il y avait des gardes prêts à intercepter un étranger sur-le-champ.

Leo avait raconté au moniteur les mots que Timmy avait hurlés. « Z'yeux Bleus a tué mon papa. » Puis il avait répété la description que la vieille dame avait donnée à la police. « Il avait une écharpe sur le visage. Il portait une casquette. Il était de taille moyenne, large d'épaules mais pas corpulent. Il avait parcouru le bloc en quelques secondes, pourtant je ne crois pas qu'il était jeune. Mais il pouvait courir vraiment vite. »

Sans raison, le souvenir du type qui les avait dépassés en patins sur le trottoir quelque temps plus tôt lui revint à l'esprit tandis qu'il prononçait les mots « vraiment vite ». Peut-être parce qu'il a presque failli renverser la femme enceinte qui marchait devant nous, pensa-t-il.

« Un peu plus de café, papa ?

– Non merci. » Leo avait cessé de répéter à Laurie que réunir à nouveau les personnes du Gala des Lauréates sous un même toit était très risqué. Il s'était résigné. C'était prévu comme ça, et il ne servait plus à rien de s'escrimer à la dissuader.

Il repoussa sa chaise, ramassa les assiettes à dessert et les tasses à café et les apporta dans la cuisine. Laurie s'y trouvait déjà, prête à charger le lave-vaisselle.

« Je vais m'en occuper, dit-il. Va vérifier le sac de Tommy. Je pense avoir tout mis à l'intérieur.

– Alors tout y est certainement. Je ne connais personne d'aussi organisé que toi. Papa, qu'est-ce que je ferais sans toi ?

– Tu te débrouillerais très bien, mais j'ai l'intention de rester encore un peu. »

Leo Farley embrassa sa fille. Au moment où il prononçait ces paroles, résonnèrent dans sa tête pour la millième fois les mots de la vieille dame qui avait assisté à la mort de Greg et entendu le meurtrier crier à Timmy : *« Dis à ta mère qu'elle est la prochaine, ensuite ce sera ton tour… »*

À ce moment, Leo Farley décida qu'il irait discrètement en voiture à Salem Ridge pendant le tournage. J'ai assez de métier pour savoir surveiller sans être repéré, pensa-t-il.

Si quelque chose tourne mal, je veux être présent.

16

Le réveil d'Alex Buckley sonna à six heures du matin, à peine quelques secondes après que son alarme intérieure l'eut tiré du sommeil.

Il resta allongé paisiblement pendant plusieurs minutes, le temps de rassembler ses esprits.

Aujourd'hui, il devait se rendre à Salem Bridge pour le premier jour de tournage du « Gala des Lauréates ».

Il repoussa les draps et se leva. Des années auparavant, une cliente libérée sous caution était venue dans son bureau. Quand il s'était levé pour l'accueillir, elle s'était exclamée : « Bon sang, quel grand escogriffe vous faites ! »

Un mètre quatre-vingt-treize. Alex avait éclaté de rire. La femme devait faire un petit mètre cinquante-deux, ce qui ne l'avait pas empêchée de poignarder à mort son mari au cours d'une querelle domestique.

La remarque de la femme lui resta à l'esprit tandis qu'il allait prendre sa douche, mais disparut rapidement quand il réfléchit à la journée qui l'attendait.

Il savait pourquoi il avait décidé d'accepter la proposition de Laurie Moran. Il avait lu l'histoire du Gala des Lauréates quand il était en seconde année à Fordham University et avait suivi l'affaire avec un intérêt passionné, essayant d'imaginer laquelle des jeunes filles avait commis le crime. Il était certain à l'époque que c'était l'une d'entre elles.

Son appartement se trouvait sur Beekman Place, près de l'East River, dans un immeuble qui abritait les délégués de haut rang des Nations unies et des hommes d'affaires discrets et fortunés.

Deux ans plus tôt, il avait été invité dans ce même appartement et, au cours du dîner, avait appris que ses hôtes le mettaient en vente. Il avait aussitôt décidé de l'acheter. Son seul inconvénient à ses yeux était la grande enseigne lumineuse rouge PEPSI COLA sur un immeuble de Long Island City, qui gênait la vue sur l'East River.

L'appartement était composé de six grandes pièces, plus un logement de service. Il savait qu'il n'avait pas besoin d'autant d'espace mais, à la réflexion, la salle à manger indépendante lui permettrait de donner des réceptions ; il transformerait la deuxième chambre en bureau ; et ce serait commode d'avoir une chambre d'amis. Son frère Andrew, avocat d'affaires, vivait à Washington et venait régulièrement à Manhattan pour son travail.

« Désormais tu n'auras plus besoin d'aller à l'hôtel, lui avait-il dit.

– Je veux payer ma quote-part », avait plaisanté son frère, qui avait ajouté : « À dire vrai, j'en ai assez des hôtels, ce sera formidable. »

En achetant l'appartement, Alex avait décidé qu'au lieu d'avoir une femme de ménage deux fois par semaine, il serait plus judicieux d'employer quelqu'un à plein temps qui pourrait s'occuper de l'entretien, faire les courses et préparer le petit déjeuner et le dîner quand il était à la maison. Sur les recommandations de la décoratrice qui avait meublé son nouvel intérieur avec un goût très sûr, il avait engagé Ramon, qui était au service de deux de ses clients, mais avait choisi de ne pas les suivre en Californie. Les précédents employeurs de Ramon étaient un couple excentrique qui avait des horaires fantasques et laissait tout traîner.

Ramon s'installa volontiers dans le logement de service équipé d'une salle de bains, près de la cuisine. Soixante ans, né aux Philippines, il était divorcé depuis longtemps, et avait une fille à Syracuse.

Il ne s'intéressait pas aux affaires privées d'Alex et il ne lui serait jamais venu à l'esprit de lire le courrier que son patron laissait sur son bureau.

Ramon était déjà dans la cuisine quand Alex, vêtu de son habituel costume strict, chemise blanche et cravate, prit place dans le coin du petit déjeuner. Les journaux du matin étaient disposés près de son assiette, mais après avoir salué Ramon et parcouru les gros titres, il les repoussa.

« Je les lirai quand je rentrerai à la maison ce soir », dit-il, tandis que Ramon lui servait son café. « Y a-t-il quelque chose d'excitant là-dedans ?

– Vous êtes en page 6 du *Post*, monsieur. Vous escortiez Mlle Allen à la première d'un film.

– C'est exact. »

Alex n'était pas encore habitué à la publicité inopportune qui accompagnait le statut de célébrité qu'il avait acquis par ses apparitions fréquentes à la télévision.

« C'est une très belle femme, monsieur.

– En effet. »

C'était encore autre chose. Avocat éminent et célibataire, il ne pouvait pas escorter une femme à une manifestation sans être immédiatement fiancé par la presse. Elizabeth était une amie, rien de plus.

Alex avala rapidement les fruits, les céréales et le toast que Ramon avait disposés devant lui. Il avait conscience d'être impatient de gagner la maison de Robert Powell et de le rencontrer, ainsi que les ex-lauréates de retour à New York.

Elles avaient toutes entre quarante et quarante-deux ans à présent, pensa-t-il. Claire Bonner, Alison Schaefer, Regina Callari et Nina Craig. Depuis qu'il avait accepté d'animer l'émission, il avait fait des recherches approfondies sur chacune d'elles et avait lu tout ce qui avait paru dans les médias à l'époque où Betsy avait été assassinée.

On lui avait demandé d'arriver dans la propriété de Powell à neuf heures. Il était temps d'y aller.

« Serez-vous rentré pour dîner, Monsieur ? demanda Ramon.

– Oui, certainement.

– Avez-vous prévu d'avoir un ou plusieurs invités ? »

Alex sourit à l'homme de petite taille qui le regardait avec gravité.

Ramon est un perfectionniste, pensa-t-il, une fois de plus. Il n'aimait pas gâcher la nourriture et il appréciait d'être prévenu quand son patron invitait des amis pour le dîner. Alex secoua la tête. « Pas d'invités », dit-il.

Quelques minutes plus tard, Alex était dans le garage de son immeuble. Ramon avait téléphoné à l'avance, si bien que son cabriolet Lexus était déjà garé près de la rampe de sortie, la capote baissée.

Alex mit ses lunettes de soleil, fit démarrer la voiture et se dirigea vers East River Drive. Il avait déjà en tête les questions qu'il poserait aux six personnes présentes dans la maison la nuit où Betsy Bonner Powell avait été étouffée dans son sommeil.

17

LEO FARLEY serra son petit-fils dans ses bras quand il fut prêt à grimper à bord du car qui partait de l'école St. David pour rejoindre Camp Montainside dans les Adirondacks. Il prit soin de ne montrer aucun signe de l'inquiétude qui le taraudait à la pensée que Yeux Bleus puisse découvrir l'endroit où se trouvait Timmy.

Il dit : « Tu vas t'amuser comme un fou avec tes copains.

– Je sais, grand-père », dit Timmy, mais une expression d'inquiétude traversa son regard.

Regardant autour de lui, Leo vit que la même émotion se reflétait sur le visage de ses amis. Au moment de dire au revoir aux parents ou grands-parents, une petite appréhension se lisait dans les yeux des enfants.

« Allez, les garçons, tous à bord », s'écria l'un des moniteurs qui accompagnaient les campeurs.

Leo étreignit à nouveau Timmy. « Tu vas beaucoup t'amuser, répéta-t-il en plantant un baiser sur la joue de son petit-fils.

– Et tu t'occuperas de maman, hein, grand-père ?

– Bien sûr. »

Laurie avait pris son petit déjeuner à six heures avec Timmy avant de partir dans la voiture des Studios Fisher Blake qui l'emmenait à Salem Bridge. Leur au revoir, heureusement bref, avait été accompagné de larmes.

Au moment où Timmy s'apprêtait à monter dans l'autocar, Leo se dit que son petit-fils ne rêvait plus que rarement de Yeux Bleus, mais qu'il gardait encore en mémoire le souvenir de cette terrible menace que le meurtrier de son père avait proférée.

Et, à huit ans, il s'inquiétait que quelque chose puisse arriver à sa mère.

Pas tant que je serai là, pensa Leo. Après avoir salué d'un signe de main les campeurs sur le départ, il se dirigea vers la Toyota noire de location qu'il avait garée à une rue de là sur la Cinquième Avenue. Il n'avait pas voulu prendre le risque que Laurie reconnaisse son habituelle Ford rouge. Il mit le contact et se dirigea vers Salem Ridge.

Quarante-cinq minutes plus tard, il roulait sur Old Farms Road au moment où la limousine qui amenait la première des lauréates tourna et s'engagea dans l'allée de la propriété de Powell.

18

Yeux Bleus suivait toujours son instinct. Ce jour-là, cinq ans plus tôt, il avait su que le temps était venu de prendre sa revanche. Dans l'après-midi, il avait suivi le Dr Greg Moran et Timmy depuis leur appartement dans la résidence du Peter Cooper Village sur la 21e Rue jusqu'au terrain de jeu de la 15e Rue.

Une poussée d'adrénaline l'avait envahi en les voyant marcher main dans la main jusqu'au lieu de l'exécution. Au croisement animé de la Première Avenue, le médecin avait pris Timmy dans ses bras pour traverser. Yeux Bleus avait ri en voyant le gamin, les bras autour du cou de son père, un sourire heureux sur le visage.

Pendant un instant, il s'était demandé s'il les tuerait tous les deux en même temps, mais il s'était ravisé. Ensuite, il ne resterait que Laurie. Non, il valait mieux attendre.

Aujourd'hui, c'était le tour de Laurie. Il en savait tellement sur elle : où elle vivait, où elle travaillait, quand elle allait faire son jogging le long de l'East River. Il l'avait parfois suivie dans le bus qui traversait la ville et s'était assis à côté d'elle. *Si seulement vous saviez, si seulement vous saviez !* Il avait eu du mal à ne pas le dire tout haut.

Yeux Bleus avait adopté le nom de « Bruno Hoffa » après sa sortie de la prison où il avait passé cinq ans. Il n'avait eu aucun mal à changer de nom et obtenir de faux papiers à la fin de sa libération conditionnelle.

Pendant la plus grande partie des six derniers mois, depuis qu'il était sorti de prison pour la seconde fois, il avait fait le genre de petits boulots pour lesquels personne ne vous demande vos références, dans le bâtiment et comme ouvrier journalier.

Peu lui importait que le travail soit pénible, en fait il aimait ça. Il se souvenait d'avoir entendu quelqu'un dire qu'il ressemblait à un paysan et se comportait comme tel.

Au lieu de se fâcher il avait ri à cette remarque. Il savait qu'il avait un corps râblé, des bras puissants et que les gens le comparaient à un terrassier. C'était ce qu'il voulait.

Même à soixante ans, il pouvait courir plus vite que n'importe quel policier qui se lancerait à ses trousses.

En avril, il avait lu dans les journaux que les Studios Fisher Blake allaient produire la reconstitution du meurtre du Gala des Lauréates et que Laurie en serait la productrice.

C'est alors qu'il avait compris qu'il devait trouver un job dans la propriété de Powell qui lui permettrait d'être dans les parages sans éveiller les soupçons. En passant devant en voiture, il avait vu l'énorme camion portant l'inscription PARCS ET JARDINS. Il avait cherché la société et fait une demande d'emploi. Tout jeune, il avait travaillé pour un paysagiste et appris tout ce qu'il fallait savoir sur la question. Inutile d'être un génie pour tondre une pelouse, tailler des haies et des buissons ou pour planter des fleurs aux endroits désignés par le boss.

Il aimait ce travail. Et il savait que Laurie Moran serait souvent sur place dès qu'ils commenceraient à tourner.

Il avait vu Laurie pour la première fois dans la propriété le jour où il avait été engagé par Parcs et Jardins. Il l'avait reconnue quand elle était sortie de sa voiture et avait saisi aussitôt une paire de cisailles pour s'approcher du bureau où Powell accueillait en général ses invités.

Il aurait pu la surprendre ce jour-là tandis qu'elle regagnait sa voiture, mais il avait décidé d'attendre. Il avait déjà attendu si longtemps, savourant la peur qui rôdait dans cette famille. Ne serait-il pas préférable de choisir un moment où elle serait accompagnée par l'équipe du film ? s'était-il demandé. L'effet ne serait-il pas d'autant plus dramatique aux yeux des médias si sa mort venait interférer avec la publicité autour du film sur le Gala des Lauréates ?

Powell avait dit à son patron, Artie Carter, que le tournage commencerait le 20 juin. Yeux Bleus craignait que Powell ordonne que tous les travaux de jardinage soient achevés avant cette date.

C'est pourquoi il s'était entretenu avec Artie le 19, alors qu'ils finissaient les tailles et les plantations.

« Monsieur Carter… », avait-il dit, comme il le faisait toujours, même si les autres ouvriers l'appelaient « Artie ». Il avait expliqué que c'était parce qu'il avait appris à respecter le patron, et il avait eu l'impression que cela avait plu à Carter.

En réalité, Artie Carter trouvait qu'il y avait quelque chose de bizarre chez Bruno Hoffa. Il ne se joignait jamais aux autres pour boire une bière après le travail. Il ne participait jamais aux discussions sur la saison du base-ball pendant les transports d'un jardin à un autre. Il ne se plaignait jamais si le temps était pourri. De l'avis de Carter, Bruno n'était pas très futé, mais qu'importait ? C'était le meilleur ouvrier de toute son équipe.

En jetant un dernier coup d'œil au parc, Artie se déclara satisfait. Même un client aussi exigeant que M. Robert Powell ne trouverait rien à redire.

C'est alors que Bruno s'était approché de lui.

« Monsieur Carter, j'ai une suggestion à vous faire, dit-il.

– Laquelle, Bruno ? »

La journée avait été longue et Artie Carter était pressé de rentrer chez lui et de savourer une bonne bière fraîche. Voire deux.

Sa bouche étroite s'étirant dans un sourire forcé, ses yeux aux paupières lourdes fixés sur le cou de son patron, « Bruno » prit un ton inhabituellement servile, même pour lui, lorsqu'il se lança avec une hésitation feinte dans le discours qu'il avait préparé :

« M. Powell est sorti l'autre jour pendant que je plantais les fleurs autour de l'abri de la piscine. Il a dit que les fleurs étaient très belles, mais qu'il était ennuyé parce qu'il savait que l'équipe du tournage écraserait l'herbe. Il supposait que c'était inévitable, mais il aurait voulu pouvoir y faire quelque chose.

– M. Powell est maniaque, dit Carter. Et notre plus gros client. D'après ce que j'ai compris, ils feront les prises de vues à l'extérieur pendant toute la semaine. Qu'est-ce que nous pouvons y faire ? ajouta-t-il, irrité. On nous a dit de rester hors de la propriété à partir d'aujourd'hui. »

Yeux Bleus débita la suite de son discours : « Monsieur Carter, j'ai réfléchi. Nous ne pouvons pas avoir un camion garé dans l'allée parce que M. Powell en aurait une attaque. Mais peut-être que vous pourriez suggérer que je reste posté dans l'abri de la piscine. De cette façon, si l'équipe du film piétine l'herbe ou fait des trous avec son matériel, je pourrai réparer ça dans la minute où ils quitteront l'endroit. Puis, les gens qui jouent dans le film pourraient décider de faire un tour à pied dans le parc, ou peut-être de déjeuner dehors et laisser des détritus derrière eux. Je pourrais m'en occuper aussi. S'il accepte, il faudra qu'on me dépose dans la matinée et qu'on vienne me récupérer quand ils auront fini de tourner à la fin de la journée. »

Artie Carter réfléchit. Powell était tellement maniaque que ça pouvait l'intéresser. Et Bruno savait si bien se faire discret qu'il ne gênerait pas l'équipe de tournage.

« Je vais passer un coup de fil à M. Powell et lui suggérer que tu surveilles les parages pendant les prises de vues. Le connaissant, je parie qu'il acceptera. »

Bien sûr qu'il acceptera, pensa Yeux Bleus en s'efforçant de retenir un sourire triomphant. Ma chère Laurie, vous aurez bientôt fini de pleurer votre mari. Je vous le promets.

19

CONSTERNÉE, Nina apprit qu'il y avait un message pour sa mère à la réception du St. Regis quand elles s'enregistrèrent.

Comme elle le craignait, il était de Robert Powell qui invitait Muriel pour le petit déjeuner à neuf heures.

Avec un sourire triomphant, Muriel Craig agita la lettre sous les yeux de Nina. « Tu croyais qu'il se fichait de moi, dit-elle sèchement. Tu ne croyais pas ou ne voulais pas croire que Rob et moi étions profondément amoureux. Qu'il ait perdu la tête pour Betsy Bonner ne prouve pas qu'il ne s'intéressait plus à moi. »

Nina se rendit compte que sa mère, qui avait bu une vodka et au moins deux verres de vin dans l'avion et après leur dispute dans la voiture, n'avait plus la moindre notion de ce qu'elle faisait.

Nina vit que les deux employés de la réception ne perdaient pas une miette de sa tirade. « Maman, *je t'en prie*…, commença-t-elle.

– Il n'y a pas de "je t'en prie" qui tienne. Lis les critiques qui m'ont encensée. Tu n'es qu'une figurante, une rien du tout. Est-ce qu'une femme ne s'est pas arrêtée dans la rue pour me dire que j'étais merveilleuse dans le remake de *Prisonniers du passé* ? »

Le ton de Muriel Craig montait et son visage devenait de plus en plus rouge tandis qu'elle crachait littéralement les mots : « Quant à toi, tu ne pourrais même pas être le début d'une actrice. Voilà pourquoi tu n'es qu'une figurante, une inconnue dans les scènes de foule… »

Nina vit que le concierge avait mis les clés des chambres dans des enveloppes séparées. Elle tendit la main. « Je suis Nina Craig, dit-elle calmement. Je vous prie d'excuser ma mère de se donner ainsi en spectacle. »

Si Muriel Craig l'avait entendue, elle ne le montra pas. « … et tu as toujours essayé de me dénigrer », disait-elle, achevant sa diatribe.

L'employé fit preuve d'assez de tact pour ne faire aucune autre remarque à Nina que : « Je fais monter vos bagages dans votre chambre.

– Merci. J'ai seulement la grande valise noire. » Nina désigna le bagage, puis se détourna et passa devant sa mère qui s'était enfin tue. Furieuse et embarrassée par les regards curieux des gens qui faisaient la queue au bureau, elle se dirigea rapidement vers l'ascenseur et parvint à y entrer avant que la porte se referme.

Au sixième étage, elle sortit et, suivant la flèche qui indiquait les numéros des chambres, se hâta d'entrer dans la 621, redoutant que sa mère la suive dans sa chambre.

Une fois à l'intérieur, Nina se laissa tomber sur la chaise la plus proche et serra les poings en murmurant : « Je n'en peux plus. Je ne peux pas en supporter davantage. »

Plus tard, elle téléphona au service d'étage. Elle s'attendait à ce que sa mère, qui était dans la chambre voisine de la sienne, lui téléphone pour dîner avec elle. Mais il n'en fut rien. Nina n'aurait pas accepté, de toute façon, mais elle fut privée de la satisfaction de lui jeter à la figure les mots qui se bousculaient dans sa bouche. *Vas-y. Rends-toi ridicule demain. J'ai essayé de te prévenir. Tu es Muriel Craig, une actrice de série B et un fiasco total comme mère et comme être humain.*

Espérant en entendre davantage de leur part, Josh s'était arrangé pour venir chercher les deux femmes tôt dans la matinée et pouvoir enregistrer les propos virulents qu'elles semblaient avoir l'habitude d'échanger.

Ce matin-là, il était donc arrivé une demi-heure en avance. Nina Craig et sa mère étaient déjà prêtes.

Nina avait pensé que sa mère ne pourrait plus rien faire pour l'irriter davantage mais elle s'aperçut vite qu'elle se trompait. Muriel avait décrété qu'elle voulait arriver au petit déjeuner assez tôt afin de passer du temps avec Robert Powell avant l'arrivée des autres. Au moins firent-elles le trajet en silence.

Quand elles arrivèrent à la propriété, la porte leur fut ouverte par la fidèle gouvernante de Powell, Jane Novak. Elle les inspecta de la tête aux pieds, les salua par leur nom, dit que M. Powell serait là à neuf heures et que la productrice, Mme Moran, était déjà dans la salle à manger.

Nina observa sa mère qui cachait sa déception et devenait Muriel Craig, l'actrice. Son sourire était gracieux, son ton chaleureux quand elle fut présentée à Laurie Moran et qu'elle la remercia de l'avoir invitée à accompagner Nina.

« C'est M. Powell qui vous reçoit, madame Craig, dit posément Laurie. Je n'ai aucun mérite. J'ai cru comprendre qu'après le petit déjeuner on vous reconduirait au St. Regis, n'est-ce pas ? »

Magnifique, pensa Nina avec satisfaction. Elle tendit la main à Laurie, surprise que la productrice de l'émission soit si jeune. À peine trente-cinq ans, se dit-elle avec envie. En fêtant son quarante-deuxième anniversaire la semaine précédente, elle avait éprouvé le sentiment décourageant que sa vie n'allait nulle part et que cette manne de trois cent mille dollars ne servirait qu'à acheter un appartement pour sa mère et à se débarrasser d'elle une fois pour toutes.

Sur le plateau de son dernier film, Nina avait été figurante dans une scène de bal et le metteur en scène, Grant Richmond, lui avait dit qu'elle dansait à merveille. « Vous avez fait honte aux autres acteurs », l'avait-il complimentée.

Nina savait qu'il avait soixante-cinq ans et qu'il était veuf depuis peu. Le soir suivant, il l'avait invitée à prendre un cocktail. Puis il s'était donné la peine d'expliquer qu'il avait promis de dîner avec le producteur. « Nous remettrons ça une autre fois », avait-il promis. Et il l'avait fait raccompagner chez elle dans sa voiture.

Je voudrais que ma mère ait raison, que Richard Powell puisse encore s'intéresser à elle, pensa-t-elle.

Plus tard, en acceptant le café offert par la gouvernante, Nina examina Muriel avec attention. Sa mère était à son avantage. Elle portait un tailleur blanc – très coûteux et acheté avec la carte American Express de Nina – et des chaussures blanches à talons hauts qui mettaient en valeur ses longues jambes et sa silhouette parfaite. Au salon de beauté, elle avait accepté les conseils discrets de l'esthéticienne qui suggérait d'atténuer le roux flamboyant de sa chevelure. Aujourd'hui, ses cheveux étaient d'un roux ravissant, habilement effilés et effleuraient à peine ses épaules. Elle avait toujours eu le don de se maquiller. En d'autres termes, pensa Nina, ma mère bien-aimée est ravissante.

Et moi ? se demanda-t-elle. Pas mal, mais ça pourrait être mieux. J'ai besoin d'avoir de l'espace. Je veux pouvoir rentrer chez moi dans un appartement paisible et ordonné qui n'empeste pas la fumée de cigarette, et boire un verre de vin, seule sur la terrasse en regardant la piscine.

Et pouvoir proposer à Grant Richmond de venir prendre un verre s'il m'invite vraiment à dîner, pensa-t-elle.

Une tasse de café à la main, Muriel Craig disait à Laurie Moran combien elle se rappelait cette terrible et tragique soirée, vingt ans plus tôt, quand sa chère, si chère Betsy, avait été atrocement assassinée. « J'ai eu le cœur brisé, disait-elle. Nous étions de si bonnes amies. »

Dégoûtée, Nina se dirigea vers les fenêtres qui donnaient sur la piscine et, au-delà, sur le green du golf.

La porte de l'abri de la piscine s'ouvrit et elle distingua la silhouette d'un homme qui en sortait pour aller sur la pelouse.

Robert Powell y logeait-il un invité ? se demanda-t-elle, puis elle s'aperçut que l'homme balançait quelque chose dans sa main. Elle regarda avec plus d'attention et le vit commencer à tailler le buisson le plus proche de l'abri.

La sonnette de l'entrée retentit et Nina se détourna de la fenêtre. Une des autres suspectes dans la mort de Betsy Bonner Powell venait d'arriver.

20

De plus en plus nerveux, George Curtis se demandait pourquoi Robert Powell l'entraînait dans cette histoire de reconstitution du Gala des Lauréates.

Il trouvait déjà désagréable de devoir apparaître à l'écran à un certain moment, mais pourquoi était-il invité à ce petit déjeuner où, comme Robert l'avait déclaré, tous les suspects seraient rassemblés ? Avant d'ajouter rapidement : « Non que tu en fasses partie, George. »

Après avoir garé sa Porsche rouge dans l'allée, George sortit un mouchoir et s'essuya le front, un geste inhabituel chez lui. Le toit était abaissé et l'air conditionné en marche. Il n'y avait aucune raison de transpirer – sinon l'angoisse.

Mais George Curtis, dont le nom figurait chaque année sur la liste des milliardaires du magazine *Forbes*, ami des présidents et des Premiers ministres, n'ignorait pas qu'il risquait d'être arrêté à la fin de la semaine, menottes aux poignets. Il se tamponna à nouveau le front avec son mouchoir.

Après avoir pris une longue minute pour calmer ses nerfs, il descendit de voiture. Ce matin de juin était, comme le disait volontiers l'un des météorologues de la télévision, « un véritable cadeau. Un jour parfait ». Et c'était vrai, pensa George – ciel bleu, soleil resplendissant, une douce brise venant du Long Island Sound tout proche. Mais que lui importait ?

Il se dirigea lentement vers la porte d'entrée et s'arrêta en voyant une limousine s'engager dans la courbe de l'allée. La voiture s'arrêta pour lui permettre de passer.

Arrivé à la porte, il n'appuya pas sur la sonnette, mais attendit que le chauffeur ait ouvert la portière arrière et que les occupants sortent de la voiture. Bien que vingt ans se soient écoulés depuis, il reconnut aussitôt Alison Schaefer. Sa première impression fut qu'elle n'avait pas beaucoup changé – grande, mince, les cheveux noirs moins longs qu'ils ne l'étaient dans son souvenir. Il se rappela que, le soir du gala, il avait bavardé avec elle pendant quelques instants et cru déceler une colère réprimée quand elle avait fait une réflexion sur la somptuosité de la réception. « L'argent aurait pu être mieux utilisé », avait-elle dit d'un ton amer. Parce que c'était une remarque inattendue de la part d'une des invitées d'honneur, George ne l'avait jamais oubliée.

À présent, Alison attendait près de la voiture que l'autre occupant réussisse à s'en extraire. George regarda Rod Kimball se mettre seul sur ses pieds et ajuster fermement ses béquilles sous ses bras.

Bien sûr, se souvint-il. Alison était mariée à ce jeune et brillant joueur de football renversé un jour par un chauffard qui avait pris la fuite.

Il appuya sur la sonnette pendant que le couple montait difficilement l'unique marche de la vaste entrée. Avec une réserve polie, Alison et George se saluèrent et Alison présenta Rod.

Puis Jane Novak leur ouvrit la porte. Elle les accueillit tous les trois avec ce qui pouvait passer pour de la chaleur et annonça, sans nécessité : « M. Powell vous attend. »

Après s'être garé devant la résidence de Powell, Alex Buckley resta un moment à examiner la vaste et massive maison de pierre.

Qu'avait pensé Betsy Bonner quand elle l'avait vue pour la première fois ? se demanda-t-il. Elle louait alors un modeste appartement dans Salem Ridge dans l'espoir de rencontrer un homme riche.

C'est sûr qu'elle était tombée sur le bon numéro pour une femme née dans le Bronx et qui gagnait sa vie comme ouvreuse de théâtre, pensa Alex en se dirigeant vers la porte d'entrée.

Il fut accueilli par Jane Novak et présenté au groupe qui se trouvait déjà dans la salle à manger. Il fut soulagé de voir que Laurie Moran était arrivée avant lui.

« Bien, nous y sommes », dit-elle quand il se dirigea vers elle. « C'est exactement ce que je pensais », répliqua-t-il, d'un ton tout aussi mesuré.

Regina savait qu'il était dangereux de porter sur elle la lettre de son père en allant rejoindre les autres au petit déjeuner. Si quelqu'un ouvrait son sac et la trouvait, elle deviendrait la suspecte numéro un dans l'assassinat de Betsy Powell. Ils pourraient aussi bien arrêter leur film sur cette scène-là, pensa-t-elle. D'un autre côté, elle avait une peur panique de laisser la lettre dans le coffre-fort de l'hôtel et que quelqu'un puisse la voler. Ce serait bien le genre de Robert Powell de faire un coup pareil, pensa-t-elle. Je suis payée pour le savoir ! Au moins je peux la garder dans mon portefeuille.

Elle avait plié la lettre afin qu'elle tienne avec ses cartes d'assurance et de crédit.

Au moment où la limousine qui la conduisait s'engageait dans l'allée, elle vit la porte d'entrée s'ouvrir et trois personnes pénétrer dans la maison. L'un des hommes marchait avec des béquilles.

Sans doute le mari d'Alison, pensa-t-elle. Lorsqu'elle avait appris l'accident de Rod Kimball, elle se trouvait en Floride.

Nous étions franchement idiotes d'avoir accepté d'être ses demoiselles d'honneur ! se dit-elle. La presse s'en est donné à cœur joie. Elle nous a photographiées tant et plus, Claire, Nina et moi précédant Alison dans l'allée centrale de l'église. L'une des légendes disait : « La mariée et ses camarades suspectes ».

Vous parlez d'un coup bas !

Regina était tellement plongée dans ses pensées qu'elle mit un instant à prendre conscience que la voiture s'était arrêtée et que le chauffeur lui tenait la portière. Respirant profondément, elle sortit de la voiture et se dirigea vers le perron.

Combien de fois était-elle venue dans cette maison ? se demanda-t-elle en appuyant sur la sonnette. J'étais très proche de Claire au lycée.

Mais pourquoi ai-je continué d'y aller après le suicide de papa ? Parce que j'étais poussée par la curiosité morbide de voir Betsy faire du charme à tout le monde ? Ou parce que j'ai toujours eu l'intention de prendre ma revanche un jour ?

Pendant les quelques instants où elle attendit nerveusement qu'on lui ouvre la porte, elle se rassura en pensant à son apparence.

Elle avait perdu dix kilos, comme elle se l'était promis quand elle avait reçu l'invitation à participer à l'émission. Elle avait acheté de nouveaux vêtements pour l'occasion et savait que la veste noire et blanche et le pantalon noir flattaient sa silhouette retrouvée et mettaient en valeur ses cheveux aile de corbeau.

Zach n'a cessé de me dire que j'étais chic, pensa-t-elle, tandis que Jane Novak, un sourire indifférent aux lèvres, s'effaçait pour la laisser entrer.

Mais, en pénétrant dans la grande maison, lui revint le souvenir désagréable de la promesse qu'elle avait faite à Zach de déchirer la lettre avant qu'elle ne devienne une raison de la soupçonner d'avoir tué Betsy Bonner Powell.

Claire avait cru que les retrouvailles avec son beau-père Robert Powell la rendraient fébrile. Des années s'étaient écoulées depuis leur dernière rencontre. Au lieu de quoi, elle s'était réveillée d'un sommeil troublé, mais l'esprit clair et paisible. Le petit déjeuner qu'elle avait commandé fut servi à sept heures et elle le prit dans le fauteuil, devant la télévision, en regardant les nouvelles.

Mais loin de s'intéresser aux dernières informations sur une série d'agressions à Manhattan, elle revit en esprit le reportage télévisé montrant le corps de sa mère que l'on transportait hors de la maison.

Nous étions toutes là, rassemblées dans le bureau. En robe de chambre.

Ensuite, la police a commencé à nous interroger…

Elle éteignit la télévision et emporta sa seconde tasse de café dans la salle de bains. Elle fit couler un bain et quand la baignoire fut pleine, y jeta les sels parfumés qu'elle avait emportés avec elle.

Les préférés de cette chère Betsy, pensa-t-elle. Je veux sentir la même odeur qu'elle quand je serai là-bas.

Je ne suis pas pressée. Je veux être sûre que tout le monde sera là quand j'arriverai. Elle sourit à cette pensée. Betsy était toujours en retard. Cela mettait Rob hors de lui. Il était pointilleux sur la ponctualité, quelle que soit l'occasion.

Elle était bien placée pour le savoir !

Elle avait soigneusement choisi sa tenue : une veste Escada bleu ciel en cachemire et soie sur un pantalon gris étroit. Betsy avait une prédilection pour cette couleur, se rappela-t-elle en enfilant la veste. Elle disait qu'elle mettait en valeur la couleur de ses yeux. Eh bien, qu'elle mette les miens en valeur !

Le seul bijou qu'elle avait pris en quittant la maison de Robert Powell pour la dernière fois était un simple rang de perles qui avait appartenu à sa grand-mère dont elle n'avait qu'un vague souvenir. Mais je me souviens que je l'aimais, se dit-elle. Même si je n'avais que trois ans quand elle est morte, je me rappelle que je restais sur ses genoux pendant qu'elle me lisait une histoire.

À huit heures et demie, le chauffeur la fit prévenir qu'il était en bas.

« Encore une demi-heure », lui dit-elle. Elle avait calculé d'arriver sur place à neuf heures vingt. Elle se rassura : les autres seraient déjà là.

C'est alors que la fille de Betsy Powell ferait son entrée.

21

LAURIE n'ignorait pas que ce petit déjeuner serait chargé de tension, mais elle avait sous-estimé à quel point l'atmosphère de la pièce deviendrait électrique. Il ne lui avait pas fallu une minute pour comprendre que Muriel Craig était une menteuse invétérée quand elle avait répété à l'envi que Betsy Powell avait été une amie très chère.

Tout le monde savait qu'à une époque Muriel était très liée avec Robert Powell, et qu'elle avait fait une déclaration, après le mariage soudain de Robert avec Betsy, clamant qu'il n'était qu'un des trois hommes avec lesquels elle sortait.

Que pense-t-elle quand elle contemple cette maison qui aurait pu être la sienne ? se demanda Laurie. La salle à manger contenait un portrait d'un aristocrate à l'air dédaigneux dont Jane Novak lui avait expliqué qu'il s'agissait de l'ancêtre de M. Powell, un signataire de la Déclaration d'indépendance, bien sûr.

C'est un point à vérifier, pensa Laurie. Elle avait toujours entendu dire que Powell était un self-made-man. Cela dit, la salle à manger était superbe, avec ses murs rouges et son tapis persan, et la vue magnifique sur les jardins à l'arrière. Elle regarda l'équipe du film décharger le matériel pour la scène d'extérieur qui serait une des premières prises de vues de l'émission. Ils avaient déjà filmé la façade de la maison. Alex Buckley commencerait sa présentation tandis que se déroulerait cette première séquence.

Jane Novak avait disposé les jus de fruits, le café, les petits pains, les beignets et les fruits sur le dessus du buffet ancien.

La table élégante avait été dressée pour dix. Les couverts d'argent avaient l'éclat patiné des choses anciennes, tout comme les plats de service. Powell veut certainement s'assurer que ce petit déjeuner de retrouvailles est un rappel du personnage qu'il est, pensa Laurie, tandis qu'arrivaient successivement George Curtis, Alison Schaefer et son mari Rod, puis Alex Buckley. Ils furent aussitôt suivis par Nina Craig et Regina Callari. Elle observa avec intérêt les trois amies, qui ne s'étaient pas revues depuis vingt ans, se serrer la main, puis s'embrasser spontanément.

« *Mon Dieu, cela fait si longtemps... Tu n'as pas changé du tout... Vous m'avez manqué, les filles...* », s'exclamaient-elles avec une apparente sincérité, tandis que Muriel Craig, George Curtis, Rod Kimball et Alex Buckley se tenaient à l'écart.

À neuf heures tapantes, Robert Powell pénétra dans la salle à manger. « Jane m'a prévenu que Claire n'était pas encore arrivée, dit-il. En ce sens, elle est *exactement* comme ma chère Betsy. » Laurie aurait pu jurer que, sous ses airs amusés, il était furieux de l'absence de Claire. Il avait sans doute eu l'intention de faire son entrée en présence des quatre lauréates, pensa-t-elle. Elle le regarda embrasser chacune de ses invitées avec effusion. Il salua ensuite George Curtis avec un « merci beaucoup d'être venu, George. Nous serions tous les deux plus heureux sur le terrain de golf ». Il se tourna vers Rod avec un chaleureux : « Nous ne nous sommes jamais rencontrés, n'est-ce pas ? » Puis il s'approcha de Muriel Craig.

« Je t'ai gardée pour la fin », dit-il tendrement en passant ses bras autour d'elle et en l'embrassant. « Tu es toujours aussi belle. Est-ce que tu es restée dans une bulle à l'abri du temps pendant ces vingt dernières années ? »

Une Muriel radieuse lui rendit son étreinte, puis, sous l'œil attentif de Laurie, lança un regard à sa fille, qui secoua la tête et se détourna.

« Je vois que vous avez tous du café, dit Rob. Mais vous devez au moins goûter un des muffins que Jane a confectionnés à votre intention. Je vous promets qu'ils sont délicieux. Ensuite, je vous en prie, asseyez-vous où vous voulez, excepté Muriel qui restera à côté de moi. »

Mon Dieu, il en fait des tonnes, se dit Laurie. La prochaine fois, ça sera une déclaration à genoux. Elle était surprise qu'il se montre si peu discret.

Mais naturellement, cette femme était son ancien béguin.

Ils prirent place à table, Alex Buckley choisit une chaise entre Nina Craig et Alison, Rod Kimball sautilla jusqu'à la chaise à la gauche de Laurie. « Nous vous sommes très reconnaissants, madame Moran, d'avoir créé l'opportunité pour les filles – je devrais plutôt dire pour ces jeunes femmes – de pouvoir se laver du soupçon persistant que l'une d'entre elles est une meurtrière », dit Powell.

Laurie n'objecta pas qu'il y avait deux autres personnes cette nuit-là dans la maison : Robert Powell lui-même, le mari de Betsy, qui avait été emmené précipitamment à l'hôpital dans un état d'inconscience totale, les mains brûlées au troisième degré, et Jane Novak, la gouvernante et amie de longue date de Betsy.

Jane était arrivée dans la pièce quelques secondes après que Powell était devenu hystérique.

Il aurait paru normal qu'il ne veuille pas la garder, pourtant elle est restée, pensa Laurie. Depuis notre arrivée, il est évident qu'elle a pour but principal dans la vie d'anticiper tous les désirs de son patron.

« J'imagine à quel point il doit être angoissant de s'attendre sans arrêt à ce qu'un journaliste reprenne toute l'histoire, disait à présent Laurie.

– Pas besoin d'un journaliste, objecta Rod d'un air grave. Tout le monde a une théorie. Les rumeurs les plus folles courent sur Internet. »

Laurie s'avoua que le mari d'Alison lui avait plu dès la minute où elle l'avait rencontré. Son beau visage portait les marques des souffrances qu'il avait endurées après le terrible accident qui l'avait laissé invalide et avait ruiné sa carrière, mais elle ne voyait aucune trace d'apitoiement sur lui-même dans son attitude. Il était manifeste qu'il était dévoué à sa femme. Il s'était tenu d'un air protecteur à son côté, un bras passé autour de ses épaules, quand elle avait été accueillie par Robert Powell. Mais de quoi fallait-il la protéger ? se demanda Laurie.

« Bon, espérons que l'émission permettra au public de comprendre que ces jeunes femmes n'ont joué aucun rôle dans cette tragédie, dit-elle. Mes assistants ont lu absolument tout sur ses circonstances, et tous deux sont convaincus qu'un intrus s'est introduit parmi les invités de la cérémonie, en tenue de soirée, et qu'il s'est ensuite glissé dans la chambre à la recherche des émeraudes de Mme Powell. »

La sonnerie de l'entrée interrompit les conversations. Tous les regards se tournèrent vers la porte de la salle à manger.

Robert Powell repoussa sa chaise et se leva. Ils entendirent un bruit de pas dans le couloir, puis elle apparut : Claire Bonner, stupéfiante, avec ses cheveux blonds effleurant ses épaules, ses yeux bleus accentués par un maquillage parfait, son élégante et fine silhouette habillée d'un tailleur haute couture, un sourire chaleureux sur le visage tandis que son regard passait de l'un à l'autre des convives.

Mon Dieu, c'est le portrait de sa mère, pensa Laurie, puis elle entendit un gémissement étouffé et le bruit sourd d'une chute. Nina Craig s'était évanouie.

22

Au volant de sa voiture, Leo Farley dépassa la maison de Robert Powell. Il ne voulait surtout pas attirer l'attention, mais s'il était arrêté pour une raison ou pour une autre, il avait sa carte de retraité de la police de New York dans son portefeuille.

Cette pensée le fit sourire. *« Papa, tous les flics dans un rayon de trois États au moins te reconnaîtront. Depuis des années c'est toi qui t'adressais aux journalistes quand il y avait un crime important. »*

C'était vrai, reconnut Leo. Son patron, alors commissaire de police, préférait se tenir éloigné du regard des médias. « C'est toi qui parles, Leo, disait-il toujours. Tu es bon pour ça. »

À son dernier passage, il avait remarqué que l'allée voisine de celle de Powell était barrée par une chaîne pour tenir à l'écart les véhicules indésirables. Les stores de la grande maison ne recouvraient pas complètement les fenêtres, mais ils étaient tirés très bas. Il n'y avait aucune voiture dans l'allée et, d'une façon générale, toute la propriété avait un aspect silencieux et engourdi qui laissait supposer que les occupants étaient absents.

Le nom du propriétaire, J.J. Adams, était inscrit sur la boîte aux lettres. Leo avait consulté Google et cherché ce nom sur Facebook. Son intuition était juste. Il y trouva une photo de Jonathan Adams et de sa femme, et le message adressé à leurs amis était qu'ils séjournaient dans leur villa de Nice et passaient des moments formidables. C'était étonnant de voir le genre d'informations que les gens donnaient avec tant de facilité, songea Leo. S'il avait été un malfaiteur, il aurait utilisé celle-ci pour cambrioler la maison des Adams, ou pire.

Leo gara sa voiture dix rues plus loin, près de la gare, et revint sur ses pas en courant vers Old Farms Road. Il s'était remis à faire du jogging en revenant de l'école où il déposait Timmy et il n'eut aucune difficulté à regagner l'endroit qu'il avait choisi comme poste d'observation.

Il fut arrêté à l'angle de la rue par une voiture de patrouille qui se gara à sa hauteur. Un ancien policier se tenait près du conducteur. « Inspecteur Farley, qu'est-ce que vous fabriquez dans le coin ? J'ignorais que vous vous aventuriez hors de votre territoire. » Leo le reconnut, c'était un brigadier sympathique, membre de la fanfare qui jouait à l'occasion de certaines cérémonies à Manhattan, comme la parade de la St. Patrick.

Leo ne croyait pas au hasard. Sa première réaction après avoir salué le brigadier fut de lui demander si Ed Penn était toujours le chef de la police de Rye.

« Et comment, confirma son interlocuteur. Il prend sa retraite l'an prochain. »

Leo réfléchit. Il n'avait pas prévu de parler à la police locale, mais soudain il lui sembla que c'était une bonne idée. « J'aimerais le voir, dit-il.

– Grimpez. Nous allons vous emmener au commissariat. »

Cinq minutes plus tard, Leo expliquait au commissaire Edward Penn pourquoi il faisait du jogging dans les rues de Rye.

« Vous savez, bien sûr, que mon gendre, Greg Moran, a été assassiné, et que le tueur a dit à l'époque à mon petit-fils que sa mère et lui seraient les prochaines victimes.

– Je m'en souviens, Leo, dit Penn d'un air grave.

– Saviez-vous que ma fille est la productrice de l'émission sur le Gala des Lauréates ?

– Oui. C'est une femme épatante, Leo. Vous devez être fier.

– Appelez ça un pressentiment, mais j'ai l'impression que cette émission pourrait lui causer des problèmes.

– Moi aussi, dit Penn d'un ton sec. N'oubliez pas que j'étais dans le coin, il y a vingt ans, quand nous avons reçu l'appel téléphonique de la gouvernante hurlant que Betsy Powell était morte. Nous avons cru à une crise cardiaque et appelé une ambulance. Quand nous sommes arrivés sur place, la pièce grouillait de monde, il y avait non seulement Robert Powell, mais les quatre lauréates et la gouvernante. Tout était sens dessus dessous et, bien sûr, cela signifiait que la scène de crime était contaminée.

– Quelle a été la réaction de Powell ? demanda Leo.

– Blanc comme un linge, fibrillations cardiaques, choqué. C'était toujours lui qui apportait son café à sa femme le matin, aussi est-ce lui qui l'a trouvée, mais je suppose que vous avez lu l'histoire dans les journaux.

– Oui », admit Leo, qui répertoriait malgré lui les images et les bruits familiers du commissariat. D'abord les voitures de patrouille garées à l'extérieur, puis le bureau du brigadier de service, et ensuite le couloir qui menait aux cellules de garde à vue et à la prison.

Leo regrettait ses années dans la police de New York. Il avait intégré la meilleure équipe dès sa sortie de l'université. C'était la seule carrière qu'il avait jamais envisagée, et il avait apprécié toutes les minutes qu'il y avait consacrées. Il savait aussi que s'il n'avait pas pris sa retraite quand le nouveau commissaire avait été nommé l'année précédente, il aurait eu le poste. Mais rien de tout cela ne comptait comparé à sa mission d'empêcher Yeux Bleus de mettre sa menace à exécution.

Ed Penn disait : « Nous avons cuisiné ces quatre filles, mais aucune d'elles n'a rien révélé. J'ai toujours pensé que la coupable était l'une des quatre, mais on ne peut exclure qu'un intrus ait pénétré dans la maison. C'était une réception importante, et quelqu'un en tenue de soirée aurait pu se mêler à la foule. La gouvernante a affirmé qu'elle avait fermé toutes les portes avant de monter se coucher, mais quelqu'un a ouvert celle du bureau qui donnait sur le patio et l'a laissée telle. Il s'est avéré que deux des filles, Regina et Nina, sont sorties une ou deux fois pour fumer une cigarette. »

Leo avait déjà lu tout cela. « Vous croyez réellement que c'est l'une des filles qui l'a tuée ?

– Elles étaient trop calmes. Il me semble qu'elles auraient dû se montrer plus bouleversées, non ? Même la fille de Betsy était étrangement impassible. Je ne crois pas avoir vu aucune de ces filles verser une seule larme, ni dans cette chambre ni pendant toute la semaine suivante.

– L'une d'elles aurait-elle eu un mobile ?

– Eh bien, Betsy et sa fille, Claire, étaient si proches qu'un chauffeur accompagnait et venait rechercher Claire à Vassar tous les jours pour lui épargner d'être pensionnaire. Quant à Regina Callari, son père a fait faillite et s'est suicidé après avoir investi dans les fonds spéculatifs de Powell. Regina avait quinze ans et elle l'a trouvé pendu. Pourtant, même sa mère a reconnu que Powell l'avait prévenu des risques liés à ses investissements. La mère de la troisième, Nina, l'actrice Muriel Craig, avait été la petite amie de Powell mais quand on l'a interrogée sur ce point, elle a déclaré qu'ils étaient juste bons amis et que tous deux sortaient de leur côté quand il avait rencontré Betsy. Reste Alison Schaefer. Elle sortait avec Rod Kimball, le joueur de football, et l'a épousé quatre mois plus tard. Aucun mobile de ce côté.

– Si ce n'était pas un intrus, il y a aussi la gouvernante, suggéra Leo.

– Aucun motif non plus. Betsy la connaissait depuis l'époque où elle était ouvreuse de théâtre. Elle savait qu'elle travaillait bien et que c'était une bonne cuisinière. Betsy ne se sentait pas à son aise avec la gouvernante précédente. Elle avait été engagée par l'ex-femme de Powell et Betsy et elle ne s'entendaient pas. Jane Novak faisait le ménage dans les loges du théâtre pour gagner sa vie, et elle s'était retrouvée dans un appartement de trois pièces avec un gros salaire. Betsy disait toujours qu'elle l'appréciait énormément.

– Ça ne laisse plus que l'hypothèse de l'intrus », dit Leo.

L'expression du commissaire Edward Penn s'assombrit. « Cela ne signifie pas que la réunion de ces six personnes n'apportera rien de nouveau. Si l'une d'entre elles est coupable, elle va s'assurer que les soupçons ne se porteront pas sur elle, ou que l'une des autres ne sait pas quelque chose qui n'est encore apparu nulle part. J'ai lu dans la presse qu'Alex Buckley, le ponte des avocats de la défense, va les interroger à tour de rôle devant la caméra. Le but est que chacune puisse convaincre le grand public qu'elle n'est pas coupable. »

Leo sentit qu'il était temps pour lui de révéler pourquoi il faisait du jogging à Rye, à trente-cinq kilomètres de chez lui. « J'ai toujours pensé que réunir ces gens pour, en gros, “revivre” ce meurtre, était une mauvaise idée. Et vous savez que nous avons souvent des intuitions, nous les flics.

– Bien sûr. Nous serions dans de beaux draps si nous n'en avions pas.

– J'ai une intuition, peut-être une prémonition, que le tueur de mon gendre, "Yeux Bleus", comme l'a appelé mon petit-fils, pourrait voir là l'occasion parfaite de tuer ma fille. »

Leo ignora la stupéfaction qui se peignit sur le visage de son interlocuteur et poursuivit : « Cinq ans se sont écoulés. Laurie a eu beaucoup de publicité au sujet de cette émission. Sur Twitter, les gens ont donné leur avis, suggéré qui pourrait être coupable de la mort de Betsy Powell. Et si le psychopathe qui a tué Greg et menacé Laurie et Timmy se manifestait maintenant ? S'il parvenait à ses fins, vous imaginez les gros titres ?

– J'imagine. Mais, Leo, comment avez-vous l'intention de l'en empêcher ?

– J'ai un poste d'observation sur le parc depuis la maison voisine. J'ai vérifié, les résidents sont absents. Je pourrai voir si quelqu'un tente de franchir la clôture à l'arrière de la propriété. D'après ce que j'ai constaté, c'est la seule façon pour un intrus de pénétrer dans le parc.

– Et s'il essayait de se mêler à l'équipe de télévision ? Est-ce possible ?

– Laurie dirige une équipe restreinte. Tous sont à l'affût des paparazzis. Un étranger serait repéré sur-le-champ.

– Et que se passera-t-il si vous voyez quelqu'un escalader la clôture ?

– Je serai là avant qu'il y soit parvenu. » Leo haussa les épaules. « C'est le mieux que je puisse faire. Personne ne pourra entrer dans la maison pendant qu'ils filment. Les membres de l'équipe seront attentifs à ce que personne ne vienne gâcher une scène. Ils finissent vers dix-huit heures, et je m'en irai. Mais je ne veux pas que Laurie sache que je suis dans les parages. Elle serait furieuse. Cette émission est déterminante pour sa carrière. Si c'est un échec, elle lui coûtera son boulot. » Leo se tut un instant, puis conclut : « Voilà, Ed, maintenant vous savez pourquoi je fais du jogging dans votre ville. »

Penn réfléchissait.

« D'accord, Leo, dit-il, nous allons vous aider. Il ne semblera pas anormal qu'une voiture de police patrouille sur les routes autour de la propriété de Powell environ toutes les quinze minutes. Le parc s'étend jusqu'à la rue voisine. Si nous repérons une voiture garée aux environs de la propriété, nous vérifierons la plaque d'immatriculation. Si nous voyons un inconnu se promener dans le coin, nous chercherons à nous renseigner sur lui. »

Le cœur de Leo se gonfla de gratitude et il se leva. « Naturellement, toutes ces précautions sont peut-être inutiles. Si ça se trouve, le meurtrier de mon gendre se balade sur un autre continent à l'heure qu'il est.

– Ou pas », dit Edward Penn.

Puis il se leva de sa chaise, fit le tour de son bureau et serra la main de Leo.

23

ALEX BUCKLEY s'élança vers Nina et s'agenouilla près d'elle, vérifia les battements de son cœur, s'assura qu'elle respirait. Après être restées muettes de stupéfaction, les autres se levèrent. Muriel, toute pâle, saisit le bras de Powell, puis se pencha sur sa fille.

Les yeux de Nina cillèrent.

« Elle va bien, dit Alex. Mais donnez-lui de l'air.

– Betsy, murmura Nina. Betsy. »

Laurie se tourna pour regarder Claire, restée immobile dans l'encadrement de la porte. Il lui sembla voir une expression triomphante sur son visage. Laurie avait vu assez de photos de Betsy pour deviner que Claire avait délibérément tout fait pour accroître son étonnante ressemblance avec sa mère.

Alex souleva Nina dans ses bras et la porta dans le bureau où il l'allongea sur le canapé. Les autres le suivirent, tandis que Jane Novak accourait avec une serviette froide qu'elle replia avec adresse sur le front de Nina.

« Que quelqu'un appelle un médecin ! » criait Muriel. « Nina, Nina, parle-moi.

– Betsy, murmura Nina. Elle est revenue. »

Puis, la voyant regarder autour d'elle, Muriel se pencha et prit le visage de sa fille entre ses mains. « Nina, mon bébé, tout va bien. »

D'un geste brutal, Nina repoussa sa mère. « Ne me touche pas », s'écria-t-elle d'une voix tremblante d'émotion. « Enlève tes horribles mains ! » Et elle se mit à sangloter. « Betsy est revenue de la mort. Elle est revenue d'entre les morts. »

24

YEUX BLEUS regarda avec un vif intérêt Laurie, qui avait visiblement pris les choses en main, diriger la séquence de tournage. Elle est très efficace, constata-t-il en la voyant vérifier si les caméras étaient disposées selon l'angle qu'elle désirait.

À un moment, elle lui fit signe, et Bruno Hoffa se hâta vers elle.

Avec un bref sourire, elle lui demanda d'enlever les plantes supplémentaires qu'il avait disposées plus tôt dans la matinée.

« Elles sont très jolies, dit-elle, mais elles n'étaient pas là quand nous avons pris les photos la semaine dernière. »

Bruno Hoffa s'excusa respectueusement, saisi d'un frisson à la pensée de se trouver aussi près de sa proie. Elle est si jolie, pensa-t-il. Ce serait dommage d'abîmer ce beau visage. Il ne le ferait pas.

Mais, comme il se tenait tout près, un nouveau plan germa dans son esprit. Un plan parfait.

Cinq mois plus tôt, il était entré dans l'ordinateur et le téléphone de Leo Farley et savait depuis tout ce qu'il fallait savoir sur ses activités, celles de Laurie et Timmy. Les cours d'informatique qu'il avait pris en ligne avaient été payants, se félicita-t-il.

Il savait que Timmy était en ce moment même dans un camp de montagne dans les Adirondacks. À seulement quatre heures de trajet d'ici.

L'emploi du temps complet des activités de Timmy au camp était inscrit dans l'ordinateur de Farley. Le plus intéressant était que les enfants avaient droit à une heure de temps libre entre sept heures et huit heures du soir, moment où ils pouvaient passer ou recevoir un appel téléphonique.

Ce qui signifiait qu'après vingt heures, Laurie devait attendre vingt-trois heures avant d'espérer parler à Timmy.

Comment obtenir du directeur du camp l'autorisation d'emmener Timmy sans éveiller de soupçons ?

Yeux Bleus réfléchit à la question tandis qu'il se tenait à l'écart, toujours prêt à réparer la moindre dégradation dans la pelouse ou les buissons.

Il bavarda même avec l'homme et la femme qui restaient toujours à proximité de Laurie.

Jerry et Grace. Tous les deux jeunes. La vie devant eux. Il espéra pour eux qu'ils ne se tiendraient pas trop près de Laurie quand viendrait son heure de mourir.

Car elle arriverait. Oh, oui.

Ce fut avec regret que Yeux Bleus regarda l'équipe de tournage ranger le matériel pour la journée. D'après les conversations écoutées ici et là, il comprit qu'ils seraient de retour le lendemain à huit heures et commenceraient alors à filmer les lauréates.

Toujours soucieux de rester disponible, comme il en avait reçu l'ordre, il téléphona au bureau de Parcs et Jardins et demanda à la secrétaire que l'on vienne le chercher dans un quart d'heure.

Lorsque la camionnette arriva, Yeux Bleus constata avec déplaisir que Dave Cappo était au volant. Dave était trop curieux. « Alors, Bruno, d'où c'est que tu viens ? T'as toujours bossé dans les jardins. La bourgeoise et moi on aimerait bien t'avoir à dîner un soir. Quand tu veux. » Suivit un gros clin d'œil. « Toi et moi on sait qu'elle va te casser les pieds pour tout savoir sur les quatre nanas. Laquelle a fait le coup, à ton avis ?

– Pourquoi ne pas attendre un jour ou deux qu'ils aient terminé le boulot ici ? » suggéra Yeux Bleus.

À ce moment-là, ajouta-t-il in petto, avec de la chance, je serai loin, et toi et ta femme vous aurez de quoi ruminer.

25

« ALORS, À PART ÇA, comment s'est passée la journée ? » demanda Leo. Laurie et lui avaient prévu de dîner tardivement au Neary's, leur restaurant préféré dans la 57e Rue Est. Il était vingt heures trente, et Laurie était visiblement fatiguée. Elle venait de lui raconter le petit déjeuner chez Powell ainsi que l'évanouissement de Nina Craig et son attitude envers sa mère.

« Tout s'est bien passé, dit-elle d'un ton las.

– Pas plus ? »

Leo essaya d'avoir l'air décontracté en buvant une gorgée de vin.

« Non, je devrais dire que ça s'est très bien passé, rectifia lentement Laurie. Nous ouvrons sur une vue de la maison comme si nous remontions l'allée. Ensuite, nous passons quelques séquences du Gala des Lauréates prises il y a vingt ans, avec les quatre filles, dont aucune n'a l'air particulièrement ravie.

– Et Betsy Powell ? Avez-vous des images où on la voit s'entretenir avec les lauréates ?

– Très peu, dut reconnaître Laurie. La plupart des séquences où elle apparaît la montrent avec son mari ou parlant à d'autres invités plus âgés – même si les lauréates n'étaient pas des gamines, ajouta-t-elle vivement. Elles avaient toutes entre vingt et un et vingt-deux ans. Mais elles se trouvaient rarement avec Betsy. Nous avons visionné les bandes ensemble aujourd'hui. Elles m'ont semblé embarrassées. Demain, nous les filmerons en train de regarder les extraits que nous utiliserons dans le film, ensuite Alex commencera à les interroger sur la soirée du gala. Nous avons eu raison de choisir Alex Buckley comme animateur. »

Elle soupira. « Ouf ! La journée a été longue et je meurs de faim. Pas toi ?

– Je mangerais volontiers, admit Leo.

– Qu'as-tu fait pendant la journée maintenant que ton copain est en vacances, papa ? »

Leo s'attendait à cette question.

« Pas grand-chose », mentit-il en se mordant la langue. « Un tour au gymnase, puis j'ai acheté deux chemises de sport chez Bloomingdale's, rien de palpitant. » Il ajouta malgré lui : « Timmy me manque, et ce n'est que le premier jour où il n'est pas là.

– À moi aussi, dit Laurie avec ferveur, mais je suis contente de l'avoir laissé partir dans ce camp. Il en avait tellement envie. Et, malgré le fait qu'il nous manque, il avait l'air en forme au téléphone tout à l'heure.

– Je ne comprends pas pourquoi ils limitent ces gosses à un coup de téléphone par jour, grommela Leo. N'ont-ils jamais entendu parler de l'existence des grands-parents ? »

Laurie s'aperçut brusquement que son père semblait épuisé, il avait les traits tirés. « Tu te sens bien ? demanda-t-elle, inquiète.

– Tout à fait.

– Papa, j'aurais dû penser à rentrer à la maison assez tôt pour partager le coup de fil de Timmy avec toi. Je te promets de le faire demain. »

Ils restèrent songeurs, l'un et l'autre saisis d'une secrète appréhension à la pensée que Timmy était si loin et privé de la surveillance attentive de Leo.

Laurie inspecta la salle autour d'elle. Comme d'habitude, toutes les tables étaient occupées. Les conversations allaient bon train et chacun donnait l'impression de passer un moment agréable. Sont-ils tous aussi peu stressés qu'ils en ont l'air ? se demanda-t-elle.

Bien sûr que non. Grattez la surface et vous verrez que tout le monde a ses problèmes.

Puis, déterminée à ne pas exprimer son inquiétude pour son fils, elle dit : « Je vais prendre du foie de veau au bacon ce soir. Timmy n'aime pas ça, et moi j'en raffole.

– La même chose pour moi », décida Leo, et il repoussa d'un geste le menu au moment où Mary, une des serveuses de longue date du Neary's, s'approchait en souriant.

« Nous savons tous les deux ce que nous voulons, Mary », dit-il.

La tranquillité d'esprit n'est pas au programme pour l'instant, et ne le sera peut-être jamais, pensa aussitôt Laurie.

26

Ils étaient enfin tous partis. À la fin de la journée, Jane Novak avait compris que M. Powell en avait par-dessus la tête de ses « hôtes. »

À l'instant où la dernière voiture démarrait, il entra dans son bureau et elle le suivit pour lui demander s'il désirait un cocktail.

« Vous lisez dans mes pensées, Jane, dit-il. Un scotch. Bien tassé. »

Pour le dîner, elle avait prévu son menu favori, saumon, asperges, salade verte et un sorbet à l'ananas frais.

Quand il était chez lui, il aimait dîner à vingt heures dans la petite salle à manger. Mais cette fois, il ne termina pas son repas et ne lui adressa pas les compliments habituels sur sa cuisine. Il dit simplement : « Je n'ai pas très faim, je ne prendrai pas de dessert. » Puis il se leva et se retira dans son bureau.

En quelques minutes, Jane avait débarrassé la table et laissé la cuisine dans un ordre impeccable.

Elle monta ensuite à l'étage, défit le lit de son

patron, régla l'air conditionné sur dix-huit degrés et posa une carafe d'eau sur la table de nuit.

Pour finir, elle prépara son pyjama, sa robe de chambre et ses pantoufles, passant lentement ses mains sur les vêtements avant de les suspendre dans la salle de bains.

Certains soirs, quand M. Powell restait à la maison, il s'attardait dans son bureau pendant deux heures pour regarder la télévision ou pour lire. Il aimait les films classiques et, le lendemain matin, il lui arrivait de les commenter : « J'ai regardé deux Hitchcock, Jane. C'est vraiment le maître du suspense. »

Lorsqu'il avait eu une dure journée au bureau, il montait directement après le dîner, se changeait, et lisait ou regardait la télévision dans son petit salon.

À l'occasion, il invitait six ou huit personnes à prendre un verre et à dîner.

Une routine qui facilitait le travail de Jane.

Les soirées qui l'inquiétaient étaient celles où il sortait et où elle voyait dans son agenda qu'il invitait une femme à son club.

C'était peu fréquent, et le même nom apparaissait rarement plus de deux ou trois fois.

Telles étaient les pensées qui occupaient Jane Novak tandis qu'elle achevait son rituel du soir.

Sa dernière obligation, quand M. Powell était seul à la maison, était d'aller s'assurer qu'il n'avait besoin de rien avant qu'elle se retire dans son appartement.

Ce soir, il était assis dans le grand fauteuil de son bureau, les jambes allongées sur le bout-de-pied, ses bras sur les accoudoirs, les mains jointes. La télévision était éteinte et il n'y avait ni livre ni magazine à côté de lui.

« Vous allez bien, monsieur Powell ? lui demanda-t-elle, inquiète.

– J'étais seulement en train de réfléchir, Jane, dit-il en se tournant vers elle. Je suppose que toutes les chambres sont prêtes, n'est-ce pas ? »

Jane dissimula son dépit. Comment pouvait-il imaginer qu'une seule des pièces de la maison ne soit pas dans un ordre parfait ? « Bien entendu, monsieur, dit-elle.

– Bon, allez juste jeter un dernier coup d'œil. Comme vous le savez, j'ai proposé à toutes les participantes de passer la nuit ici le dernier jour du tournage. Nous leur offrirons un brunch de départ avant de leur souhaiter bon voyage. »

Il haussa les sourcils et ajouta avec un sourire énigmatique :

« Ce devrait être très intéressant, vous ne croyez pas, Jane ? »

27

Josh Damiano habitait à l'autre bout de la ville, à un petit quart d'heure de la propriété de Powell, mais dans un univers bien différent. Salem Ridge était un village du Long Island Sound voisin de la riche commune de Rye.

Il avait été occupé à la fin des années 1960 par les classes moyennes venues s'y installer dans des maisons de style Cape Cod ou des habitations traditionnelles à deux niveaux.

Mais la situation exceptionnelle, à trente-cinq kilomètres de Manhattan et sur le Long Island Sound, avait aiguisé l'intérêt des promoteurs. La valeur des propriétés avait commencé à grimper. Les maisons modestes avaient été rachetées et démolies, remplacées par des répliques de la vaste demeure de Robert Powell.

Quelques propriétaires s'étaient accrochés. Comme Margaret Gibney, qui aimait sa maison et n'avait nulle envie de déménager. Devenue veuve à l'âge de soixante ans, elle avait converti l'étage de sa vieille maison en appartements.

Josh Damiano avait été jusqu'alors son premier et

unique locataire. Aujourd'hui, à quatre-vingts ans, Margaret Gibney bénissait tous les jours la présence de cet homme tranquille et aimable qui sortait la poubelle tous les jours et déblayait la neige devant sa maison.

Quant à Josh, après s'être marié avec sa petite amie du lycée, mariage qui avait duré quatorze pénibles années, il était satisfait de cet arrangement et de l'existence qu'il menait

Il respectait et admirait Robert Powell. Lui servir de chauffeur lui plaisait, mais il aimait surtout enregistrer les conversations des hommes d'affaires que M. Powell le chargeait de conduire dans la Bentley à des réunions ou à des déjeuners. Même s'il était seul, les communications téléphoniques d'un passager pouvaient être utiles à M. Powell. Lorsque les propos enregistrés étaient particulièrement intéressants, s'ils portaient sur un délit d'initié par exemple, Josh faisait entendre la bande à l'homme d'affaires en question et offrait de la lui vendre. Bien que rare, cette pratique s'était déjà révélée très profitable.

À de tels moments, Josh Damiano se rappelait qu'il avait failli perdre sa place. Il était au service de M. Powell depuis quelques mois quand Betsy Powell était morte. Dès le début, elle lui avait fait une impression détestable. Pour qui se prend-elle, pour la reine d'Angleterre ? se disait-il quand elle attendait d'un air impérieux qu'il lui tende la main pour l'aider à monter dans la voiture.

Une semaine avant sa mort, il l'avait entendue déclarer à M. Powell qu'elle le trouvait trop familier et qu'il lui manquait la dignité que l'on attend d'un domestique. « Tu n'as pas remarqué son maintien quand il nous ouvre la portière ? Il devrait au moins se tenir droit. »

Damiano avait été piqué au vif, lui qui s'était si bien habitué à son job et l'accomplissait avec conscience. Il avait feint d'être bouleversé et attristé par le décès de Betsy. En réalité, il avait poussé un soupir de soulagement à la pensée qu'elle ne serait plus là pour rebattre les oreilles de M. Powell avec son prétendu manque de dignité.

Le jour de la réunion du petit déjeuner, M. Powell l'avait envoyé chercher Claire Bonner à son hôtel. J'aurai peut-être la chance qu'elle téléphone à quelqu'un, avait-il pensé.

Manque de chance, Claire était montée dans la Bentley et avait aussitôt renversé la tête en arrière et fermé les yeux – il était évident qu'elle n'allait pas engager la conversation.

Josh avait été stupéfié par sa ressemblance avec sa mère. Il se souvenait d'elle comme d'une gosse effacée, l'air d'une gamine pour ses vingt-deux ans à l'époque.

Le premier jour de tournage, il avait passé la journée dans la maison de M. Powell à aider Jane Novak à préparer sandwichs et desserts et à les servir dans le patio où le groupe se retirait entre les scènes.

Une fois que tout le monde fut parti, M. Powell lui dit qu'il pouvait rentrer chez lui et aller chercher Claire le lendemain matin.

« Tâchez de lui parler, Josh », lui recommanda-t-il « Dites-lui que vous étiez très attaché à sa mère, même si je sais que c'est faux. »

À dix-huit heures Josh était de retour chez lui dans sa voiture personnelle.

C'était un de ces soirs où Mme Gibney était d'humeur bavarde et l'invitait à partager son repas.

Cela arrivait une fois par semaine, et en général Josh acceptait volontiers – Mme Gibney était bonne cuisinière. Mais, ce soir, il avait des choses en tête et il la remercia, arguant qu'il avait dîné tôt. Il voulait réfléchir.

Il avait au fond de sa poche les copies des enregistrements qu'il avait faits en voiture. Les conversations de Nina Craig avec sa mère, d'Alison Schaefer avec son mari et de Regina Callari au téléphone avec son fils.

Il était évident qu'aucune n'aimerait les voir tomber entre les mains de M. Powell ou de la police. Elles étaient venues pour écarter définitivement les soupçons qui pesaient sur elles, or chacune de ces bandes révélait un mobile suffisant pour supprimer Betsy Powell.

Elles allaient être rémunérées pour leur participation à l'émission, généreusement rémunérées. Elles seraient horrifiées en apprenant que leurs conversations avaient fait l'objet d'enregistrements, nets et précis. Si elles ne lui faisaient pas confiance pour s'en tenir à l'accord qu'il conclurait avec elles, il avait une réponse toute prête.

« L'original est entre mes mains. Vous pouvez détruire la copie que je vous remets, dirait-il. Vous ne tenez sûrement pas à aller trouver M. Powell ou la police avec ces enregistrements. Pas plus que moi. Payez-moi et personne n'en entendra plus parler. »

Il avait réfléchi au prix qu'il demanderait – cinquante mille dollars. Seulement un sixième des trois cent mille qu'elles auraient empochés.

Ça devrait marcher, se dit-il. Elles étaient toutes mortes de peur. Il le devinait quand il les servait dans le patio.

Damiano voulait se constituer une petite cagnotte. Il avait conduit plusieurs fois M. Powell chez le cancérologue. Il avait le pressentiment que son patron était plus malade qu'on ne le croyait. Si quelque chose lui arrivait, Josh savait qu'il était couché sur son testament pour un montant de cent mille dollars. En ajouter cent cinquante mille ne lui ferait pas de mal.

Si seulement il pouvait trouver quelque chose sur Claire !

28

AU VOLANT de sa voiture, George Curtis franchit les quatre blocs qui le séparaient de sa maison. Son calme apparent cachait un profond accablement.

Rob Powell jouait au chat et à la souris avec lui. Il était au courant de ses relations avec Betsy, George en était convaincu. Il revit en esprit Laurie Moran, la productrice, en train de discuter de la séance de prises de vues du lendemain. Elle l'avait spécialement remercié de sa participation à l'émission.

« Je n'ignore pas combien vous êtes occupé, monsieur Curtis, avait-elle dit. Je vous suis d'autant plus reconnaissante de nous consacrer votre journée. Je sais que les attentes sont longues pendant la préparation d'un tournage. Demain, nous vous filmerons avec en toile de fond de courtes séquences du gala ; suivra une interview par Alex Buckley, qui vous interrogera sur vos souvenirs de cette soirée. »

Des souvenirs, pensa George en s'engageant dans l'allée de sa maison. Des souvenirs… Il y avait cette nuit où Betsy lui avait lancé un ultimatum : « Dis à Isabelle que tu veux divorcer, comme tu l'as promis, sinon refile-moi vingt-cinq millions de dollars pour rester avec Rob et me taire. Tu es milliardaire, tu en as les moyens. »

Et c'était en se rendant au gala qu'Isabelle, radieuse, lui avait annoncé qu'elle était enceinte de quatre mois. Des jumeaux !

« J'ai attendu pour te l'annoncer, George. Après quatre fausses couches, je ne voulais pas te décevoir encore une fois. Mais quatre mois représentent une étape déterminante. Après avoir attendu et prié pendant quinze ans, nous allons enfin avoir une famille.

– Oh, mon Dieu ! » C'était tout ce qu'il avait pu dire. « Oh mon Dieu. »

Il était à la fois transporté de joie et terrifié, se demandant comment il avait pu se laisser entraîner dans une aventure avec Betsy, la meilleure amie de sa femme.

Tout avait débuté à Londres. Il s'y trouvait pour une réunion avec le directeur de la chaîne de restaurants Curtis que son père y avait fondée en 1940. Rob et Betsy Powell étaient à Londres en même temps, et ils logeaient à l'hôtel Stanhope dans la suite voisine de la sienne. Rob était parti à Berlin où il devait passer une nuit.

J'ai invité Betsy à dîner en ville, puis nous sommes rentrés à l'hôtel et elle a proposé de prendre un dernier verre dans ma suite, se souvint George. Elle n'est pas repartie. Ç'a été le début d'une liaison de deux ans.

Isabelle et moi commencions à nous éloigner l'un de l'autre, se rappela George en se garant devant la maison. Elle était de plus en plus accaparée par son bénévolat dans de nombreuses organisations caritatives, et je parcourais le monde pour ouvrir de nouveaux marchés. Quand j'étais à la maison, je n'avais pas envie de l'accompagner à ses dîners de bienfaisance.

Parce que chaque fois que Rob était absent, je retrouvais Betsy quelque part…

Mais au bout d'un an, mon attirance pour elle a faibli. J'ai compris ce qu'elle était, une manipulatrice. Et je n'ai pas pu me débarrasser d'elle. Elle me harcelait pour que je demande le divorce.

Lors du gala, Isabelle a annoncé à ses amies qu'elle était enceinte. Lorsque Betsy l'a appris, elle a su que je ne demanderais pas le divorce. Elle a donc exigé les vingt-cinq millions pour garder le silence. « Tu en as les moyens, George. » Elle souriait, consciente de la présence des gens autour d'elle. « Tu ne t'en apercevras même pas. Sinon je dirai tout à Isabelle. Peut-être fera-t-elle une nouvelle fausse couche sous le choc. »

George était écœuré. « Si tu en parles à Isabelle ou à qui que ce soit, Rob demandera le divorce », avait-il articulé avec peine. « Et je sais que votre contrat de mariage ne te donne pas droit à grand-chose. »

Betsy avait souri. « Je ne cours aucun risque, George, je le sais, parce que tu vas me payer. Et je continuerai à mener une existence heureuse avec Rob, et toi et Isabelle vivrez dans la félicité avec vos jumeaux. »

Elle n'avait cessé de sourire tandis que George répliquait : « Je vais te payer, Betsy, mais si jamais tu dis un seul mot à Isabelle ou à quelqu'un d'autre, je te tuerai. Je le jure.

– À notre accord », avait répondu Betsy, en trinquant avec lui.

Vingt ans plus tard, tandis qu'il descendait de voiture, il lui revenait à l'esprit ce que Laurie Moran lui avait expliqué à propos de son rôle dans le film.

« Nous vous filmerons, Alex Buckley et vous, assis à la même table, et il vous demandera vos impressions générales concernant la réception et Betsy Powell, avait dit Laurie. Peut-être aurez-vous des anecdotes à nous raconter à propos de Betsy. D'après ce que je sais, votre femme et vous étiez intimes des Powell et vous les rencontriez fréquemment. »

J'ai dit à Laurie Moran que je voyais plus souvent Rob au golf et au club que dans des soirées mondaines, se rappela George en grimpant les trois marches qui menaient à la ravissante maison de briques qu'Isabelle et lui avaient fait construire vingt ans plus tôt. Il revoyait l'architecte débarquer avec des plans grandioses de maisons dont l'entrée aurait pu contenir un court de tennis, avec un escalier à double révolution qui menait à une mezzanine « assez vaste pour y installer un orchestre au complet ».

Le commentaire d'Isabelle avait été sans appel : « Nous désirons une maison, pas une salle de concerts. » Et ils avaient une vraie maison familiale.

Spacieuse, mais pas imposante. Agréable et chaleureuse.

Il ouvrit la porte et se dirigea vers le living-room. Comme il s'y attendait, Isabelle était là avec les jumeaux, Leila et Justin, rentrés de l'université pour les vacances d'été.

Le cœur de George se gonfla d'amour en les contemplant tous les trois.

Et dire que j'ai failli les perdre, pensa-t-il en se remémorant la menace qu'il avait lancée à Betsy.

29

EN ARRIVANT à l'hôtel, le premier geste de Claire fut d'accrocher à sa porte l'écriteau NE PAS DÉRANGER puis de se précipiter dans la salle de bains pour se laver la figure.

Elle se savonna le visage jusqu'à ce qu'il ne reste plus aucune trace de maquillage. Bon, il a fait son office, pensa-t-elle. J'ai bien vu leur expression, spécialement celle de Rob Powell, quand j'ai fait mon apparition. Je ne sais pas si l'évanouissement de Nina était feint ou pas. Elle était plutôt bonne actrice, même si elle n'a jamais fait carrière.

Et elle a quand même soufflé la vedette à papa-Rob. Il était sur le point de tomber dans les pommes avant qu'elle le devance. Ne se vantait-il pas d'avoir été élu meilleur acteur de la pièce de fin d'année au lycée ? Et il a amélioré son jeu depuis.

30

NINA CRAIG vit la déception se peindre sur le visage de sa mère quand Rob ne l'invita pas à dîner. Mais, dans la voiture, Muriel fit remarquer qu'il avait à plusieurs reprises évoqué les bons moments qu'ils avaient passés ensemble. C'était indéniable, reconnut Nina in petto.

À l'hôtel, en sortant de l'ascenseur, Muriel fit remarquer : « Tu as vu ce lustre ? Il vaut au moins quarante mille dollars.

– Comment le sais-tu ?

– J'en ai vu un semblable quand nous étions à Venise pour des scènes d'arrière-plan. »

C'est le mot qui convient, pensa Nina. À présent, en tant qu'actrice, tu es à nouveau à l'arrière-plan.

« As-tu remarqué que cette gouvernante se comportait comme si nous étions une bande d'envahisseurs ?

– Maman, je me souviens d'elle à l'époque où nous étions ados. Jane Novak avait toujours l'air de critiquer tout le monde, sauf Betsy. » Nina hésita puis ajouta d'un ton sarcastique : « Je veux dire Mme Powell. C'est ainsi que Jane Novak devait l'appeler, bien qu'elles aient travaillé ensemble pendant des années.

– Eh bien, si j'avais épousé Rob, j'aurais certainement voulu qu'elle m'appelle Mme Powell, et pas Muriel, rétorqua sa mère.

– Je vais dans ma chambre. Je me ferai monter à dîner », répliqua Nina en levant les yeux au ciel.

Elle s'éloigna rapidement de sa mère, songeant : le plus grand cadeau qu'on t'ait fait a été de te débarrasser de Betsy, mais tu as eu beau appeler Rob Powell un nombre incalculable de fois après sa mort, il n'a pas voulu te revoir. Et maintenant il me paraît évident qu'il te mène en bateau.

Est-ce que tu comprendras un jour ?

31

REGINA CALLARI était à peine arrivée à l'hôtel quand Zach lui téléphona de Londres. Il ne tourna pas autour du pot :

« Maman, je t'en prie, dis-moi la vérité, as-tu emporté cette lettre avec toi ? »

Regina savait qu'il était inutile de nier.

« Oui, je l'ai emportée. Je suis désolée, Zach. Je t'ai menti parce que je ne voulais pas t'inquiéter.

– Maman, écoute-moi. J'ai détruit la copie que tu avais fait faire. J'ai voulu supprimer cette lettre dès le moment où tu m'as parlé de son existence. J'avais l'intention de déchirer l'original, mais je n'ai pas pu trouver où tu l'avais fourré.

– C'est sans importance, Zach. Je sais que tu as raison, je la détruirai la semaine prochaine. Ou, si tu préfères, je te laisserai la brûler. C'est promis.

– Super, maman. Je te le rappellerai. »

Ils échangèrent un « je t'aime », puis se dirent au revoir.

Regina se précipita vers la commode où elle avait laissé son sac à main, l'ouvrit et, les mains tremblantes, chercha son portefeuille. Dès son arrivée chez les Powell, elle avait su qu'elle n'aurait pas dû emporter la lettre.

Elle ouvrit la poche secrète de son portefeuille où elle avait soigneusement plié la lettre.

Elle était vide.

La personne qui l'avait prise espérait peut-être trouver dans son sac quelque chose d'intéressant, elle avait sans doute fouillé tous les sacs restés sur la table du patio dans la même intention.

Or la lettre était une preuve indiscutable qu'elle avait une bonne raison d'assassiner Betsy.

Prise de frénésie, elle renversa le sac sur la table et fouilla son contenu, espérant contre toute évidence trouver la lettre. Mais elle n'y était pas.

32

ROD KIMBALL se réveilla à quatre heures du matin après avoir entendu une porte se refermer. « Ali », appela-t-il. Il alluma le plafonnier. La porte du petit salon était ouverte et il vit aussitôt que sa femme ne s'y trouvait pas. Il se redressa précipitamment et saisit ses béquilles. Après tant d'années, ses bras et ses épaules avaient acquis une force qui lui permettait de se déplacer rapidement. Alison souffrait-elle à nouveau d'une crise de somnambulisme ? Il jeta un regard dans la salle de bains et dans le dressing. Elle n'y était pas non plus. Il se déplaça jusqu'à la porte de la chambre et l'ouvrit brusquement. Alison était là, déambulant à pas lents dans le couloir.

Il la rattrapa à temps, avant qu'elle n'atteigne l'escalier qui menait au hall de l'hôtel.

Il lui prit la main et murmura son nom. Il la vit cligner les yeux en se tournant vers lui.

« Tout va bien, dit-il doucement. Viens, retournons nous coucher. »

Quand ils eurent regagné la chambre, elle se

mit à pleurer. « Rod, Rod, j'étais encore en train de marcher en dormant, n'est-ce pas ?

– Oui, mais ce n'est rien. Ne t'en fais pas.

– Rod, la nuit du gala j'étais tellement en colère. Les gens me demandaient si j'avais toujours l'intention de faire des études de médecine. Je leur disais que je devais travailler au moins pendant un an. Chaque fois que je regardais Betsy, je ne pensais qu'à une chose, qu'elle m'avait volé cette bourse pour pouvoir entrer dans cette espèce de club huppé. » Dans un murmure désespéré, elle avoua : « J'ai eu une crise de somnambulisme la nuit du gala. Je me suis réveillée alors que je sortais de la chambre de Betsy. J'étais tellement soulagée qu'elle ne m'ait pas entendue. Se pourrait-il que je l'aie tuée ? »

Les sanglots étouffèrent la fin de sa question.

33

Leo Farley déposa Laurie en taxi devant chez elle, puis donna pour instructions au chauffeur d'attendre de voir le portier ouvrir la porte du hall d'entrée et la refermer derrière elle.

C'est le maximum que je puisse faire pour qu'elle soit en sécurité, pensa-t-il avant de se laisser aller en arrière dans le siège avec un soupir las. La journée lui avait paru longue, une sensation augmentée par l'inquiétude de savoir Timmy loin de lui.

Il était plongé si profondément dans ses pensées qu'il ne remarqua pas que le taxi s'arrêtait devant son immeuble. Tony, le portier, s'apprêtait à lui ouvrir la portière. Leo sortait en général d'un bond de la voiture, mais ce soir-là, après avoir réglé la course, il tenta en vain de s'en extraire et chercha à saisir la main de Tony, pour se mettre debout.

Et c'est alors qu'il les sentit venir – les battements affolés du cœur qui annonçaient le début d'une fibrillation auriculaire. Prenant la main de Tony, Leo s'apprêta à descendre, puis se souvint que son médecin l'avait prévenu qu'il ne devait *sous aucun prétexte* sous-estimer le danger quand son cœur s'emballait ainsi – comme une locomotive incontrôlée.

« Dans ce cas, file à l'hôpital sur-le-champ, Leo, avait-il ordonné. Tu n'es pas le seul à souffrir de ce genre de problème, mais il est plus sérieux chez toi. Il faut ralentir ton cœur illico. »

Leo leva la tête vers Tony. « Je me souviens soudain que j'ai oublié quelque chose chez ma fille », improvisa-t-il. Et il ajouta : « Il est possible que je passe la nuit chez elle.

– Très bien, monsieur. Bonne nuit. »

Tony referma la portière d'un geste preste, et Leo demanda sans enthousiasme au chauffeur de le conduire au Mount Sinai Hospital.

Dieu merci, ce n'est pas trop loin d'ici, pensa-t-il en vérifiant son pouls qui ne se calmait pas.

34

SUR LE TRAJET DU RETOUR à Manhattan, Alex Buckley passa en revue les événements de la journée. Les quatre amies d'enfance étaient d'abord restées sur la réserve en se revoyant. Au fil de l'après-midi, cependant, elles avaient paru se détendre

Leur attitude en présence de Robert Powell était indiscutablement hostile, même si elles affichaient une apparente amabilité.

Rompu à l'interrogation de témoins, Alex Buckley avait appris à percer ce que cachaient les mots et à analyser le langage du corps et des yeux. Sa conclusion après avoir vu les quatre lauréates aujourd'hui était qu'elles n'éprouvaient que mépris pour Robert Powell.

La question était : pourquoi ? Il aurait parié que cette animosité datait de plus de vingt ans.

Alors pourquoi avaient-elles accepté d'assister au Gala des Lauréates ? Même si mon meilleur ami avait voulu fêter sa remise de diplôme avec moi, j'aurais refusé si j'avais haï son père, se dit Buckley. Et cela soulevait une autre question. Quels étaient leurs sentiments envers Betsy Powell ? Si l'une des quatre l'avait tuée, elle devait avoir une excellente raison pour saisir cette occasion de passer la nuit chez les Powell.

Telles étaient les interrogations qui occupaient l'esprit d'Alex Buckley tandis qu'il rangeait sa voiture dans le garage et montait dans son appartement.

Ramon entendit la clé tourner dans la serrure et apparut dans l'entrée, le sourire aux lèvres. « Bonsoir, monsieur Alex. J'espère que la journée a été bonne ?

– Disons qu'elle a été *intéressante* », répondit Alex en lui rendant son sourire. « Je vais me changer. J'aurais mieux fait d'éviter la veste et la cravate aujourd'hui. Il faisait trop chaud dehors. »

L'appartement était agréablement frais et, comme à l'habitude, sa penderie un chef-d'œuvre de rangement grâce à Ramon qui suspendait vestes, chemises et cravates selon la couleur. Les pantalons étaient disposés suivant le même ordre.

Buckley enfila une chemise de sport à manches courtes et un pantalon léger couleur kaki. Puis il se lava les mains, s'aspergea le visage et décida qu'il avait grand besoin d'une bière glacée. En passant dans la salle à manger, il vit que le couvert était mis pour deux.

« Ramon, qui vient ce soir ? demanda-t-il en ouvrant la porte du réfrigérateur. Je ne me souviens pas d'avoir invité quelqu'un.

– Je n'ai pas vous pu vous prévenir, Monsieur », répondit Ramon en préparant une petite assiette de canapés, « votre frère devrait arriver d'une minute à l'autre. Il a un rendez-vous à New York demain dans la matinée.

– Formidable, je suis ravi », dit Buckley avec sincérité, même s'il était obligé de remettre à plus tard son intention de noter pendant le dîner toutes ses impressions de la journée.

Mais Andrew savait que le tournage avait débuté aujourd'hui et il aurait sans doute une quantité de questions à poser. Les questions sont utiles pour établir les faits. Je suis payé pour le savoir, pensa Alex.

Sa première gorgée de bière coïncida avec le tintement du carillon annonçant l'arrivée d'Andrew. Il avait sa propre clé et entra au moment où Alex allait l'accueillir dans l'entrée.

Ils étaient longtemps restés seuls tous les deux. Leur mère était morte quand Alex était en première année d'université et leur père l'avait suivie deux ans plus tard. Alex venait d'avoir vingt et un ans et avait été nommé tuteur d'Andrew.

Comme tous les frères, ils s'étaient souvent chamaillés dans leur enfance. Tous deux aimaient les sports de compétition, et une victoire de l'un sur l'autre au tennis ou au golf était source de jubilation.

Mais la compétition avait cessé quand ils s'étaient retrouvés orphelins. Ils n'avaient comme famille que des cousins éloignés, dont aucun ne vivait à New York. Ils vendirent leur maison d'Oyster Bay et s'installèrent dans un appartement de quatre pièces à Manhattan, dans la 67e Rue Est, qu'ils partagèrent jusqu'à ce qu'Andrew obtienne son diplôme de l'école de droit de Columbia et accepte un poste à Washington.

Alex, sorti cinq ans plus tôt de l'école de droit de l'université de New York et devenu l'étoile montante d'un cabinet d'avocats, était demeuré dans l'appartement, jusqu'au jour où il avait acheté celui de Beekman Place.

Contrairement à Alex, Andrew s'était marié six ans plus tôt et était aujourd'hui père de trois enfants – un garçon de cinq ans et des jumelles de deux ans.

« Comment vont Marcy et les enfants ? » fut la première question d'Alex après qu'il eut donné une brève accolade à son frère.

Andrew, un petit mètre quatre-vingt-cinq comparé au mètre quatre-vingt-treize d'Alex, avait les cheveux légèrement plus foncés, les yeux bleu-gris, mais le même corps de sportif.

« Marcy m'envie de m'être échappé pour une nuit, répondit-il en riant. Les jumelles incarnent à elles deux le concept de terreur. Leur vocabulaire se limite à un seul mot : "Non." Johnny, comme toujours, est un chouette gamin. S'il a ressemblé aux filles quand il avait deux ans, je ne m'en souviens plus. »

Il regarda le verre que son frère tenait à la main. « Je pourrais peut-être avoir la même chose ? »

Ramon, qui l'avait entendu, lui versait déjà une bière fraîche.

Ils s'installèrent dans le bureau, et Andrew tendit avidement la main vers l'assiette de canapés. « Je meurs de faim. J'ai sauté le déjeuner aujourd'hui.

– Tu aurais dû te faire servir quelque chose, suggéra Alex.

– Voilà une pensée profonde. Si seulement elle m'était venue. »

Les deux frères échangèrent un sourire moqueur, puis Andrew demanda : « Et maintenant la question à cent mille dollars. Comment s'est passée la journée ?

– Plutôt intéressante. »

Alex se mit à lui raconter la scène du petit déjeuner. Quand il en vint à l'évanouissement de Nina à la vue de Claire, Andrew l'interrompit :

« Réel ou feint ?

– Pourquoi cette question ?

– Eh bien, n'oublie pas que Marcy faisait du théâtre avant notre mariage. Elle a vécu en Californie pendant cinq ans en sortant de l'université. Quand nous avons appris que tu serais mêlé à cette histoire et que les journalistes reprenaient toute l'affaire de zéro, elle m'a raconté qu'elle avait joué dans une pièce avec Muriel Craig et que tous les soirs après le spectacle, Muriel allait se soûler dans un bar et racontait à qui voulait l'entendre qu'elle aurait pu épouser Robert Powell si son idiote de fille ne lui avait pas présenté la mère d'une de ses amies. Elle fulminait, disait que Powell et elle étaient pratiquement fiancés et que, sans Nina, elle vivrait aujourd'hui dans une magnifique demeure avec un mari riche et distingué. Apparemment Nina se trouvait là un soir, et lorsque Muriel a eu fini de déblatérer, elles en sont presque venues aux mains.

– Bon, c'est peut-être une partie de l'explication, dit Alex. Je crois que l'évanouissement était réel, mais en reprenant ses esprits, Nina a hurlé à sa mère "ne me touche pas, enlève tes horribles mains".

– Depuis combien de temps Betsy Bonner était-elle mariée à Powell quand elle a été assassinée ? demanda Andrew. Six ou sept ans ?

– Neuf.

– Tu crois que Nina Craig aurait saisi l'occasion de se débarrasser de Betsy en passant la nuit dans la maison après le gala avec l'espoir de rendre Powell à nouveau disponible pour sa mère ? D'après Marcy, Nina n'est pas une tendre. »

Alex resta sans répondre pendant une longue minute, puis dit avec un sourire désabusé : « C'est peut-être toi qui aurais dû être avocat d'assises. »

Ramon se tenait à la porte. « Le dîner est servi si vous êtes prêt, monsieur.

– J'espère que nous avons du poisson, dit Alex en se levant. C'est censé activer les neurones, n'est-ce pas, Ramon ? »

35

LAURIE MORAN avait réglé l'alarme à six heures, mais elle se réveilla à cinq heures et demie. Un coup d'œil au réveil sur la table de nuit lui apprit qu'elle pouvait s'offrir le luxe d'une demi-heure supplémentaire au lit.

C'était l'heure, quand il se réveillait tôt, où Timmy venait dans sa chambre et se pelotonnait contre elle dans le lit. Elle aimait passer son bras autour de lui et sentir sa tête se nicher sous son menton. Il était grand pour son âge, mais il paraissait encore si petit et vulnérable qu'un farouche besoin de le protéger l'animait tout entière. Je serais prête à *tuer* pour lui, pensait-elle avec passion quand lui revenait à l'esprit la menace proférée par Yeux Bleus.

Mais aujourd'hui Timmy venait de passer sa première nuit loin d'elle ou de son grand-père depuis sa naissance. Chaque fois qu'elle devait s'absenter pour affaires, Leo s'installait chez Laurie et restait près de son petit-fils.

Timmy se plaisait-il au camp ? S'ennuyait-il de sa famille ? Cela aurait été naturel. Tous les enfants qui partent pour la première fois dans un camp de vacances ont un peu le cafard pendant un jour ou deux.

Mais c'est moi qui suis triste sans lui, pensa-t-elle en rejetant les couvertures légères, préférant se lever plutôt que de rester éveillée à s'inquiéter pour Timmy.

Elle prit instinctivement la photo encadrée posée sur sa coiffeuse. C'était l'agrandissement d'un cliché de Greg, Timmy et elle un jour où ils étaient allés à la plage avec des amis à East Hampton.

C'était la dernière photo où ils apparaissaient tous les trois. Greg avait été tué une semaine plus tard.

Laurie passa son doigt sur le visage de Greg, un geste qu'elle avait fait des centaines de fois durant les cinq dernières années. Elle rêvait parfois qu'au lieu de la surface lisse de l'image, elle suivait du doigt le contour de sa bouche et la sentait ébaucher un sourire.

Elle se souvint qu'un soir, quelques mois après la mort de Greg, elle avait eu un tel besoin de lui qu'elle s'était endormie en murmurant son nom comme une litanie.

Puis il lui était apparu en rêve avec une expression désolée et triste, comme s'il était bouleversé de la voir si malheureuse…

Secouant la tête, elle reposa la photo sur la coiffeuse. Un quart d'heure plus tard, les cheveux encore mouillés après sa douche, sa robe de chambre en coton serrée autour de son corps mince, elle alla dans la cuisine où le café était déjà prêt dans la cafetière qu'elle avait programmée.

Jerry et Grace vinrent la chercher à sept heures quarante-cinq. Le reste de l'équipe les rejoindrait chez Powell. Comme toujours, Grace était encore ensommeillée. « Je me suis couchée à vingt-deux heures, dit-elle à Laurie, et j'ai mal dormi. J'essayais de deviner laquelle des filles pouvait avoir tué Betsy Powell.

– Et la conclusion était ?

– N'importe laquelle ou toutes ensemble – je veux dire, les lauréates. Comme dans *Le Crime de l'Orient-Express.* Ils poignardent tous à tour de rôle le type qui a kidnappé l'enfant.

– Grace, même de ta part, c'est un peu exagéré, dit Jerry d'un ton catégorique. Pour moi, c'est la gouvernante qui est coupable. Elle souhaite si visiblement nous expédier tous sur la planète Mars qu'à mon avis ce n'est pas uniquement parce que nous dérangeons ses habitudes. Et vous, Laurie ? »

Laurie était en train de prendre son mobile dans son sac. Elle avait entendu le bruit discret indiquant qu'elle avait reçu un texto.

Il était de Brett Young. Son patron disait : « Laurie, les résultats financiers du dernier trimestre montrent une nouvelle baisse des recettes. Je vous rappelle que les deux dernières émissions pilotes que vous avez produites ont été coûteuses et décevantes. Faites en sorte que celle-ci marche. »

36

ROBERT POWELL s'était réveillé plus tôt qu'à l'accoutumée. À sept heures et quart il terminait sa deuxième tasse de café. De sa place dans la salle du petit déjeuner, il embrassait la vue qui s'étendait derrière la maison, spectacle qui le ravissait toujours. Mais aujourd'hui, en dépit des rosiers en fleur du patio, du jet d'eau claire de la fontaine et des plantations autour de la piscine qui formaient un tableau coloré aussi varié que la palette d'un artiste, l'expression de son visage trahissait le déplaisir. La société de production avait laissé deux gros camions garés derrière la maison, et Jane savait que leur présence lui déplaisait autant qu'à elle.

Jane Novak était habituée à ses sautes d'humeur. La veille au soir, il avait paru presque amusé par les événements de la journée, comme l'évanouissement de Nina Craig ou les allusions à peine voilées de Muriel à leurs rendez-vous amoureux avant que Betsy ne fasse son apparition.

Était-il au courant des relations de George Curtis et de Betsy ? se demanda-t-elle. Tandis qu'elle faisait circuler les canapés durant la réception, elle avait senti une tension palpable entre ces deux-là, et elle s'était arrangée pour se glisser derrière Curtis à temps pour l'entendre menacer Betsy. Jane Novak savait que si Betsy était parvenue à soutirer vingt-cinq millions à Curtis, elle aurait probablement caché l'argent, tout comme elle avait caché les bijoux, et qu'elle aurait continué à vivre tranquillement avec M. Powell.

Si seulement vous saviez à quel point je vous connais, pensa-t-elle, résistant à l'envie de tapoter l'épaule de son patron. Devait-elle lui rappeler que c'était lui qui avait accepté tout ce tintouin et lui conseiller d'aller passer la journée au bureau puisque, d'après ce qu'elle avait compris, on n'aurait pas besoin de lui sur le tournage aujourd'hui ? Mais elle n'en fit rien, sachant qu'il serait offusqué si elle prenait l'une ou l'autre de ces libertés. Elle se contenta de lui proposer davantage de café qu'il refusa sèchement avant de quitter les lieux.

La veille, elle avait vu ce faux-jeton de Josh fouiller dans les sacs et les portefeuilles que les jeunes femmes avaient laissés sur la table du patio. Il avait retiré quelque chose de l'un d'eux. Ses gestes étaient si rapides qu'elle n'avait pas pu distinguer de quel sac il s'agissait. Qu'avait-il trouvé d'intéressant ? Elle savait depuis longtemps qu'il enregistrait les gens qu'il conduisait. Elle savait aussi que Betsy, « Mme Powell », se reprit-elle en ricanant, n'aimait pas son attitude. Il n'aurait pas fait long feu comme chauffeur si elle avait vécu, pensa Jane.

Qu'avait-il pris dans ce portefeuille ? Une chose était sûre – si c'était quelque chose qui pouvait être utile à M. Powell, Josh le lui montrerait et, comme un chien que son maître récompense d'une tape amicale, il se retrouverait avec quelques centaines de dollars de plus dans sa poche.

« Jane, je ne veux voir personne ce matin, dit M. Powell. J'ai plusieurs coups de fil à passer. La société de production doit apporter de quoi nourrir toute l'équipe, il n'y a donc aucune raison d'ouvrir la cuisine pour eux. Ils pourront utiliser les toilettes de l'abri de la piscine. Les autres pourront rester dans le patio et passer par la cuisine pour aller dans la salle de bains. Il n'est pas question que qui que ce soit monte à l'étage ou déambule dans la maison. Est-ce clair ? »

Pourquoi a-t-il changé aussi radicalement depuis hier où il semblait de si bonne humeur ? se demanda Jane. À moins qu'il ne redoute d'être interviewé par cet avocat, cet Alex Buckley ? Elle avait lu des articles à propos de Buckley et l'avait vu à la télévision commenter des affaires criminelles. Elle savait qu'à un moment donné il lui poserait à elle aussi des questions sur cette maudite nuit.

Bon, j'ai réussi à ne jamais rien révéler pendant presque trente ans, pensa-t-elle, je suis certaine de pouvoir continuer à garder mes pensées secrètes. Jane sourit en son for intérieur en se rappelant les bijoux qu'elle avait dérobés dans la cachette de Betsy après qu'on eut découvert son corps. Les boucles d'oreilles, la bague et le collier que George Curtis avait offerts à sa femme n'avaient naturellement jamais été portés en présence de M. Powell. Betsy les conservait pour ses petits rendez-vous secrets quand il était en voyage. M. Powell en ignorait l'existence, et George Curtis ne chercherait certainement pas à les récupérer.

Pendant toutes ces années, il avait dû se demander ce qu'ils étaient devenus et s'il y avait un risque que l'on remonte jusqu'à lui. Il avait menacé Betsy ce soir-là, et il n'habitait qu'à dix minutes. Eh bien, si M. Powell ou moi-même faisions l'objet du moindre soupçon concernant le meurtre de Betsy, se dit Jane, je pourrais prétendre que je viens de retrouver les bijoux et laisser entendre que le coupable était M. George Curtis.

Rassurée à la pensée que les bijoux étaient bien cachés dans son appartement, Jane Novak prit la tasse de café que Robert Powell avait laissée sur la table en quittant la pièce et la porta affectueusement à ses lèvres, savourant les dernières gouttes qu'il y avait laissées.

37

CLAIRE s'était fait monter dans sa chambre un jus d'orange, du café et un muffin pour son petit déjeuner. Elle était habillée et attendait que la voiture vienne la chercher pour la conduire jusqu'à la maison où elle avait passé les neuf années les plus détestables de son existence.

Elle avait résolument choisi le genre de tenue qu'elle portait tous les jours chez elle – un chemisier de coton à manches longues et un pantalon noir. Elle n'était pas maquillée et ne portait aucun bijou. J'ai pris l'habitude de me fondre dans le décor, pensa-t-elle. C'est ma mère qui m'y a poussée quand j'étais enfant. Pourquoi devrais-je changer ? D'ailleurs, il est trop tard pour que quoi que ce soit change.

Claire n'avait qu'une satisfaction dans l'existence – son travail d'assistante sociale. Elle savait qu'elle le faisait bien, et c'était en permettant à des femmes et à des enfants d'échapper à des situations douloureuses qu'elle éprouvait un sentiment de paix et d'accomplissement.

Pourquoi suis-je revenue ici ? se demanda-t-elle. À quoi espérais-je mettre fin ? En participant à l'émission, les lauréates risquaient de révéler leurs raisons secrètes de détester Betsy. Claire connaissait ces raisons et les comprenait toutes. Elle se souvenait de la force que lui avaient apportée ses trois amies pendant leurs années de lycée. Quand j'étais avec elles, pensa-t-elle, je pouvais presque tout oublier.

Aujourd'hui, nous avons toutes peur de ce que les gens pourraient apprendre sur nous. Cette émission va-t-elle apporter la lumière ou ne servira-t-elle qu'à ressasser des souvenirs pénibles et évoquer des existences détruites ? Elle haussa les épaules avec impatience, puis alluma la télévision pour tuer le temps jusqu'à l'arrivée de la voiture en regardant les nouvelles. Une des informations concernait l'émission sur le meurtre de Betsy Bonner Powell, qui allait être « l'événement le plus attendu de la saison télévisuelle ».

Claire pressa le bouton de la télécommande et l'écran s'assombrit au moment où le téléphone sonnait. Depuis le hall de l'hôtel, la voix enjouée de Josh Damiano demandait si elle était prête.

Je crois que je suis prête depuis vingt ans, pensa Claire en attrapant son sac d'un geste brusque.

38

LE COMMISSAIRE Edward Penn avait reçu un coup de téléphone de Leo Farley à neuf heures du matin. Il lui avait trouvé la voix fatiguée et s'était ému en apprenant qu'il était à l'hôpital. « Ils n'ont pas été fichus de rétablir mon rythme cardiaque normal, lui dit Leo. Et naturellement, cela signifie que je ne vais pas pouvoir être dans le coin et prévenir un éventuel danger. »

La première réflexion d'Ed Penn fut que Leo Farley avait supporté pendant cinq ans l'angoisse de la menace qui pesait sur sa fille et son petit-fils et qu'il s'effondrait. Après avoir rappelé ce que Leo savait déjà – que la société de production avait placé un garde à l'entrée du domaine de Powell pour éloigner les paparazzis et contrôler toute personne qui tenterait de pénétrer à l'intérieur du parc –, Ed lui promit de poster une voiture de police sur la route, à l'arrière de la propriété afin de s'assurer que personne n'escaladerait la clôture.

Maintenant que le tournage avait commencé, Penn avait emporté chez lui le dossier complet de l'affaire et l'avait relu de la première à la dernière page.

Quand Leo avait téléphoné, il était en train d'examiner les photos de la scène de crime avec une loupe, la chambre à coucher superbement meublée à l'arrière-plan, le spectacle incongru du corps de Betsy Powell, ses cheveux répandus sur l'oreiller, ses yeux grands ouverts, sa chemise de nuit en satin chiffonnée sur ses épaules.

Il lut que la gouvernante se trouvait à la cuisine quand elle avait entendu le tumulte à l'étage et qu'elle s'était précipitée pour trouver Robert Powell étendu sur le sol au pied du lit, la main brûlée par le café qu'il apportait à Betsy. Les quatre lauréates avaient accouru lorsqu'elles avaient entendu le cri de Jane Novak. D'après elles, la gouvernante avait hurlé : « Betsy, Betsy », alors qu'elle appelait toujours sa patronne Mme Powell.

Aussitôt après avoir retiré l'oreiller du visage de la victime, Jane Novak reconnut avoir ramassé la boucle d'oreille sur le tapis et l'avoir posée sur la table. « Sans doute parce que j'avais failli marcher dessus, dit-elle. Je ne pensais pas à ce que je faisais. »

Résultat, elle avait contaminé la scène de crime, pensa Ed Penn. D'abord, en manipulant l'oreiller, puis en ramassant la boucle d'oreille.

« Ensuite je me suis ruée vers M. Powell, poursuivait Jane Novak dans sa déclaration. Il s'était évanoui. J'ai cru qu'il était mort. J'avais vu quelqu'un pratiquer un massage cardiaque à la télévision, et j'ai essayé de faire la même chose au cas où son cœur se serait arrêté. À ce moment-là, les filles sont arrivées et je leur ai crié de prévenir la police et d'appeler une ambulance. »

C'était surtout le calme des quatre jeunes filles qui avait frappé le commissaire à l'époque. Il est vrai qu'elles lui avaient dit être restées debout jusqu'à trois heures du matin, à bavarder et boire du vin. Le manque de sommeil et l'excès de boisson avaient peut-être émoussé leurs réactions face à la mort de Betsy Powell. Mais il lui semblait que, malgré tout, Claire Bonner avait fait preuve d'un sang-froid étonnant pour une jeune fille dont la mère venait d'être assassinée.

Et les autres avaient montré le même aplomb quand il les avait interrogées.

Je persiste à penser que ce n'était pas l'acte d'un intrus, pensa Penn. Ma conviction a toujours été que l'assassin était quelqu'un de la maison.

Il y avait six personnes présentes cette nuit-là : Robert Powell, la gouvernante et les quatre lauréates.

Elles vont toutes être interrogées par Buckley. Ce type a la réputation d'être de la dynamite quand il procède à un contre-interrogatoire. Il sera intéressant de comparer leurs déclarations initiales à ce qu'elles diront devant la caméra.

Le commissaire secoua la tête et parcourut son bureau du regard. Il avait toujours considéré que son service avait failli dans cette affaire qu'il n'avait pas su élucider. Ses yeux s'attardèrent sur le mur et sur les nombreuses citations que ses hommes et lui avaient obtenues au cours des ans. Il en voulait une de plus.

Qui les récompenserait d'avoir enfin résolu l'énigme du meurtre de Betsy Bonner Powell.

Il regarda sa montre. Neuf heures dix. Plus le temps de s'attarder en vaines spéculations. Il décrocha le téléphone et donna l'ordre de poster une voiture de police à l'arrière de la propriété de Powell dès le lendemain matin.

39

BRUNO HOFFA se réveilla le mardi matin à six heures conscient qu'approchait l'instant de gloire où il pourrait prendre sa revanche finale.

Il alluma la télévision en préparant son frugal petit déjeuner. Il avait l'autorisation d'avoir un petit réfrigérateur dans la pièce. Il brancha la cafetière électrique, versa du yaourt et des céréales dans un bol.

Après les informations du jour et une douzaine de spots publicitaires, vint enfin ce qu'il attendait. « La première émission de la série télévisée *Suspicions* est en cours de tournage dans la propriété de Robert Powell. Vingt ans après le Gala des Lauréates, les quatre participantes sont réunies dans cette émission pour confirmer leur innocence dans la mort de la belle Betsy Bonner Powell. »

Bruno partit d'un rire rauque et sans joie. La veille, il s'était entretenu avec un membre de l'équipe de télévision qui s'était montré très bavard. Il avait dit que le tournage durerait deux jours. Les lauréates passeraient la nuit sur place.

Elles seraient filmées assises dans le bureau comme elles l'avaient été vingt ans auparavant. Puis le lendemain matin elles apparaîtraient au cours d'un petit déjeuner d'adieu.

Et pendant qu'elles prendraient leur petit déjeuner, Hoffa surgirait de l'abri de la piscine et pointerait son fusil sur sa cible.

Il se rappela ce jour lointain, quand il était un gosse de Brooklyn et traînait avec des types qui appartenaient à un gang. Il travaillait comme serveur dans un fast-food où certains d'entre eux avaient l'habitude de prendre leur petit déjeuner.

Il avait entendu deux d'entre eux se vanter de pouvoir toucher la pomme sur la tête du gosse de Guillaume Tell, mais avec un fusil, pas avec une arbalète. C'est alors que Bruno avait acheté un fusil et un pistolet d'occasion et avait commencé à s'entraîner.

Six mois plus tard, en débarrassant la table, il avait dit aux deux fanfarons qu'il aimerait leur montrer ses talents de tireur. Ils se moquèrent de lui, mais l'un d'eux dit : « Tu sais, petit, je n'aime pas qu'on me fasse perdre mon temps. Si c'est pas de la frime, je te donne une chance. »

C'est ainsi qu'il avait rejoint le gang.

Bruno Hoffa pouvait supprimer Laurie Moran n'importe quand, mais il voulait être sûr que les caméras tourneraient quand elle s'écroulerait.

Savourant ce moment à l'avance, il avala goulûment son café.

Le flic en faction dans la voiture de police derrière la propriété franchirait la clôture et s'élancerait vers la salle à manger. L'équipe de télévision en ferait autant. Quand ils auraient tous dépassé l'abri de la piscine, il sortirait par la porte de derrière et aurait enjambé la clôture en quelques secondes.

Il lui faudrait à peine quatre minutes au pas de course pour atteindre le parking public de la gare. Le parking était situé à quelques blocs du logement où il se trouvait en ce moment précis.

Il avait choisi la voiture qu'il volerait, un break Lexus que son propriétaire garait tous les matins à sept heures pour prendre le train de sept heures quinze pour Manhattan.

Le meurtrier serait sur la route avant même qu'ils aient compris d'où était parti le coup de feu.

Le propriétaire ne déclarerait pas le vol de la voiture avant le soir.

Bruno Hoffa était tellement occupé à revoir les détails de son plan qu'il ne s'aperçut même pas que sa tasse était vide.

Quels étaient les risques d'échec ?

Il en existait quelques-uns. Un policier pourrait me tomber dessus au moment où j'enjamberai la clôture, pensa-t-il. Je ne veux pas être obligé de l'abattre. Le bruit ferait rappliquer l'autre garde. Mais en utilisant la crosse de mon fusil, j'aurai tout le temps nécessaire…

Le facteur surprise, la confusion au moment où Laurie s'effondrerait, le sang qui jaillirait de sa tête – tout lui serait favorable.

Je me ferai peut-être pincer, songea Bruno, et cela mettra fin à jamais à l'espoir d'éliminer Timmy, mais si je réussis, je m'occuperai de lui sans plus tarder. Ma chance ne va pas durer indéfiniment.

En piratant l'ordinateur de Leo Farley, Bruno avait appris que Timmy se trouvait dans un camp de vacances, il savait même dans quelle tente il dormait et connaissait la disposition des lieux dans les moindres détails. Mais, même s'il parvenait à s'introduire dans le camp pendant la nuit et à kidnapper le gosse, Laurie serait aussitôt avertie, et il ne lui serait plus jamais possible de l'approcher. Non. Timmy ne devait venir qu'en second.

Il haussa les épaules. Il était certain que la vieille dame avait entendu sa menace : « Dis à ta mère qu'elle est la prochaine. Puis ce sera ton tour. » Il devait s'en tenir à ce plan.

Il n'avait pas vérifié le téléphone de Leo Farley depuis hier, mais Leo n'avait pas grand-chose à dire en général.

Bruno découvrit l'enregistrement de son appel au chef de la police la veille au soir. *Leo Farley était en soins intensifs au Mount Sinai Hospital.*

Bruno se mit à considérer les possibilités qui, du coup, s'offraient à lui.

Puis il sourit.

Bien sûr, bien sûr que cela allait marcher. Il fallait que ça marche. Il réussirait son coup.

Quand Laurie assisterait au brunch d'adieu, Bruno sortirait de l'abri de la piscine en tenant Timmy par la main – un pistolet pointé sur sa tête.

40

LES MAINS de Regina tremblaient si fort qu'elle n'arrivait pas à passer son T-shirt par-dessus sa tête. Laurie Moran leur avait demandé de s'habiller simplement. Elle avait fait copier les vêtements qu'elles portaient quand la police était arrivée après la découverte du corps de Betsy. On les avait priées de remettre aux enquêteurs leurs chemises de nuit comme pièces à conviction et d'attendre dans le bureau qu'on vienne les interroger.

Regina portait alors un T-shirt rouge à manches longues et un jean. Enfiler aujourd'hui une tenue identique l'angoissait. Il lui semblait que se détachaient l'une après l'autre toutes les défenses dont elle s'était bardée durant ces vingt années.

Cette pensée lui rappela la façon dont elles étaient restées consignées dans le bureau, sans même avoir le droit d'aller dans la cuisine pour se faire une tasse de café ou manger un morceau. Jane Novak avait dû rester avec elles, bien qu'elle ait demandé à accompagner M. Powell dans l'ambulance jusqu'à l'hôpital.

Qui avait pris dans son portefeuille la lettre laissée par son père avant son suicide ? Et pour en faire quoi ?

Si la police la trouvait, on pourrait l'arrêter pour l'avoir dérobée sur le corps de son père. Elle savait qu'ils avaient toujours suspecté qu'il avait écrit un mot avant de se supprimer et qu'elle s'en était emparée. Elle n'avait cessé de leur mentir au cours de leur enquête. À présent, celui qui était en possession de cette lettre pouvait fournir à la police les éléments pour la faire accuser du meurtre de Betsy.

Les yeux de Regina s'emplirent de larmes.

Son fils Zach avait eu l'intelligence de détruire la copie qu'elle en avait faite et il avait tenté de découvrir l'original, puis il l'avait suppliée de la détruire.

Que deviendrait-il si elle était arrêtée et inculpée du meurtre de Betsy ?

Elle revit le petit garçon qui venait la rejoindre à l'agence après l'école quand il n'avait pas d'entraînement sportif et qui proposait de l'aider, pliant et mettant sous enveloppe les prospectus de l'agence. Il se réjouissait quand une des annonces amenait un client à s'inscrire sur leur listing. Ils avaient toujours été si proches. Elle s'en félicitait tous les jours.

Quand on lui apporta son petit déjeuner, elle se força à boire son café et à avaler une bouchée de croissant qui lui resta dans la gorge.

Il faut que tu te ressaisisses, s'enjoignit-elle. Si tu parais trop nerveuse quand cet avocat, cet Alex Buckley, t'interrogera, cela ne fera qu'aggraver les choses.

Mon Dieu, faites que j'y arrive.

Le téléphone sonna. La voiture l'attendait pour la conduire chez les Powell.

« Je descends tout de suite », dit-elle, incapable de dissimuler le tremblement de sa voix.

41

Alison ne se rendormit pas après sa crise de somnambulisme ; elle s'agitait, se tournait et se retournait dans le lit. Rod finit par la prendre dans ses bras.

« Ali, écoute-moi. Tu as eu une crise de somnambulisme cette nuit-là, mais, même si tu crois être allée dans la chambre de Betsy, cela ne veut pas dire que c'est exact.

– J'y suis allée. Elle portait une chemise de nuit décolletée. Je me souviens même de la boucle d'oreille qui brillait sur le sol. Rod, si je l'avais ramassée, on y aurait trouvé mes empreintes.

– Mais tu ne l'as pas ramassée, la rassura Rod. Ali, il faut que tu cesses de gamberger comme ça. Quand tu seras devant la caméra, tu dois simplement dire ce que tu sais – c'est-à-dire rien. Tu as entendu Jane Novak hurler et tu t'es précipitée vers la chambre avec les autres. Comme les autres, tu as été bouleversée. Quand tu seras interrogée, contente-toi de dire "les autres", et tout ira bien. Et souviens-toi que si tu participes à cette émission, c'est parce que tu veux avoir l'argent nécessaire pour faire tes études de médecine. Que t'ai-je dit depuis que tu as eu l'opportunité de reprendre tes études ?

– Qu'un jour tu m'appellerais la nouvelle Marie Curie, souffla Alison.

– Très bien. Maintenant, tâche de te rendormir. »

Alison cessa de remuer et de se tortiller, mais ne se rendormit pas. Quand le réveil sonna, à sept heures, elle avait déjà pris sa douche et enfilé un polo et un pantalon qu'elle troquerait bientôt contre le T-shirt et le jean identiques à ceux qu'elle portait le lendemain matin de la mort de Betsy Powell.

42

LAURIE, JERRY ET GRACE arrivèrent quelques minutes après l'équipe de tournage qui comprenait, entre autres, une coiffeuse, une maquilleuse et une habilleuse. Deux nouvelles camionnettes avaient été mises en place – l'une pour l'habillage, l'autre pour la coiffure et le maquillage.

Laurie avait déjà travaillé avec elles. « Dans la première scène que nous allons tourner, les quatre lauréates et la gouvernante porteront les vêtements qu'elles ont enfilés après la découverte du corps. Leur maquillage doit être discret, car elles n'ont eu ni le temps ni l'envie de se farder. Nous avons une photo prise le matin par la police. Étudiez-la, puis tâchez de leur donner l'apparence qu'elles avaient il y a vingt ans. Elles n'ont plus les cheveux aussi longs, mais elles ne font pas leur âge. »

Meg Miller, la maquilleuse, alla à la fenêtre pour voir la photo au jour. « Je peux vous assurer une chose, Laurie. Elles ont toutes l'air terrifiées.

– C'est aussi mon avis, dit Laurie. Et mon boulot est de trouver pourquoi. Bien sûr, on s'attend à les voir choquées et accablées de chagrin, mais pourquoi ont-elles l'air si anxieuses ? Si Betsy avait été tuée par un intrus, de quoi pouvaient-elles avoir si peur ? »

La scène serait tournée dans le bureau où la police avait consigné les jeunes filles ce matin-là. Aussi incroyable que cela puisse paraître, ni les rideaux ni les meubles n'avaient été changés, si bien que la pièce offrait une ressemblance frappante avec l'aspect qu'elle avait vingt ans auparavant.

D'un autre côté, réfléchit Laurie, je présume que Robert Powell a été le seul à y pénétrer depuis. D'après Jane Novak, il ne reçoit ses invités que dans le salon et la salle à manger. Quand il est seul, soit il va dans son bureau après dîner pour regarder la télévision ou lire, soit il monte dans sa chambre.

Étant donné qu'il vit seul dans cette maison, et que Jane Novak l'entretient à la perfection, il n'est pas étonnant qu'il n'ait pas eu besoin de refaire la décoration.

À moins que Robert Powell ait voulu arrêter le temps et conserver sa maison exactement telle que sa femme l'avait laissée ? Laurie avait entendu parler de cas similaires.

Avec un frisson, elle se dirigea rapidement vers le bureau et entra par la porte du patio. Les techniciens installaient les caméras. Aucune trace de Robert Powell. Jane Novak les avait prévenus qu'il était à son bureau et y resterait toute la matinée.

Dès le début, Powell avait dit à Laurie qu'il ne jugeait pas nécessaire de proposer la même somme à Jane qu'aux lauréates. « Je ne pense pas trahir sa pensée en disant que nous aimerions autant l'un que l'autre voir se conclure cette terrible histoire. Jane avait fermé toutes les portes à clé pour la nuit, et elle a toujours déploré que les filles aient ouvert celle du bureau pour aller fumer dans le patio et qu'elles aient oublié de la refermer en rentrant. Sans cette négligence, un intrus n'aurait sans doute pas pu pénétrer dans la maison. »

Powell et Jane Novak avaient peut-être raison. Après avoir vérifié les caméras et l'éclairage, Laurie regagna le patio et vit Alex Buckley sortir de sa voiture.

Aujourd'hui, il portait une chemise de sport et un pantalon beige au lieu du costume bleu marine de la veille. Il avait baissé le toit de sa décapotable, et le vent avait ébouriffé ses cheveux châtain foncé. Elle le regarda les ramener en arrière d'un geste machinal et se diriger vers elle.

« Vous êtes une lève-tôt, dit-il avec un sourire chaleureux.

– Pas vraiment. Vous devriez être là quand nous commençons à filmer au lever du jour.

– Non merci. J'attendrai tranquillement de voir le film à la télévision. »

Comme le jour où elle l'avait rencontré dans son cabinet, il adopta brusquement une attitude professionnelle. « Est-il toujours prévu que je commence à poser mes questions une fois que vous les aurez filmées toutes les quatre assises dans le bureau ?

– Oui. Je ne suis pas l'ordre chronologique car j'ai l'intuition qu'elles ont toutes répété ce qu'elles vont vous dire. En les filmant d'abord toutes ensemble, j'espère les prendre au dépourvu. Et ne soyez pas surpris par la manière dont elles sont vêtues. Ce sont des copies des tenues qu'elles portaient après la découverte du corps de Betsy. On leur a demandé de s'habiller ensuite en vêtements de tous les jours. »

Alex Buckley laissait rarement son visage trahir ses sentiments, mais sa surprise fut telle qu'il ne put la cacher.

« Vous leur faites porter des copies de ce qu'elles portaient il y a vingt ans ?

– Oui, dans deux scènes. La première est celle où elles sont rassemblées dans le bureau avec Jane Novak dès l'arrivée de la police. Et dans l'autre elles portent des robes du soir identiques à celles qu'elles avaient pour le gala. Nous les photographierons devant un fond constitué par des images où on les verra soit individuellement, soit ensemble au gala. Par exemple, lorsque Robert Powell porte un toast en leur honneur, nous aurons une photo d'elles quatre en train de le regarder. »

Alex Buckley était sur le point de répondre quand les limousines des lauréates arrivèrent. Ce fut au tour de Laurie d'être surprise en voyant Muriel Craig descendre de l'arrière de la deuxième limousine tandis que sa fille Nina sortait à l'avant. Muriel n'était pas censée venir aujourd'hui, pensa-t-elle. Soit Powell l'a appelée, soit elle est venue de son propre chef.

Dans un cas comme dans l'autre, Nina sera crispée et furieuse.

Ce qui pourrait jouer en notre faveur quand elle sera interrogée.

43

LE MARDI MATIN, Josh Damiano alla faire laver et briquer la Bentley. M. Powell tenait à ce qu'elle soit impeccable. *Dans mon intérêt,* pensa Josh en attendant à la station-service.

Il se félicitait d'avoir trouvé comment faire écouter aux lauréates les enregistrements qu'il avait faits. Il mettrait le lecteur de bandes dans le vestiaire pour dames de l'entrée, près de la cuisine. Il y avait là une coiffeuse et une banquette pour les invitées qui auraient besoin de faire un raccord à leur maquillage ou de se recoiffer. Il remettrait les bandes à Nina, Regina et Alison en les incitant à écouter les conversations qu'elles avaient tenues dans la voiture, avant de suggérer que leur intérêt était de lui verser cinquante mille dollars pour que les originaux qu'il détenait soient détruits.

Toutes trois seraient affolées, il en était sûr. Claire étant la seule à être restée muette dans la voiture, il n'y avait pas de bandes la concernant. Pourtant, Josh aurait parié que, des quatre, c'était celle qui avait le plus à révéler.

Il détenait la lettre du père de Regina que cette dernière avait cachée dans son portefeuille. Il avait hésité à la remettre à M. Powell ou à en faire encore un meilleur usage. Puis il avait trouvé la solution : taxer Regina de cent mille dollars, voire davantage, si elle voulait la récupérer, en la menaçant sinon d'aller trouver directement la police. Cette lettre pouvait éloigner tous les soupçons pesant sur M. Powell, Jane Novak et les autres lauréates.

Josh Damiano serait acclamé comme un héros et un bon citoyen s'il la remettait au chef de la police. Mais ladite police pourrait lui demander ce qu'il fabriquait à fouiller dans les sacs à main des dames. Il n'avait pas de réponse à cette question, et il espérait ne pas avoir à en fournir une.

M. Powell ne l'avait envoyé chercher personne ce matin-là. Il semblait de mauvaise humeur et lui avait donné pour consigne de ramener la voiture à la maison après avoir quitté la station-service, au cas où il déciderait de se rendre à son bureau.

Il était clair que tout ce remue-ménage autour de lui le perturbait. Non seulement cela devait éveiller une quantité de souvenirs, pensa Josh, mais son patron savait sûrement qu'il était soupçonné, lui aussi, et il cherchait désespérément à blanchir son nom.

Comme Jane Novak, Damiano s'était débrouillé pour jeter un coup d'œil au testament de M. Powell. Il avait fait un don de dix millions à Harvard, destiné à financer des bourses réservées à des étudiants méritants, et de cinq millions à l'université de Waverly, où il avait été reçu docteur *honoris causa* et dont la bibliothèque portait déjà son nom et celui de Betsy.

Alison Schaefer avait fait ses études à Waverly. Josh se souvenait qu'elle était la meilleure élève des quatre filles et avait envisagé d'étudier la médecine, puis qu'elle avait épousé Rod Kimball quatre mois après le gala.

Josh s'était toujours demandé pourquoi Rod ne l'avait pas accompagnée au gala ce soir-là. Qui sait, ils s'étaient peut-être disputés.

Comme le gérant de la station-service venait lui annoncer que la voiture était prête, Josh tira la conclusion de ses réflexions : M. Powell est un homme très malade, qui essaye d'organiser sa succession avant de mourir.

Mais en s'éloignant au volant de la Bentley, il ne put s'empêcher de penser qu'il y avait peut-être d'autres raisons qui avaient décidé M. Powell à accepter cette émission.

44

OBLIGÉ DE RESTER HOSPITALISÉ, Leo Farley bouillait d'impatience. Furieux, il regardait l'aiguille plantée dans son bras gauche et la perfusion osciller au-dessus de sa tête. Il avait un moniteur cardiaque fixé à la poitrine et, quand il avait tenté de se lever, une infirmière s'était précipitée vers lui. « Monsieur Farley, vous ne pouvez pas aller seul aux toilettes. Vous devez être accompagné par une infirmière. Mais vous pouvez fermer la porte. »

C'est merveilleux, se moqua intérieurement Leo, reconnaissant aussitôt qu'il était injuste d'en vouloir à la jeune femme. Il la remercia et, à regret, la laissa le suivre jusqu'à la porte des toilettes. À neuf heures du matin, quand son médecin arriva, Leo était remonté comme une pendule. « Écoute, dit-il, je peux partir d'ici sans avertir ma fille. Elle m'a vu hier soir avant mon entrée à l'hôpital, je sais donc qu'elle n'essaiera pas de me joindre avant ce soir. Il lui reste encore deux jours avant la fin de son tournage, et elle doit faire face à une pression terrible pour mener à bien ce projet. Si je lui dis que je suis à l'hôpital, elle sera folle d'angoisse et se précipitera ici au lieu de finir son émission. »

Le Dr James Morris, un vieil ami, était tout aussi remonté. « Leo, ta fille sera beaucoup plus angoissée s'il t'arrive quelque chose. Je vais l'appeler – elle sait que tu es sujet à des fibrillations – et lui dire clairement que ton état est stable à présent et que je pourrai sans doute te laisser sortir demain matin. Je préfère le faire tout de suite plutôt que tu lui téléphones ce soir ou plus tard. Tu lui seras beaucoup plus utile, à elle et à ton petit-fils, en restant en vie et en bonne santé plutôt qu'en risquant une sérieuse crise cardiaque. »

Le bip du médecin se fit entendre. « Désolé, Leo. Il faut que je te quitte.

– Ne t'en fais pas. Nous en reparlerons plus tard. »

Après le départ du Dr Morris, Leo saisit son téléphone portable et appela Camp Mountainside. Il fut mis en relation avec le bureau de l'administration, puis avec le moniteur principal, qu'il avait déjà rencontré. « Ici le grand-père emmerdeur, dit-il. Je voulais juste avoir des nouvelles de Timmy. Comment se comporte-t-il ? Pas de cauchemars ?

– Non, répondit le moniteur d'un ton ferme. J'ai pris de ses nouvelles ce matin, et le campeur plus âgé de sa tente a dit qu'il avait dormi neuf heures sans bouger. »

Leo poussa un soupir de soulagement : « Bien, ce sont de bonnes nouvelles.

– Cessez de vous inquiéter, monsieur Farley. Nous prenons bien soin de lui. Et *vous*, comment allez-vous ?

– Ça pourrait aller mieux, avoua Leo. Je suis au Mount Sinai Hospital avec des fibrillations auriculaires. Ne pas être disponible pour m'occuper de Timmy me contrarie beaucoup. »

Son interlocuteur ne dit pas à Leo qu'avec le stress auquel il avait été soumis depuis cinq ans, il n'était pas étonnant qu'il souffre de fibrillations. Il préféra se montrer rassurant : « Prenez soin de vous, monsieur Farley. Et nous prendrons soin de votre petit-fils, je vous le promets. »

Deux heures plus tard, quand Yeux Bleus écouta l'enregistrement de cette conversation, il contint difficilement son excitation. Dieu est avec moi, jubila-t-il. Maintenant on va me croire.

45

JANE NOVAK avait porté la même robe noire stricte et le même tablier blanc pendant les vingt-neuf années qu'elle avait passées au service des Powell.

Ses cheveux étaient toujours coiffés de la même façon : tirés en arrière en un chignon sévère. Aujourd'hui, ils étaient seulement striés de gris. Elle ne s'était jamais maquillée et avait repoussé d'un geste méprisant les tentatives de Meg Miller pour déposer même la plus petite trace de poudre ou de crayon à sourcils sur son visage. « Madame Novak, l'éclairage va vous faire paraître livide », protesta Meg. Mais Jane ne voulut rien entendre. « J'ai une peau sans défaut tout simplement parce que je n'ai jamais utilisé une seule de toutes vos camelotes. »

Elle ne savait pas que tout en lui disant : « Très bien, comme vous voudrez », Meg pensait qu'elle avait, en effet, un très beau teint et de jolis traits. Sans la moue tombante de ses lèvres et une expression dure dans le regard, Jane Novak aurait été une femme très séduisante.

Claire fut la deuxième à n'accepter qu'un minimum de maquillage. « Je n'en ai jamais porté », dit-elle. Puis elle ajouta avec amertume : « Personne ne me regardait de toute façon. Ils étaient trop occupés à s'extasier devant ma mère. »

Regina était visiblement si nerveuse que Meg fit de son mieux pour dissimuler avec une crème correctrice les gouttelettes de sueur qui perlaient à son front pour le cas où elle continuerait à transpirer.

Très calme, Alison se contenta de hausser les épaules quand Meg lui dit : « Juste un peu à cause de l'éclairage. »

Quant à Nina Craig, elle déclara : « Je connais l'effet de l'éclairage. Je suis actrice. Faites pour le mieux. »

Courtney, la coiffeuse, s'efforça de retrouver le style de coiffure qu'avaient les lauréates sur les photos vieilles de vingt ans.

Pendant que Laurie attendait ses vedettes dans le bureau, Jerry et Grace se tenaient prêts à apporter les changements que leur patronne jugerait nécessaires.

Un agrandissement de la photo des quatre lauréates et de Jane Novak prise par le photographe de la police à l'époque était posé sur un chevalet en dehors du champ de la caméra. Il servirait de modèle pour déterminer la position des jeunes femmes lors de leurs interviews. L'opérateur, son assistant et l'éclairagiste avaient déjà placé les caméras en conséquence. Sur la photo, trois des filles étaient assises sur le long canapé, donnant l'impression d'être blotties les unes contre les autres. Il y avait deux fauteuils de part et d'autre de la table basse disposée devant le canapé. Jane Novak en occupait un, le visage marqué par la peine, les yeux brillants de larmes contenues. Claire Bonner était assise en face d'elle, l'air songeur, mais sans manifester le moindre signe de chagrin.

Alex Buckley observait avec attention les gens qui s'activaient autour de lui. Il s'était installé près de la porte, dans le fauteuil de cuir où Robert Powell s'asseyait souvent à la fin de la journée. « C'est un fauteuil relax », avait dit Jane Novak à Laurie. « M. Powell aime le régler de manière à ce que ses pieds soient relevés. Son médecin dit que c'est bon pour la circulation. »

Buckley ne put s'empêcher d'apprécier le décor de la pièce. Les lambris d'acajou mettaient en valeur le beau tapis persan aux couleurs vives. La télévision murale était placée au centre de la bibliothèque. Les sièges étaient répartis en deux groupes distincts ; d'une part le canapé et les fauteuils où étaient aujourd'hui assises les lauréates et Jane Novak, d'autre part le fauteuil relax et un second canapé. La porte vitrée coulissante donnant sur le patio se trouvait à droite du canapé des filles. C'était, d'après Jane Novak, la porte qu'elles avaient ouverte pour sortir fumer le soir du gala et négligé de refermer.

D'après le rapport de police, les cendriers sur la table du patio étaient pleins à déborder le lendemain matin. Jane avait indiqué qu'il était resté au moins trois bouteilles de vin dans la poubelle destinée au verre, déposées après qu'elle-même et le traiteur eurent tout rangé à la fin de la réception.

Buckley écouta Laurie expliquer aux jeunes femmes le déroulement de la séance photo. « Comme vous le savez, cette photo servira seulement à établir le décor, avec vous vêtues des mêmes tenues et occupant les mêmes places que ce matin-là. Ensuite, Alex Buckley vous interviewera séparément, à la place que vous occupez en ce moment, afin de recueillir les réflexions et les sentiments qui vous ont traversées alors. Est-ce que vous vous êtes parlé à ce moment-là ? D'après la photo de l'époque cela ne semble pas être le cas. »

Nina répondit pour ses compagnes : « Nous n'avons presque pas dit un mot. Je pense que nous étions toutes en état de choc.

– C'est compréhensible, dit Laurie d'un ton réconfortant. Donc, restez simplement dans la position d'alors et nous allons commencer à vous photographier. Ne regardez pas l'appareil. Regardez la photo et essayez de retrouver la même pose. »

De son point d'observation derrière l'un des appareils, Alex Buckley perçut la tension qui régnait dans la pièce, similaire à celle qu'il sentait parfois dans une salle d'audience quand un témoin important était appelé à la barre. Il savait que Laurie cherchait un effet dramatique en insérant les deux photos dans le film, mais il savait aussi que son objectif était de désorienter les lauréates et Jane Novak jusqu'à ce que l'une d'elles laisse échapper quelque chose qui contredirait ce que contenait le dossier. Il regarda Meg, la maquilleuse, entrer calmement dans le bureau, un poudrier à la main. Elle était là au cas où l'appareil photo révélerait un visage trop luisant.

Il admira l'aspect juvénile des lauréates, leurs silhouettes minces. Nina faisait beaucoup plus jeune que son âge ; un léger lifting peut-être ? Il s'était étonné en voyant Claire Bonner. Elle qui était ravissante la veille, si semblable aux photos de sa mère, paraissait terriblement banale aujourd'hui. Quel jeu joue-t-elle ? se demanda-t-il.

« Très bien, commençons, disait Laurie. Grace, le coussin derrière Nina est trop loin sur la droite. » Grace le déplaça. Laurie vérifia dans le viseur encore une fois et fit un signe d'approbation à l'opérateur. Buckley regarda les photos s'enchaîner, accompagnées à l'occasion d'un commentaire de Laurie.

« Alison, essayez de ne pas vous tourner vers la droite. Nina, tenez-vous en arrière comme sur la photo, sinon vous avez l'air de poser. Jane, tournez un peu la tête vers moi. »

Trente-cinq minutes furent nécessaires avant que Laurie se déclare satisfaite de ce qu'elle voyait dans le viseur de l'appareil. « Merci beaucoup, dit-elle rapidement. Nous allons faire une courte pause, puis Alex va vous interviewer. Il commencera par vous, Claire. Nous retournerons dans le bureau et vous vous assiérez tous les deux face à face dans les sièges que Jane et vous occupez en ce moment. Les autres pourront en profiter pour se détendre. Il y a des magazines et des journaux dans les vestiaires. Il fait un temps superbe, j'imagine que vous serez contentes de vous installer dans le patio.

Elles se levèrent l'une après l'autre. Jane Novak fut la première à se diriger vers la porte. « J'ai préparé quelques petits sandwichs. Vous vous servirez. Vous pouvez manger dehors ou dans la salle à manger du petit déjeuner. Nous déjeunerons à une heure et demie.»

46

LE COMMISSAIRE Edward Penn n'avait pas imaginé que Leo était à ce point inquiet pour la sécurité de sa fille durant le tournage de *Suspicion*.

Il avait posté une voiture de police sur la route qui longeait l'arrière de la propriété et eut envie d'aller jeter un coup d'œil sur les lieux. D'ailleurs, il était curieux de voir à quoi ressemblaient les lauréates vingt ans plus tard.

Il était environ dix heures quand il décida de pénétrer dans la propriété et de rencontrer Laurie Moran. Il n'avait pas l'intention de lui parler de l'inquiétude de son père, mais elle était en compagnie des six personnes qui s'étaient trouvées dans la maison la nuit du meurtre de Betsy Powell, et Penn était convaincu qu'une de ces six personnes était la coupable.

Robert Powell avait été totalement anéanti, les mains gravement brûlées, en outre, par le café qu'il portait à sa femme. Il se pouvait malgré tout qu'il l'ait tuée, ces brûlures étant un prix bien faible à payer pour être considéré comme innocent, pensa Penn.

Il savait que le père de Regina s'était suicidé à cause d'un investissement dans le fonds de placement de Powell. Une fille brisée par le chagrin pouvait en vouloir à Powell d'être la cause indirecte de la mort de son père. Penn était persuadé que Regina avait menti en prétendant que son père n'avait laissé aucune lettre d'explication. Elle n'avait que quinze ans à l'époque, mais elle avait subi sans broncher un interrogatoire serré qui avait révélé une volonté de fer chez quelqu'un d'aussi jeune.

Claire Bonner représentait une énigme. Était-ce le choc qui l'avait pratiquement annihilée après la mort de sa mère ? Il avait assisté à l'enterrement. Alors que les larmes inondaient le visage de Powell, Claire était restée calme et maîtresse d'elle-même.

Il en savait moins sur Nina Craig – seulement que sa mère lui reprochait sans arrêt d'avoir présenté Betsy Bonner à Robert Powell.

C'était Alison Schaefer qui semblait avoir le moins de raisons d'en vouloir à Betsy. Elle s'était mariée quatre mois après la mort de Betsy Powell, et, à cette époque, Rod avait devant lui une brillante carrière de footballeur.

Penn s'était demandé si des paparazzis tenteraient de pénétrer sur les lieux du tournage. Mais rien ne l'indiquait. Le garde laissa entrer sa voiture, et son conducteur, un jeune policier, s'arrêta derrière les camions. « Je ne serai pas long », lui dit Penn, et il s'avança vers le patio où il reconnut immédiatement les quatre lauréates. Elles étaient assises à la même table, en compagnie du mari d'Alison, et levèrent la tête à son approche. Elles parurent d'abord surprises, puis sur la défensive, mais Regina fut la seule à avoir un mouvement de recul comme si on l'avait frappée.

Ce fut à elle qu'il s'adressa : « Regina, je ne sais pas si vous vous souvenez de moi.

– Bien sûr que je me souviens de vous », répondit-elle.

Il poursuivit : « Qu'êtes-vous devenue depuis ce temps ? J'ai été navré d'apprendre la mort de votre mère peu après son départ pour la Floride. »

Regina faillit dire que sa mère était morte le cœur brisé car elle ne s'était jamais consolée de la mort de son mari, mais cette réflexion risquait de soulever la question de la lettre de son père. À moins que le commissaire ne soit déjà en sa possession ? Espérant que sa main ne tremblerait pas, Regina prit son verre de thé glacé et but lentement tandis que Penn saluait les autres lauréates.

Il se tourna vers la table, autour de laquelle étaient assis Laurie, Alex Buckley, Muriel Craig, Jerry et Grace.

« Dans quelques minutes, Alex Buckley va évoquer avec Regina ses souvenirs de la soirée et du matin qui a suivi le crime, l'informa Laurie. Demain soir, à la tombée de la nuit, nous filmerons les lauréates en robes du soir avec en arrière-plan le film qui a été tourné lors de la fête. Si vous avez envie de revenir assister au tournage de cette séquence, vous êtes le bienvenu. »

Ce fut à ce moment que Robert Powell apparut à la porte du patio. « Je travaillais dans mon bureau, expliqua-t-il. Un gestionnaire de fonds d'investissement ne peut se désintéresser des cours du marché ne serait-ce qu'une minute. Ed, comment allez-vous ? Êtes-vous ici pour nous protéger les uns des autres ?

– Je ne pense pas que ce sera nécessaire, monsieur. »

Bien que Powell fût souriant et apparemment détendu, Ed Penn nota les cernes autour de ses yeux et la lassitude générale de son attitude au moment où il s'assit à la table, refusant d'un signe de tête le sandwich que lui offrait Laurie. Muriel, qui s'était plainte de n'avoir rien à faire, s'anima soudain.

« Rob, mon cher, dit-elle, vous avez assez travaillé pour aujourd'hui. Pourquoi n'irions-nous pas tous deux faire une partie de golf ? Je n'étais pas mauvaise autrefois, vous savez. Je suis sûre que je pourrai louer des clubs, et j'ai même apporté des chaussures de golf au cas où je parviendrais à vous persuader. »

Laurie s'attendait à entendre un refus pur et simple, mais Robert Powell sourit. « C'est la meilleure proposition que l'on m'ait faite de la journée, dit-il. Malheureusement, ce sera pour une autre fois. J'ai beaucoup de travail qui m'attend au bureau. » Il s'interrompit un instant et regarda Laurie. « Vous n'avez pas besoin de moi aujourd'hui, n'est-ce pas ?

– Non. Alex va interviewer nos lauréates chacune à leur tour. Puis Jane, s'il nous reste suffisamment de temps.

– Combien de temps prendront les interviews ? demanda Robert Powell. Je croyais qu'elles ne dépassaient pas dix minutes chacune.

– Elles auront cette durée au montage, dit Laurie. Mais Alex prévoit de s'entretenir avec chaque fille une heure environ. C'est bien ça, Alex ?

– Oui, c'est ça.

– Monsieur Powell, vous êtes certain de ne rien vouloir manger ? intervint Jane. Vous avez à peine touché à votre petit déjeuner.

– Jane prend si bien soin de moi, dit Robert Powell à la cantonade. En fait, elle se comporte parfois comme une vraie mère poule. »

On peut difficilement prendre ça pour un compliment, jugea Laurie. La rougeur qu'elle vit monter aux joues de Jane Novak prouvait qu'elle n'était pas seule à le penser.

« La familiarité nourrit le mépris », lança Muriel à l'intention de Jane Novak tandis que Robert Powell repoussait sa chaise et rentrait dans la maison.

Sans dire un mot, la gouvernante se détourna de la table et alla rejoindre les lauréates et Rod. Ils déclinèrent tous l'offre d'un autre café. Sur ce, Laurie se leva. « Si vous ne vous en étiez pas aperçus, je présume que vous le savez tous à présent, on passe son temps à attendre dans ce métier. Alex va commencer par interviewer Claire. Quand ce sera terminé, elle pourra rentrer à l'hôtel, et il en sera de même pour chacune d'entre vous. Prévoyez une heure chacune. »

Le commissaire Penn se leva à son tour. « Si vous apercevez des paparazzis ou un inconnu essayant de s'introduire pendant le tournage, appelez-moi immédiatement. » Il lui tendit sa carte.

Rod se tourna vers Alison : « La chaleur commence à monter. Je suppose que nous ne sommes pas conviés dans le séjour, fit-il d'un ton moqueur, et le bureau est réquisitionné pour le tournage. Mais je pense que nous pouvons nous installer dans la salle à manger du petit déjeuner. Les fauteuils y semblent confortables. »

Laurie se tourna vers Claire : « Je crois sincèrement que vous devriez être un peu plus maquillée. Avec vos sourcils et vos cils blonds vous paraîtrez terriblement pâle à l'écran. Vous avez besoin d'une petite retouche. » Elle regarda en direction du camion de maquillage. « Elles vous attendent », dit-elle. Avec un bref signe de tête, elle alla à la porte qui donnait dans le petit salon et l'ouvrit.

Le commissaire Penn fit signe à son chauffeur et se dirigea vers sa voiture. Au passage, il jeta un regard vers Bruno Hoffa, qui traquait méticuleusement toute trace de papier ou de mauvaise herbe qui aurait pu déranger la sereine beauté du parc. Penn l'entrevit à peine mais, une fois dans sa voiture, il se rendit compte qu'inconsciemment quelque chose le tracassait. Une petite voix en lui disait : *J'ai l'impression de connaître ce type, mais pourquoi ?*

En pénétrant dans le petit salon à la suite de Laurie, Alex Buckley s'était fait la même réflexion à propos de Bruno. *J'ai l'impression de connaître ce type, mais pourquoi ?* Buckley hésita, puis chercha son portable dans sa poche et prit une photo. Il nota mentalement d'obtenir le nom du jardinier et de le transmettre à son enquêteur.

Puis, pour la première fois, les quatre lauréates se retrouvèrent seules, et Josh Damiano, qui avait aidé Jane Novak à servir le café, saisit sa chance. « J'ai un cadeau pour trois d'entre vous, dit-il, mais pas Claire. » Il regarda cette dernière. « J'ai essayé de vous parler dans la voiture, mais vous êtes restée muette. » Il se tourna vers les trois autres. « Voilà un enregistrement qui devrait vous intéresser. Surtout vous, Regina. Peut-être ai-je trouvé quelque chose que vous avez perdu. »

Il remit des enveloppes séparément à Regina, Alison et Nina, puis ajouta : « Il y a un lecteur dans le tiroir de la coiffeuse du vestiaire près de la cuisine. Nous pourrons avoir une petite conversation lorsque vous aurez eu l'occasion d'écouter ces enregistrements. »

Il ramassa les tasses à café qui étaient devant lui et lança un : « À tout à l'heure » d'un ton assuré où flottait à peine l'ombre d'une menace.

47

PARCE QUE LE BUREAU où il travaillait était trop proche du salon grouillant d'activité, Robert Powell monta dans l'appartement qu'il avait partagé avec Betsy pendant les neuf années de leur mariage. Obéissant à sa demande tacite, Jane Novak le suivit avec une cafetière pleine. Puis, afin de ne pas l'irriter davantage, elle ferma la porte de sa chambre afin d'y faire le ménage sans bruit. Elle évita d'utiliser l'aspirateur, dont le bruit risquait de le déranger. Puis elle quitta la chambre et regagna le rez-de-chaussée.

Powell se demandait à nouveau s'il n'avait pas commis une grave erreur en invitant ces jeunes filles – ces jeunes femmes, se reprit-il avec un sourire ironique – à faire revivre ce qui s'était passé vingt ans plus tôt. Était-ce le pronostic de son médecin qui l'y avait poussé ? Ou un besoin pervers de les revoir, de jouer avec elles comme Betsy l'avait fait pendant des années ? S'était-il tellement imprégné de la personnalité de Betsy qu'il ne restait plus rien de la sienne, même après tout ce temps ? Chaque lauréate avait une raison valable de tuer sa femme, il le savait. L'une d'elles s'effondrerait-elle sous le feu des questions de Buckley ? L'avocat était capable de déceler des réponses préparées à l'avance.

Robert Powell était prêt à parier qu'elles avaient toutes répété avec soin ce qu'elles allaient dire lors de leur interview. Elles commenceraient par leurs premières impressions, au moment où elles avaient pénétré dans la chambre de Betsy après l'avoir entendu crier.

Il lui sembla soudain que c'était seulement la veille qu'il y était entré pour lui apporter la tasse de café qu'elle voulait toujours brûlant, « pour sentir l'arôme des grains ».

Powell contempla les vilaines cicatrices sur ses mains qui témoignaient du choc qu'il avait éprouvé à la vue de l'oreiller plaqué sur le visage de Betsy. Ses longs cheveux blonds emmêlés s'en échappaient, et ses mains étaient crispées sur les bords de l'oreiller. Elle avait visiblement lutté pour tenter de se dégager.

Il se souvenait d'avoir hurlé son nom et d'avoir essayé d'empêcher le café de se renverser avant que ses jambes cèdent sous lui. Il se souvenait de Jane penchée sur lui tentant maladroitement de lui faire un massage cardiaque, pendant que les filles se tenaient figées autour du lit tels des spectres. Il se rappelait ensuite s'être réveillé à l'hôpital, sans avoir conscience de rien, sauf de ses mains douloureuses et d'avoir appelé Betsy.

Robert Powell s'inclina en arrière dans son fauteuil. Il était temps de redescendre et de passer quelques coups de téléphone pour ses affaires. Mais il hésita un moment et s'arrêta pour réfléchir à ce que Claire allait dire à Buckley.

Ce qui lui avait semblé amusant ne l'était plus désormais. Son seul désir était de voir ces femmes s'en aller et de profiter paisiblement du peu de temps qui lui restait.

48

ALEX BUCKLEY regarda Claire Bonner assise en face de lui dans le bureau. Une fois de plus, elle avait résisté à la suggestion de Meg Miller d'accentuer légèrement la couleur de ses cils et de ses sourcils. En l'étudiant de plus près, il semblait absurde de vouloir la comparer avec la très jolie femme qui avait fait son entrée la veille dans cette maison.

Il était facile de voir à quoi tenait la différence. Les longs cils et les sourcils bien dessinés étaient très pâles, tout comme son teint. Elle ne portait pas de rouge à lèvres, et il aurait juré qu'elle avait éliminé les reflets dorés de ses cheveux. Je trouverai ce qu'elle a derrière la tête, pensa-t-il, et il lui adressa un sourire encourageant quand Laurie lança : « Action » et que la lumière rouge de la caméra s'alluma.

« Je vous parle depuis la propriété de Robert Nicholas Powell, le financier de Wall Street dont la ravissante épouse, Betsy Bonner Powell, a été assassinée il y a vingt ans après un gala donné pour fêter le diplôme de sa fille Claire et de trois de ses amies intimes. Claire Bonner est avec moi. Claire, je sais qu'il doit être horriblement pénible pour vous toutes de vous retrouver ici aujourd'hui. Pourquoi avez-vous accepté de participer à cette émission ?

– Parce que mes amies et moi-même et, à un degré moindre, mon beau-père et la gouvernante avons été depuis vingt ans suspectés, en tant que "témoins assistés", de la mort de Betsy », déclara Claire avec émotion. « Pouvez-vous vous imaginer ce que c'est que d'aller dans un supermarché et de découvrir sa photo en couverture d'un journal à scandale avec la question : "Était-elle jalouse de sa ravissante mère ?"

– Non, je ne l'imagine pas, répondit calmement Alex.

– Ou de nous voir toutes les quatre photographiées en ligne comme sur une photo d'identité judiciaire. C'est pour cette raison que nous sommes ici aujourd'hui, pour que le public comprenne à quel point quatre jeunes femmes, c'est-à-dire nous, ont été traitées injustement, traumatisées et malmenées. C'est pour cela que je suis ici, monsieur Buckley.

– Et je présume que c'est pour cette même raison que les autres sont également là, dit Alex Buckley. Avez-vous pu rattraper avec elles un peu du temps passé ?

– Nous ne nous sommes jamais revues. Je sais que vous ne vouliez pas que nous confrontions nos expériences. Mais laissez-moi vous dire une chose : nous n'avons pas essayé de comparer nos histoires, et je pense que vous vous en apercevrez. Elles se ressemblent plus ou moins, parce que nous étions ensemble au moment des événements.

– Claire, avant d'aborder la mort de votre mère, j'aimerais revenir un peu en arrière. Pourquoi ne pas commencer par la rencontre de votre mère avec Robert Powell ? J'ai cru comprendre que vous avez vécu peu de temps à Salem Ridge. Est-ce exact ?

– Oui. J'avais terminé l'école primaire en juin, et ma mère voulait habiter dans le Westchester County. Très franchement, je crois qu'elle voulait rencontrer un homme riche. Elle avait trouvé une location dans une maison mitoyenne, et je peux vous assurer qu'il n'y a pas beaucoup de maisons de ce genre à Salem Ridge.

« Je suis entrée au lycée au mois de septembre, c'est alors que je me suis liée avec Nina, Alison et Regina. Mon anniversaire est en octobre, et ma mère a décidé de faire les choses en grand et m'a emmenée à La Boehm, à Bedford. Nina Craig et sa mère s'y trouvaient en même temps. Nina nous a aperçues et invitées à faire la connaissance de sa mère. Par la même occasion, nous avons fait la connaissance de Robert Powell, qui était à leur table. Je pense que ce fut le coup de foudre entre eux, je veux dire, ma mère et Robert. Je sais que la mère de Nina ne s'est jamais remise du fait que "Betsy m'a volé Rob alors que nous étions sur le point de nous fiancer", comme elle disait.

– Votre propre père vous avait abandonnées, votre mère et vous, quand vous étiez toute petite.

Comment votre mère s'est-elle débrouillée pour vous élever tout en travaillant à temps plein ?

– C'est ma grand-mère qui me gardait. J'avais trois ans lorsqu'elle est morte. » Des larmes brillèrent dans les yeux de Claire à l'évocation de son aïeule. « Ensuite, se sont succédé plusieurs baby-sitters. Si elles ne se présentaient pas, ma mère m'emmenait au théâtre, et je dormais dans un fauteuil vide, ou dans une loge inoccupée si la pièce comportait peu d'acteurs. D'une manière ou d'une autre, on s'arrangeait. Mais bien sûr, tout a changé quand ma mère a rencontré Robert Powell.

– Votre mère et vous étiez très proches, n'est-ce pas ? N'avez-vous jamais été jalouse de voir Robert Powell arriver si soudainement dans votre vie et monopoliser le temps et l'attention de votre mère ?

– Je voulais qu'elle soit heureuse. Il était indiscutablement très riche. Après les petits logements minables dans lesquels nous avions vécu depuis ma naissance, nous installer dans cette superbe maison semblait merveilleux.

– Semblait ? fit vivement Alex Buckley.

– Était merveilleux, corrigea Claire.

– Ce fut une année particulière pour vous, Claire. Le déménagement dans une nouvelle région, l'entrée au lycée, puis le mariage de votre mère et l'installation dans cette maison.

– Tout était nouveau », dit Claire avec un faible sourire.

Si vous saviez, pensa-t-elle, si seulement vous saviez !

« Claire, étiez-vous proche de Robert Powell ? »

Elle regarda Buckley dans les yeux. « Dès le début », dit-elle.

Oh oui, j'étais proche de lui si on veut, pensa-t-elle, se souvenant qu'elle guettait le bruit que faisait la porte de sa chambre en s'ouvrant.

Alex Buckley savait que derrière les réponses lisses de Claire bouillait une fureur prête à exploser. Tout n'était pas douceur et lumière dans cette maison, pensa-t-il en décidant de passer à un autre type de questions. « Claire, parlons du gala. Quel genre de fête était-ce ? Combien de gens y assistaient ? Nous avons ces informations, naturellement, mais j'aimerais les entendre venant de vous, selon votre point de vue. »

Il avait deviné que Claire commencerait par des réponses soigneusement préparées. « C'était une nuit parfaite, dit-elle. Il faisait une température délicieuse, environ vingt-cinq degrés. Il y avait un orchestre dans le patio et une piste de danse. Des buffets étaient installés partout, garnis de toutes sortes de nourriture. Près de la piscine était dressée une table magnifiquement décorée. Il y avait au centre un grand gâteau rectangulaire orné de nos noms et des symboles de nos universités avec leurs couleurs.

– Vous aviez choisi d'être externe à Vassar, n'est-ce pas ? »

De nouveau Alex vit dans le regard de Claire une expression qu'il ne put identifier. De la colère ? De la déception ? Ou les deux ? Il émit une hypothèse : « Claire, vous avez peut-être été déçue de ne pas partir à l'université comme vos autres amies ?

– Vassar est une université formidable. Je n'ai peut-être pas connu les joies de la vie universitaire en n'étant pas pensionnaire, mais ma mère et moi étions si proches que j'étais heureuse de rester à la maison. »

Le sourire de Claire tenait davantage du ricanement, mais elle se reprit : « Nous nous sommes toutes beaucoup amusées à cette fête, dit-elle. Puis, comme vous le savez, les autres filles ont passé la nuit à la maison. Quand tout le monde a été parti, nous avons enfilé nos chemises de nuit et nos robes de chambre, sommes allées dans le petit salon et nous avons bu du vin. Beaucoup de vin. Nous avons échangé des potins sur la fête, comme le font les filles.

– Votre mère et M. Powell étaient-ils avec vous dans le petit salon ?

– Rob nous avait dit bonsoir après le départ des derniers invités. Ma mère s'est assise avec nous quelques minutes, puis elle a dit : “Je vais faire comme vous et me mettre à l'aise.” Elle est montée dans sa chambre, d'où elle est redescendue en chemise de nuit et en robe de chambre.

– Est-elle restée longtemps ? »

Pendant un instant, un vrai sourire éclaira le visage de Claire. « Ma mère n'était pas une alcoolique, ne croyez pas ça, mais elle aimait boire un ou deux verres de vin le soir. Elle en a peut-être bu trois ce soir-là avant d'aller se coucher. Elle nous a toutes embrassées et serrées dans ses bras en nous disant bonsoir, et c'est pourquoi nous avions toutes des traces de son ADN sur nos chemises de nuit et nos robes de chambre le lendemain matin.

– Vos amies aimaient beaucoup votre mère, n'est-ce pas ?

– Je pense qu'elle les impressionnait beaucoup. »

Buckley savait ce que Claire ne lui disait pas : que chacune des filles avait une raison de haïr Betsy Powell. Nina, parce que sa mère l'accablait de reproches pour avoir présenté Betsy à Robert Powell. Regina, parce que son père avait été ruiné en investissant dans le fonds de Robert Powell. Alison, parce que la bourse qui lui revenait avait été attribuée à une autre à la suite de l'intervention de Betsy Bonner.

« Après que votre mère vous a dit bonne nuit, l'avez-vous revue ?

– Vous me demandez si je l'ai revue en vie ? » Claire n'attendit pas la réponse. « Mon dernier souvenir de ma mère vivante est de l'avoir vue se retourner, sourire et nous envoyer à toutes les quatre un baiser du bout des doigts. C'est un souvenir très vif. Ma mère était une très belle femme. Elle portait toujours de ravissantes chemises de nuit assorties à ses robes de chambre. Ce soir-là elle était vêtue d'un ensemble de satin bleu pâle, bordé de dentelle ivoire. Ses cheveux retombaient sur ses épaules, et elle semblait heureuse du succès de la fête. Quand je l'ai revue, Rob ou bien Jane avait ôté l'oreiller de son visage. Ses yeux étaient grands ouverts, son regard fixe. Une de ses mains agrippait encore l'oreiller. Elle avait dû s'endormir profondément après avoir bu trois verres de vin, mais j'ai toujours eu le sentiment qu'elle s'était défendue. »

Buckley écoutait Claire parler d'une voix soudain dépourvue d'émotion. Elle avait joint les mains et son visage était devenu encore plus pâle qu'au début de leur entretien.

« Comment avez-vous su qu'il était arrivé quelque chose ? demanda-t-il.

– J'ai entendu un hurlement atroce provenant de sa chambre. J'ai appris plus tard que c'était Rob qui lui apportait son habituel café matinal. Nous étions à moitié endormies – nous avions parlé et bu jusqu'à trois heures du matin. Nous sommes arrivées dans la chambre toutes les quatre à peu près en même temps. Jane Novak avait dû entendre Rob crier. Elle était déjà dans la chambre de ma mère. À genoux, penchée au-dessus de Robert qui s'était écroulé et se tordait de douleur. Je pense qu'il s'était précipité pour ôter l'oreiller du visage de ma mère et que le café brûlant s'était répandu sur ses mains. L'oreiller était à côté de la tête de ma mère et taché de café. »

Le visage de Claire était devenu impassible. Étonnamment différent de son expression quand elle avait parlé de sa grand-mère.

« Que s'est-il passé ensuite, Claire ?

– Je crois que c'est Alison qui a décroché le téléphone et composé le 911. Elle a crié quelque chose comme : "Envoyez une ambulance et la police ! Betsy Bonner Powell est morte ! Je crois qu'elle a été assassinée !"

– Qu'avez-vous fait en attendant leur arrivée ?

– Trois minutes à peine ont dû s'écouler. Puis ç'a été le chaos. Nous avons été littéralement chassées de la chambre. Je me souviens que le chef de la police nous a ordonné de regagner nos chambres et de nous changer. Il a eu le toupet de dire qu'il avait repéré ce que nous portions et qu'il n'était pas question de mettre au linge sale les chemises de nuit dans lesquelles nous avions dormi. Plus tard, nous avons compris qu'elles seraient analysées afin d'y trouver d'éventuelles traces d'ADN.

– Vous avez donc enfilé chacune un jean et un T-shirt semblables à ceux que vous portiez pour la photo ce matin.

– Oui. On nous a ensuite escortées dans le petit salon du rez-de-chaussée où nous avons attendu que la police vienne nous interroger. Ils ne nous ont même pas permis d'aller boire un café dans la cuisine.

– Vous leur en voulez encore, n'est-ce pas ?

– Oui, sans aucun doute. » La voix de Claire tremblait de rage. « Réfléchissez. Nous avions vingt-deux ans à peine. Quand j'y repense, je me rends compte que même si nous étions toutes persuadées d'être déjà adultes, prêtes à nous élancer dans la vie avec nos diplômes en poche, nous n'étions en réalité que des gamines mortes de peur. Les interrogatoires qu'on nous a fait subir ce jour-là, et pendant des semaines par la suite, ont été un simulacre de justice. Nous étions sans cesse convoquées au commissariat. C'est la raison pour laquelle la presse a commencé à nous qualifier de “suspectes”.

– Qui a pu assassiner votre mère, à votre avis ?

– Trois cents personnes assistaient à cette fête. Certaines ne sont pas identifiables sur les photos et les films qui ont été pris. Les gens entraient et sortaient. Jane avait condamné le bas de l'escalier, mais n'importe qui aurait pu se glisser à l'étage. Ma mère portait ses émeraudes ce soir-là. Un intrus a pu cambrioler sa chambre, ou même se cacher dans une penderie. Je pense que quelqu'un a attendu qu'elle soit profondément endormie, puis a subtilisé les émeraudes qui se trouvaient sur sa coiffeuse. Elle a peut-être bougé à ce moment-là et il a pris peur et tenté de les remettre en place. Qui sait ? On a retrouvé une boucle d'oreille sur le sol. Je pense qu'elle s'est réveillée et que l'individu a voulu l'empêcher d'appeler à l'aide avec le seul moyen dont il disposait.

– Et cet individu, selon vous, est donc l'assassin de votre mère ?

– Oui, je le crois. Souvenez-vous que nous avions laissé la porte du patio ouverte. Nous sommes toutes les quatre des fumeuses, et mon beau-père interdisait formellement que l'on fume à l'intérieur de la maison.

– Est-ce pour cette raison que les articles sur la mort de votre mère vous ont tellement indignée ?

– C'est pour cette raison que je vous dis qu'aucun de nous ici – ni Rob, ni Jane, ni Nina, ni Regina, ni Alison – n'a quelque chose à voir avec la mort de ma mère. Ni moi non plus, bien entendu. » La voix de Claire était devenue stridente : « Ni moi non plus !

– Merci, Claire, d'avoir partagé avec nous les souvenirs de ce jour tragique où vous avez perdu votre mère qui vous était si chère. »

L'avocat tendit la main par-dessus la table pour serrer celle de Claire.

Elle était moite de sueur.

49

LE MARDI MATIN, George Curtis se leva à six heures et demie et, comme à son habitude, déposa un baiser sur le front d'Isabelle sans la réveiller. Il éprouvait un besoin désespéré de la toucher. Il s'était souvent réveillé durant la nuit et avait passé un bras autour d'elle. Puis des souvenirs coupables envahissaient sa mémoire : *Betsy portait toujours des chemises de nuit de satin, elle aussi.* Et, inévitablement, sa pensée allait vers Isabelle. Isabelle, qu'il avait failli perdre. J'ai failli me priver de la vie heureuse que j'ai eue avec toi et nos enfants pendant presque vingt ans, se rappelait-il, tandis qu'il prenait sa douche, s'habillait et descendait à la cuisine se préparer un café. Il l'emporta jusqu'à la voiture, le plaça dans le porte-gobelet et prit la route de son bureau, le siège international de Curtis Foods, à New Rochelle, à quinze kilomètres de là.

Il aimait se retrouver seul dans son bureau pendant cette première demi-heure. C'était le moment où il pouvait se concentrer sur les courriers et e-mails importants de ses directeurs régionaux du monde entier. Mais, aujourd'hui, il n'arrivait pas à se concentrer. Après avoir consulté rapidement les résultats financiers favorables, il se dit qu'il aurait très bien pu payer Betsy et camoufler ce versement sans éveiller le moindre soupçon.

Mais je n'aurais pas pu lui faire confiance, se répétait-il.

Lorsque le bureau commença à s'animer, peu avant neuf heures, George Curtis accueillit Amy Hewes, sa fidèle assistante, avec sa cordialité habituelle et entreprit de passer en revue avec elle certains e-mails auxquels il voulait répondre sans délai. À onze heures trente, il téléphona chez lui. « Tu as des projets pour le déjeuner ? » demanda-t-il à Isabelle.

Elle répondit sur-le-champ. « Aucun. Sharon m'a demandé de la retrouver au golf, mais je me sens trop paresseuse aujourd'hui. Je me prélasse dans le patio. Louis prépare un gaspacho et une salade de poulet. Qu'en dis-tu ?

– Parfait. J'arrive. »

En passant devant le bureau d'Amy, il la prévint qu'il ne reviendrait pas dans l'après-midi, elle eut l'air surpris. « Ne me dites pas que vous, l'orateur qu'on s'arrache et qui subjugue ses auditoires, vous êtes nerveux à cause de l'interview de cet après-midi ? »

George tenta de sourire. « Peut-être. »

Le court trajet lui parut interminable. Il était si impatient de voir Isabelle qu'il laissa sa voiture dans l'allée devant la maison, monta les marches du perron d'un bond, ouvrit la porte et se hâta le long du couloir qui menait à l'arrière. Avant de franchir la porte vitrée qui donnait sur le patio, il s'immobilisa un instant. Isabelle était assise dans une des confortables chaises longues, les jambes étendues sur le bout-de-pied, un livre à la main. Elle avait soixante ans. Ses cheveux d'un beau gris argenté, coupés court avec une frange droite, encadraient parfaitement son visage dont les traits classiques étaient la marque de ses origines aristocratiques. Ses ancêtres étaient arrivés à bord du *Mayflower*. Son corps mince était déjà hâlé. Elle s'était débarrassée de ses chaussures et croisait les jambes. George Curtis resta une longue minute à contempler la très jolie femme qui avait été son épouse pendant trente-cinq ans. Ils s'étaient rencontrés à un bal donné par les étudiants de dernière année de Harvard. Isabelle y assistait avec des amis de l'université de Wellesley. À l'instant où elle est entrée dans la salle, j'ai été attiré par elle, se souvint George. Mais je sais que ses parents ont été déçus quand je les ai rencontrés. Ils auraient préféré que notre famille ait fait fortune à Wall Street plutôt que dans les hot-dogs et les hamburgers.

Qu'auraient-ils pensé s'ils avaient appris que j'avais une liaison avec la meilleure amie de leur fille ? Ils auraient conseillé à Isabelle de me quitter.

Et si Isabelle l'avait su, bien qu'enceinte de nos jumeaux, elle aurait voulu me quitter elle aussi.

Et elle le voudrait encore, pensa George amèrement en faisant glisser la porte du patio. Isabelle leva les yeux en l'entendant et sourit. « Est-ce moi ou le menu qui t'a poussé à me rejoindre pour le déjeuner ? demanda-t-elle en se tournant pour l'embrasser

– C'est toi », répondit avec ferveur George. L'entourant de ses bras, il lui rendit son baiser.

Louis, leur cuisinier, pénétra dans le patio avec un plateau chargé de deux verres de thé glacé.

« Ça fait plaisir de vous avoir à déjeuner, monsieur Curtis », dit-il d'un ton enjoué.

Louis était à leur service depuis vingt-deux ans. Il travaillait auparavant dans un restaurant voisin et, un soir où ils y dînaient, il était venu à leur table et avait dit : « J'ai entendu dire que vous cherchiez un nouveau cuisinier.

– Oui, le nôtre prend sa retraite, avait confirmé George.

– J'aimerais beaucoup faire un essai. Nous proposons surtout de la cuisine italienne ici, mais je suis diplômé du Culinary Institute de Hyde Park et je pourrais vous servir une grande variété de menus. »

Et c'était ce qu'il avait fait, y compris préparer tous les jours les repas des jumeaux quand ils étaient petits et leur permettre ensuite de venir l'« aider » à la cuisine lorsqu'ils grandirent.

George s'assit dans un fauteuil à côté d'Isabelle, mais, au moment où Louis posait le plateau près de lui, il dit : « Louis, veuillez laisser mon thé sur la table et apportez-moi un bloody mary. »

Isabelle haussa les sourcils. « Ça ne te ressemble pas, George. Es-tu nerveux à cause de ton interview avec Alex Buckley ? »

Il attendit que la porte du patio se referme derrière Louis pour lui répondre : « Mal à l'aise, plutôt qu'inquiet. En réalité, le but même de cette émission me semble bizarre. À mon avis il ne s'agit pas tant de démontrer l'innocence de ces filles que de prouver que quelqu'un dans le groupe est coupable de la mort de Betsy.

– Quelqu'un comme toi, George ? »

George Curtis regarda sa femme, stupéfait. Son sang se glaça dans ses veines. « Que veux-tu dire ?

– J'ai surpris l'intéressante conversation que tu as eue avec Betsy le soir du gala. Vous vous étiez éloignés de la foule, mais je vous ai suivis. J'étais cachée derrière les palmiers installés pour la décoration. Tu ne t'es pas rendu compte que tu avais élevé la voix. »

George comprit que le cauchemar qu'il avait tant redouté se réalisait. Isabelle allait-elle lui dire, maintenant que les jumeaux étaient grands, qu'elle voulait divorcer ? « Isabelle, j'ai plus de remords que tu ne peux même l'imaginer, dit-il. S'il te plaît, je t'en prie, pardonne-moi.

– Oh, je t'ai déjà pardonné, répliqua vivement Isabelle. Crois-tu que j'étais stupide au point de ne pas avoir deviné que tu avais une liaison avec cette salope ? Quand j'ai surpris votre conversation, j'ai décidé que je ne voulais pas te perdre. Nous nous étions éloignés l'un de l'autre, mais je savais que j'en étais en partie responsable. J'ai mis du temps à te pardonner, mais je ne regrette pas d'avoir pris cette décision. Tu as été un mari et un père merveilleux, et je t'aime tendrement.

– Je me suis tellement tourmenté, senti tellement coupable pendant toutes ces années. »

La voix de George se brisa.

« Je sais », dit Isabelle d'un ton sec. « C'était ma manière de te punir. Oh, voilà Louis avec ton bloody mary. Je parie que tu en as vraiment envie maintenant. »

Dieu du Ciel, et je pensais connaître ma femme ! s'étonna George Curtis in petto en prenant le verre que Louis posait devant lui.

« Louis, je pense que nous pouvons commencer à déjeuner à présent », dit Isabelle avant d'avaler une gorgée de thé.

Lorsque Louis fut reparti à la cuisine, Isabelle reprit : « George, quand tu as menacé Betsy de la tuer si jamais elle me racontait votre liaison, je n'ai peut-être pas été la seule à t'entendre. Comme je te l'ai dit, tu ne te rendais pas compte que tu parlais très fort. Ensuite, quand nous sommes rentrés à la maison et que nous nous sommes couchés, je me suis endormie dans tes bras. Je me suis réveillée à quatre heures du matin et tu n'étais plus là. Plus d'une heure s'est écoulée avant que tu reviennes. J'ai simplement pensé que tu étais en bas, en train de regarder la télévision. C'est toujours ce que tu fais quand tu te réveilles au milieu de la nuit et que tu n'arrives pas à te rendormir. Quand j'ai appris que Betsy avait été assassinée, j'ai imploré Dieu. Si c'est George qui l'a tuée, faites qu'il n'ait pas laissé d'indices permettant de remonter jusqu'à lui. Si quelque chose fait naître un doute au cours du tournage de cette émission, je jurerai que tu n'as pas quitté notre lit cette nuit-là.

– Isabelle, tu ne crois quand même pas…

– George, nous habitons à quelques rues de chez les Powell. Tu n'aurais pas mis cinq minutes pour aller à pied jusqu'à leur maison. Tu connaissais la disposition des lieux. Et franchement, je me fiche que tu l'aies tuée. Je sais que nous en avions les moyens, mais je ne vois pas pourquoi nous aurions dû payer vingt-cinq millions à cette traînée qui te faisait chanter. »

Ils passèrent à table et, tandis que George lui tenait sa chaise, Isabelle dit : « Je t'aime, George, et les jumeaux t'adorent. Ne dis rien qui puisse gâcher ça. Voilà Louis qui arrive avec la salade. Je parie que tu meurs de faim. »

50

« BRAVO TOUT LE MONDE, c'était super. Faites une pause à présent. Ensuite ce sera le tour d'Alison Schaefer. Nous recommencerons dans une demi-heure », annonça Laurie d'un ton énergique. Jerry, Grace et l'équipe de prise de vues savaient que c'était la façon de Laurie de dire : « Débarrassez le plancher. » Il était clair qu'elle voulait parler seule à Alex Buckley. Ils sortirent les uns derrière les autres et refermèrent la porte du bureau sans un mot. Puis Buckley suggéra : « Nous pourrions peut-être prendre tranquillement un café. Je sais que vous le prenez noir, sans sucre. »

Laurie acquiesça.

« Je reviens tout de suite », dit Buckley en dépliant ses longues jambes pour se lever.

Quand il revint, cinq minutes plus tard, portant deux tasses de café, Laurie était assise dans le fauteuil qu'avait occupé Claire et griffonnait quelques notes. « Merci beaucoup », dit-elle comme il posait les tasses sur la table devant eux. « Est-ce qu'ils sont tous dehors ? Je veux dire, Claire fait-elle le compte rendu de son interview avec vous ?

– J'ignore où est Claire, mais il se passe quelque chose de bizarre avec les autres, dit Alex Buckley. Regina est blanche comme un linge et, visiblement, Nina et sa mère sont en train de se chamailler dans le patio. Pas de surprise de ce côté-là. Alison et Rod sont au bord de la piscine. À la façon dont il a passé le bras autour de ses épaules, je présume qu'elle est bouleversée. Elle s'essuie les yeux avec un mouchoir. »

Laurie eut l'air stupéfait : « Qu'est-ce qui a pu les mettre dans cet état ?

– Quand vous et moi les avons quittés, Claire est partie quelques minutes plus tard », dit l'avocat en plissant le front, soucieux. « Les trois autres ont attendu que Josh apporte le café. Laurie, je pense qu'il s'est passé quelque chose qui les a toutes profondément troublées. J'arriverai peut-être à savoir quoi quand j'interrogerai Alison. » Son ton devint plus ferme : « Vous vouliez me parler de l'interview de Claire, n'est-ce pas ?

– Oui, c'est exact. Pourquoi l'avez-vous si longuement interrogée sur ses relations avec Robert Powell ?

– Réfléchissez, Laurie. Sa mère et elle ont visiblement eu une vie difficile pendant les treize premières années de Claire. Puis Robert Powell entre en scène. Aussi fabuleuse qu'ait pu être sa nouvelle vie dans cette demeure, il ne fait aucun doute, d'après tout ce que j'ai lu, que Powell et Betsy étaient pratiquement inséparables. Et pourquoi Claire n'est-elle pas entrée à l'université comme ses amies ? Elle a dû passer beaucoup de soirées solitaires. On m'a raconté que Powell et Betsy sortaient presque tous les soirs. Pourquoi Claire n'a-t-elle pas pu être pensionnaire à Vassar ? N'avez-vous pas vu son visage changer quand elle a parlé de Powell ? Je peux vous affirmer dès maintenant qu'il s'est passé quelque chose. »

Laurie le regarda pensivement et hocha la tête.

Buckley sourit. « Vous l'avez remarqué, vous aussi. J'en étais sûr. Chaque fois que je prépare mes arguments dans un procès, je demande à mes enquêteurs de se pencher sur le passé de la personne que je défends comme sur celui des témoins, favorables ou défavorables à mon client, qui seront appelés à la barre. Une des premières choses que j'ai apprises est de ne pas me fier aux apparences. Si vous voulez mon avis, Claire Bonner n'était pas aussi désespérée par la mort de sa mère qu'elle le prétend.

– Au début, j'avais attribué sa réaction au choc, reconnut Laurie. Puis j'ai eu la même impression que vous. Elle n'a parlé que de sa colère contre la police, de la façon dont elle et ses amies avaient été traitées. Pas un mot de son chagrin. » Elle changea de sujet. « Maintenant, avant qu'Alison n'arrive, laissez-moi vous donner mes premières impressions la concernant. »

Alex but lentement son café pendant que Laurie poursuivait : « Rod Kimball et Alison Schaefer se sont mariés quelques mois après le gala, pourtant elle ne l'avait même pas invité à l'accompagner. Était-elle pressée de contracter un mariage suite à des interrogatoires qu'elles avaient toutes subis après la mort de Betsy ? Un autre élément intéressant, c'est cette bourse qui lui avait été refusée pour être attribuée à une candidate dont les notes étaient inférieures aux siennes mais qui était la fille d'une amie de Betsy. Le fait que Powell ait donné une grosse somme à l'université d'Alison a-t-il joué ? »

Alex hocha la tête. « Vous avez fait pas mal de recherches de votre côté, me semble-t-il.

– C'est exact, reconnut Laurie. Et je me suis demandé si le fait que Rod ait signé un super-contrat avec les Giants avait un rapport avec son mariage précipité avec Alison. Pourtant, quand il a eu son accident, elle est restée à ses côtés. Apparemment, il avait toujours eu un faible pour elle, depuis la maternelle. Lorsqu'ils se sont mariés, il avait devant lui un brillant avenir de trois-quarts arrière. Même si la célébrité et la fortune d'un footballeur professionnel l'avaient attirée, il devait y avoir davantage dans les sentiments d'Alison. Les vingt années écoulées en sont la preuve.

– À moins qu'elle n'ait été tellement furieuse de voir cette bourse lui échapper qu'elle ait étouffé Betsy et l'ait avoué à Rod ? Ce qui aurait donné à ce dernier une emprise sur elle pendant tout ce temps », suggéra Buckley.

On frappa à la porte et l'opérateur passa la tête

par l'entrebâillement. « Laurie, vous êtes prête à commencer ? »

Buckley et Laurie se consultèrent du regard. Ce fut Alex qui répondit. « Tout à fait. Voulez-vous demander à Alison Schaefer de venir ? »

51

PLUS TARD dans la matinée, Leo Farley avait les yeux fixés au plafond tandis que son médecin et ami de longue date vérifiait son rythme cardiaque. « Je n'ai absolument rien de sérieux, affirma Leo d'un ton péremptoire.

– C'est toi qui le dis, répliqua doucement le Dr James Morris, mais, que tu le veuilles ou non, tu vas rester ici jusqu'à ce que je te donne l'autorisation de sortir. Et avant que tu me demandes une énième fois pourquoi, laisse-moi t'expliquer à nouveau. Tu avais encore des fibrillations hier soir. Si tu ne veux pas avoir une crise cardiaque, tiens-toi tranquille.

– D'accord, d'accord », se résigna rageusement Leo. « Mais Jim, tu ne comprends pas ! Je ne veux pas que Laurie sache où je suis, pourtant, je peux t'assurer qu'elle a déjà deviné. Elle ne m'appelle jamais en allant à son travail, mais elle m'a téléphoné aujourd'hui. Elle voulait absolument savoir où j'étais hier soir… Je ne peux pas la laisser s'inquiéter comme ça à mon sujet pendant qu'elle réalise cette émission.

– Veux-tu que je téléphone à Laurie et que je la rassure à ton sujet comme je te l'ai déjà proposé ? demanda le Dr Morris.

– Je la connais. Si tu l'appelles, elle va s'inquiéter encore davantage.

– À quel moment as-tu l'habitude de l'appeler ?

– Quand elle rentre du studio. Je m'en suis tiré hier soir, mais aujourd'hui elle va vouloir me voir et, au minimum, qu'on avale un hamburger tous les deux. Quelle excuse vais-je pouvoir inventer ? » Toute colère avait quitté la voix de Leo.

« Écoute-moi, Leo. Tu as eu deux épisodes de fibrillations hier. Si tu n'en as pas ce soir, je t'autoriserai à sortir demain, promit le Dr Morris. Mais n'oublie pas que je sais encore comment rassurer la famille de mes patients sur leur état. Si tu me laisses annoncer ça à Laurie, à la condition que tu ne fasses pas d'autres crises, je te laisserai sortir demain matin. Je pense que c'est la meilleure chose à faire. Réfléchis. Laurie pourra toujours s'arrêter ici en rentrant chez elle. Timmy l'appelle entre dix-neuf et vingt heures, n'est-ce pas ?

– Oui. Elle lui a demandé de téléphoner à huit heures moins le quart pour être sûre d'avoir le temps de lui parler.

– Dans ce cas, demande-lui d'être ici à temps pour prendre son appel et vous pourrez vous entretenir tous les deux avec ton petit-fils. D'après ce que tu m'as dit, il ne peut passer qu'un seul appel chaque soir. »

Le visage de Leo Farley s'éclaira. « Jim, tu es génial ! »

Le Dr Morris savait à quel point Leo redoutait la menace qui pesait sur sa fille et son petit-fils. Et elle ne prendrait fin que le jour où ce type qu'on appelait Yeux Bleus pourrirait en prison.

Il posa sa main sur l'épaule de son ami, mais retint les mots parfaitement inutiles que l'on dit en général : « Ne t'inquiète pas. »

52

Lorsque Josh Damiano eut remis les enregistrements aux trois jeunes femmes, Alison fut la première à se rendre dans le vestiaire et à placer la bande dans le lecteur. Affolée, elle entendit sa conversation avec Rod à propos de la crise de somnambulisme pendant laquelle elle serait entrée dans la chambre de Betsy. Prise de panique, elle saisit la bande et se précipita dehors. Rod l'avait vue par la fenêtre et se dépêcha autant qu'il le pouvait pour la rejoindre.

À présent, ses béquilles posées à ses pieds, il était assis sur le banc près de la piscine et tenait la main d'Alison, le dos tourné aux gens de la production. Elle avait cessé de pleurer, mais ses lèvres tremblaient encore.

« Tu ne comprends pas, Rod ? disait-elle. C'est la raison pour laquelle Powell a envoyé Damiano nous chercher à l'aéroport à deux heures d'intervalle, dans sa Bentley de luxe, toutes sauf Claire qui est arrivée la veille au soir. Il ne peut avoir fait ça que pour une seule raison. Il y avait des micros cachés dans la Bentley. Rod, tu te souviens que nous avons parlé de ma crise de somnambulisme, que j'ai dit que j'étais entrée dans la chambre de Betsy ?

– Chut », fit Rod.

Puis il regarda autour de lui. Il n'y avait personne à portée de voix. Bonté divine, je deviens paranoïaque dans cet endroit, se dit-il.

Il serra plus fort la main d'Alison. « Ali, s'ils abordent ce sujet, dis que tu as été déçue à propos de la bourse, mais que cela n'avait pas grande importance. J'avais le béguin pour toi depuis la maternelle. » Il s'interrompit, pensant avec mélancolie que ce point-là au moins était vrai.

« Et tu m'as demandé de t'épouser, même si tu as imaginé que toute à ma colère, je pouvais avoir tué Betsy Powell, dit Alison calmement. Tu ne peux nier que, pendant toutes ces années, l'idée t'a effleuré que je l'avais peut-être tuée.

– Je sais combien tu la haïssais, mais je n'ai jamais vraiment cru que tu pouvais l'avoir tuée.

– Je la haïssais, c'est vrai. J'ai essayé de surmonter ce sentiment, mais c'est plus fort que moi. Je la haïrai toujours. C'était tellement injuste », s'emporta Alison. « Quand le recteur a octroyé la bourse à la fille de l'amie de Betsy, tu ne crois pas que j'avais une bonne raison de la tuer ? T'ai-je dit que l'étudiante en question avait été recalée en deuxième année ?

– Je crois que tu l'as mentionné plus d'une fois, dit Rod doucement.

– Rod, quand tous les efforts que tu as faits, quand tous tes espoirs s'écroulent… Je m'étais à demi levée de ma chaise pour recevoir ce prix quand le recteur a annoncé son nom. Tu ne peux pas imaginer ! »

Puis elle le regarda et vit les rides creusées par la souffrance sur son beau visage, les béquilles posées près de lui. « Oh Rod, c'est stupide de ma part de dire ça, à toi surtout.

– Tout va bien, Ali. »

Non, tout ne va pas bien, pensa-t-elle. Pas bien du tout.

« Alison, on vous attend. »

C'était l'assistant de Laurie, Jerry, qui venait vers eux.

« Rod, j'ai peur. Je vais m'écrouler », murmura Alison, effrayée. Elle se leva et se pencha pour déposer un baiser sur le front de son mari.

« Non, tu ne vas pas t'écrouler », dit fermement Rod en se levant et en regardant la femme qui lui était si chère. Les yeux marron clair d'Alison, trait le plus remarquable de son mince visage, étincelaient. Les larmes lui avaient un peu gonflé les paupières, mais il savait que la maquilleuse y remédierait.

Il la regarda marcher jusqu'à la maison. En vingt ans, il ne l'avait jamais vue dans un tel état d'émotion. Et il savait pourquoi – parce qu'une seconde chance s'offrait à elle d'avoir la carrière qu'elle désirait si fort, celle qu'on lui avait volée.

Une idée lui traversa l'esprit. Alison s'était laissé pousser les cheveux, ils lui tombaient aux épaules à présent. Il les aimait longs. L'autre jour, elle avait dit qu'elle allait bientôt les faire couper. Il le regrettait, mais n'oserait jamais le lui dire. Il y avait tant de choses qu'il ne lui avait pas dites durant les vingt dernières années.

Si elle parvenait à témoigner dans cette émission et touchait l'argent, est-ce que ce serait son billet pour la liberté – pour se libérer de lui ?

Rod ne pouvait s'empêcher de se poser cette question torturante.

53

NINA fut la deuxième à écouter sa bande. Quand elle regagna la table, son expression était presque triomphante. « Ça te concerne davantage que moi, dit-elle à sa mère. Tu devrais aller l'écouter, ne pas rater un mot. Et quand tu l'auras fait, tu n'iras plus pleurer auprès de Rob Powell en lui disant que Betsy était ton amie la plus proche et la plus chère.

– Qu'est-ce que tu racontes ? »

Muriel repoussa sa chaise et se leva.

« Le lecteur de bandes est dans le tiroir du milieu de la coiffeuse dans le vestiaire du couloir, dit Nina. Tu devrais pouvoir le trouver sans mal. »

L'expression de satisfaction qu'arborait Muriel se transforma en inquiétude. Sans répondre à sa fille, elle se hâta vers le couloir. Quelques minutes plus tard, le claquement de la porte du vestiaire annonça son retour imminent.

Quand elle revint, son visage était fermé, son regard furieux. Elle tourna brusquement la tête vers Nina. « Suis-moi dehors, dit-elle.

– Alors, que veux-tu ? demanda Nina dès que la porte du patio se fut refermée derrière elles.

– Ce que je veux ? siffla Muriel. Ce que je veux ? Tu es folle ? As-tu écouté cette bande ? Je suis épouvantable là-dessus. Et Rob qui m'a invitée à dîner ce soir. Tout allait si bien, les choses étaient comme avant…

– … avant que je fasse tout capoter en présentant Rob Powell à Betsy, alors que tu étais pratiquement fiancée avec lui », dit Nina, finissant sa phrase.

Muriel prit soudain un air dur et calculateur. « Tu crois que Rob a écouté ces enregistrements ?

– Je n'en sais rien. J'imagine que oui, mais c'est une supposition. Le chauffeur a peut-être eu l'idée de ce chantage tout seul, sans rien lui dire.

– Alors, refile-lui les cinquante mille dollars. »

Nina regarda sa mère en face. « Tu plaisantes ! Rob Powell se fiche de toi avec son petit jeu. S'il voulait de toi, pourquoi ne t'a-t-il pas contactée il y a vingt ans, quand Betsy est morte ?

– Paye ce chauffeur, dit Muriel sèchement. Sinon, je dirai à Rob et à la police que tu m'as avoué avoir tué Betsy pour me donner une nouvelle chance avec Rob. Je dirai que tu pensais que je me montrerais très généreuse avec toi quand je deviendrais Mme Robert Nicholas Powell.

– Tu ferais ça ? demanda Nina, les lèvres soudain livides.

– Pourquoi pas ? C'est la vérité, non ? » Muriel eut un rire sardonique. « Et n'oublie pas la récompense d'un million de dollars promise par Rob pour des informations conduisant à l'arrestation et à la condamnation de l'assassin de Betsy. Ce serait un beau lot de consolation si tu as raison et que son intérêt pour moi n'est pas sincère. Il a offert cette récompense il y a vingt ans et sa proposition n'a jamais été retirée. »

54

Après avoir vu Alison se précipiter au-dehors et entendu Muriel enjoindre à Nina de la suivre dans le patio, Regina comprit qu'elle devait elle aussi écouter sa bande.

En se dirigeant vers le vestiaire, elle réfléchit. C'était sûrement Josh Damiano qui avait pris la lettre. Le lecteur était posé sur la coiffeuse. Elle inséra la bande. Puis, paralysée par la peur, elle appuya sur le bouton. L'enregistrement de sa conversation avec son fils Zach était parfaitement audible, bien qu'il l'appelât d'Angleterre.

Ce ne pourrait pas être pire, pensa Regina, terrorisée. À présent, que se passera-t-il si je ne reconnais pas que j'ai gardé la lettre de papa ? Josh peut la produire n'importe quand. Je serai arrêtée pour avoir menti à la police lors de leurs interminables interrogatoires. Il aura deux preuves : l'enregistrement et la lettre.

Consciente qu'elle n'avait d'autre choix que de payer au chauffeur la somme qu'il lui réclamerait, elle regagna la table et repoussa son café qui avait refroidi entre-temps.

Sans se départir de son air revêche, Jane lui apporta aussitôt du café frais et une autre tasse. Regina resta un instant à fixer le café fumant.

Tout en le buvant à petites gorgées, elle revécut le cauchemar qui n'avait cessé de la hanter. Elle roulait en bicyclette dans l'allée de la somptueuse maison avec sa vue unique sur Long Island où elle avait vécu pendant quinze ans. Elle actionnait l'interrupteur qui ouvrait la porte du garage. Voyait le corps de son père se balancer dans le vent qui s'engouffrait, venu de la mer. Il avait la mâchoire pendante, le regard fixe, sa langue sortait de sa bouche. Un morceau de papier était épinglé à sa veste. D'une main, il agrippait la corde. Avait-il changé d'avis au dernier moment ? Ne voulant plus mourir ?

Regina se souvenait d'être restée hébétée, d'avoir levé la main vers la lettre, de l'avoir détachée tandis que le corps de son père bougeait à son contact, de l'avoir lue et, bouleversée, de l'avoir enfouie dans sa poche.

Son père y écrivait qu'il avait eu une liaison avec Betsy et qu'il le regrettait amèrement.

Betsy lui avait dit que la valeur du fonds de placement, créé par son mari, était sur le point d'exploser et l'incitait à y investir le maximum. Même alors, malgré son jeune âge, Regina était certaine que Betsy avait agi à l'instigation de Powell.

Je ne voulais pas que ma mère voie cette lettre, pensait maintenant Regina. Elle aurait eu le cœur brisé, et elle était déjà suffisamment désespérée par la mort de papa. Et puis elle méprisait profondément Betsy Powell. Elle savait que c'était une hypocrite.

À présent quelqu'un était en possession de cette lettre. Ce ne pouvait être que Damiano, qui avait passé la journée dans la maison à aider Jane Novak. Que puis-je faire ? se demanda-t-elle. Que puis-je faire ?

Le chauffeur entrait justement dans la pièce, chargé d'un plateau, pour débarrasser la table. Il regarda autour de lui pour s'assurer qu'ils étaient seuls.

« Quand pouvons-nous nous parler, Regina ? demanda-t-il. Je dois vous dire que vous auriez dû suivre le conseil de votre fils et brûler la lettre de votre père. J'y ai souvent réfléchi. Il me semble que c'est vous qui aviez le meilleur motif de tuer Betsy Powell, n'est-ce pas ? Et ne pensez-vous pas que les deux cent cinquante mille dollars que vous allez recevoir de M. Powell ne sont pas grand-chose pour vous assurer que personne ne verra jamais cette lettre ni n'écoutera la bande ? »

Elle fut incapable de répondre. Une expression d'horreur et de remords figeait son visage, ses yeux étaient fixés au-delà de Josh Damiano, comme si elle voyait autre chose – le corps de son père, élégamment habillé, se balançant au bout de la corde qui entourait son cou.

55

Après son interview avec Alex Buckley, comme poussée par une intuition, Claire monta quatre à quatre dans son ancienne chambre.

Elle savait qu'elle ne s'en était pas bien tirée. Elle avait appris par cœur ce qu'elle répondrait aux questions qui lui seraient posées concernant le gala, depuis sa présence dans le petit salon après la fête jusqu'à son arrivée en trombe dans la chambre de sa mère aux premières heures du lendemain.

Recréer ces moments dramatiques n'avait pas été difficile : Rob effondré par terre, se tordant de douleur, le café répandu sur ses mains, les vilaines cloques qui apparaissaient déjà sur sa peau. Jane Novak qui hurlait : « Betsy, Betsy », tenant contre elle l'oreiller qui avait étouffé sa mère. La superbe chevelure de Betsy, resplendissante lorsqu'elle leur avait dit bonne nuit, devenue d'un blond artificiel dans la lumière de l'aube, son teint gris et marbré.

Et j'étais *contente,* pensa Claire. Effrayée, mais contente.

Je ne pensais qu'à une chose : j'étais libre – dès lors je pouvais quitter cette maison.

Et c'est ce que j'ai fait le jour même de l'enterrement. Je suis allée m'installer avec Regina et sa mère dans un minuscule appartement. Je dormais sur le canapé dans le living-room.

Il y avait des photos du père de Regina partout dans la pièce. Sa mère était gentille avec moi, bien qu'elles aient tout perdu à cause des investissements de son mari dans le fonds de Robert Powell.

Claire se souvenait d'avoir entendu Betsy et Rob se moquer du père de Regina, Eric, qui était tellement naïf. « *Maintenant souviens-toi, Betsy, je n'aime pas te voir agir comme ça, mais c'est nécessaire. C'est lui ou nous.* »

Et la réponse de sa mère : « *Il vaut mieux qu'il soit ruiné plutôt que nous* », puis son rire.

Je suis restée éveillée pendant des nuits entières sur ce canapé, se rappela-t-elle, songeant que sans ma mère et mon beau-père, le père de mon amie serait encore en vie et qu'ils habiteraient encore leur belle maison sur Long Island Sound.

Et Alison ? Elle a travaillé si dur pour obtenir cette bourse qui lui a échappé uniquement pour que ma mère puisse être membre d'un club.

Claire secoua la tête. Debout à la fenêtre, elle contemplait le parc à l'arrière de la maison. Même avec les camions du studio discrètement garés sur la gauche de la propriété et Alison et Rod assis sur le banc près de la piscine, la scène paraissait aussi immuable qu'un tableau.

Mais elle perçut soudain un mouvement. La porte de l'abri de la piscine s'ouvrit et elle vit sortir la silhouette de l'homme au teint bronzé qu'on voyait travailler dans le jardin depuis quelques jours.

Sa présence massive rompit l'atmosphère paisible et un frisson parcourut Claire. Puis elle entendit le déclic de la porte de sa chambre.

Robert Powell se tenait dans l'embrasure, souriant : « Puis-je faire quelque chose pour toi, Claire ? » demanda-t-il.

56

Le commissaire Ed Penn resta éveillé une partie de la nuit. Le sentiment d'urgence qu'il avait perçu chez Leo Farley avait troublé son sommeil. Il avait fait un rêve étrange. *Quelqu'un était en danger. Il ne savait pas qui. Il se trouvait dans une grande maison déserte qu'il fouillait, un pistolet à la main. Il entendait des bruits de pas, mais était incapable de savoir d'où ils provenaient.*

À quatre heures du matin, réveillé par ce rêve, Ed Penn ne se rendormit pas.

Il comprenait ce qui inquiétait Leo. Réunir à nouveau ces six personnes au bout de vingt ans était potentiellement dangereux. Penn était certain que l'un des six – Powell, la gouvernante, la fille de Betsy ou l'une de ses trois amies – avait assassiné Betsy Powell.

Bien sûr, la porte du bureau donnant sur le patio n'était pas fermée à clé. Et alors ? Certes, un étranger pouvait s'être mêlé à la foule.

Mais peut-être pas.

En arrivant le matin du meurtre, il avait noté qu'aucune des quatre jeunes filles ne semblait éprouver le moindre chagrin devant la mort de Betsy Powell, pas même sa propre fille.

Et la gouvernante n'avait cessé de demander l'autorisation d'aller à l'hôpital voir « Monsieur Rob ».

Elle s'était ensuite rendu compte que son insistance était déplacée et elle l'avait bouclée, se souvint Ed Penn.

Powell ? Peu d'hommes se brûleraient volontairement les mains au troisième degré avec du café bouillant. Renverser le café était peut-être une couverture, mais le mobile n'était pas évident.

La gouvernante ? Possible. Les quatre filles avaient toutes déclaré qu'elle avait crié « Betsy, Betsy ! » et qu'elle tenait l'oreiller à la main.

Naturellement, le premier venu aurait eu l'instinct d'arracher l'oreiller du visage de Betsy, mais que Jane ait crié « Betsy, Betsy ! » était plus curieux. Ed Penn avait appris qu'après être devenue Mme Robert Nicholas Powell et avoir engagé son amie Jane comme gouvernante, Betsy avait ordonné à Jane Novak de l'appeler Mme Powell.

Jane avait-elle ruminé sa rancœur pendant les neuf années où elle était passée du statut d'amie à celui de domestique ?

Il n'avait aucune raison de s'éterniser au lit. Le chef de la police de Salem Ridge pouvait aussi bien se mettre au boulot. Ed Penn décida d'aller faire un tour du côté de la propriété de Powell vers midi.

Il s'assit. La voix de sa femme, de l'autre côté du lit, dit : « Ed, est-ce que tu pourrais te décider une fois pour toutes ? Soit tu te lèves maintenant, soit tu te rendors. Tu vas me rendre folle à force de bouger.

– Désolé, Liz », marmonna-t-il.

Il était écartelé entre deux souhaits. Le premier, que quelqu'un fasse un faux pas et révèle avoir assassiné Betsy Powell. Le second, tout aussi ardent, que le tournage prenne fin le lendemain comme prévu et que chacun rentre chez soi. Ce crime non élucidé le hantait depuis vingt ans.

Cette maison est une poudrière, pensa-t-il, et je ne peux que la regarder exploser.

À son retour au commissariat, au début de l'après-midi, après sa visite chez Robert Powell, ses impressions n'avaient pas changé.

57

IL FALLAIT qu'elle parle de nouveau à son père. Il lui avait paru très fatigué la veille, il était inhabituellement pâle.

Quand elle lui avait téléphoné en partant travailler, il lui avait dit qu'il s'apprêtait à prendre sa douche et qu'il allait bien.

Il ne *va* pas bien, pensa-t-elle.

N'y tenant plus, Laurie quitta son poste derrière la caméra. « Je vais passer rapidement un coup de fil à mon père avant l'arrivée d'Alison, dit-elle à Alex Buckley.

– Bien sûr », acquiesça-t-il aimablement.

Mais quand il la vit composer le numéro et attendre, il sentit son inquiétude grandir.

« Il ne répond pas, dit-elle.

– Laissez-lui un message, suggéra Alex.

– Non, vous ne comprenez pas. Mon père prendrait un appel venant de moi-même s'il était avec la reine d'Angleterre.

– Où pensez-vous qu'il puisse être parti ?

– Peut-être a-t-il appris quelque chose au sujet d'Yeux Bleus qu'il ne veut pas me dire, dit Laurie d'une voix tremblante. À moins qu'il n'ait eu une nouvelle attaque de fibrillations. »

Alex Buckley regarda avec sympathie la jeune femme qui perdait soudain l'autorité qu'elle avait montrée jusque-là dans son travail. Il s'était étonné que, malgré le meurtre inexpliqué de son mari et la menace qui pesait sur elle et son fils, elle ait été capable de monter cette émission dont le sujet était un meurtre non élucidé. À présent, il voyait à quel point elle était attachée à son père.

Il avait étudié les rapports sur le meurtre de Greg Moran. Lui revint brusquement en mémoire la photo de cette jeune veuve sortant de l'église derrière le cercueil, soutenue par son père.

Il savait que celui-ci avait démissionné de la police pour veiller à la sécurité de son petit-fils et de sa fille.

Si quelque chose arrivait aujourd'hui à Leo Farley, Laurie ne pourrait plus compter sur aucune protection contre les agissements du dénommé Yeux Bleus.

« Laurie, qui est le médecin de votre père ?

– Son cardiologue s'appelle James Morris. Il est aussi son ami depuis quarante ans.

– Dans ce cas, téléphonez-lui et demandez-lui si votre père est venu le consulter.

– Bonne idée. »

On frappa à la porte. Alex se leva d'un bond. Quand Grace jeta un regard à l'intérieur de la pièce, la question qu'elle s'apprêtait à poser

– « Êtes-vous prêts ? » – mourut sur ses lèvres. Elle vit l'expression soucieuse de Laurie tandis qu'elle portait le téléphone à son oreille. Alex dit : « Donnez-lui une minute », et referma la porte.

58

« TU AVAIS RAISON, Laurie a été bouleversée quand je lui ai appris que tu étais à l'hôpital, dit le Dr Morris. Mais j'ai réussi à la calmer. Elle va venir te voir en sortant du tournage et, comme je l'ai suggéré, vous pourrez tous les deux prendre l'appel de Timmy.

– Je suis soulagé à la pensée que je n'aurai pas à lui mentir, dit Leo Farley. Tu lui as dit que je sortais demain matin ?

– Je lui ai dit que, sauf nouvelle attaque de fibrillations, je te donnerais l'autorisation de sortir dans la matinée. Je lui ai dit aussi qu'en quarante ans de métier, tu étais le patient le plus impossible que j'aie jamais eu. Je peux t'avouer que c'est ça qui l'a rassurée, mon vieux. »

Leo Farley partit d'un rire ravi. « D'accord. Mais je suis impossible uniquement parce que tous ces foutus moniteurs qui me clouent dans ce lit me donnent l'impression d'être impuissant. »

Le Dr James Morris s'appliqua à prendre un ton professionnel. « Espérons que tu n'auras pas d'autre crise, Leo. Si tu peux arriver à rester calme, à regarder tranquillement une série à la télévision, tu rentreras chez toi demain matin. »

Bruno Hoffa écoutait cette conversation avec jubilation. Il se félicita d'avoir piraté le téléphone de Leo Farley. C'était une idée brillante. Farley avait déjà appelé le directeur du camp et lui avait annoncé qu'il était à l'hôpital. Et maintenant, Hoffa savait que Laurie et son père seraient au téléphone avec Timmy le soir même.

Si Leo et Laurie parlent à Timmy vers vingt heures ce soir, ils seront rassurés et ne chercheront pas à le joindre de nouveau avant demain soir, pensa-t-il.

Je vais mettre mon uniforme de policier et je me présenterai au camp à vingt-deux heures. Je dirai au responsable que le grand-père du gosse va très mal. S'ils appellent le Mount Sinai, ils confirmeront qu'il est bien hospitalisé chez eux, mais ne diront rien de son état.

Ça marcherait. Hoffa en était tellement sûr qu'il commença à faire des préparatifs pour son petit invité. Il disposa des couvertures et un oreiller dans le débarras de l'abri de la piscine. Installer Timmy dans la chambre aurait été beaucoup trop dangereux. Il serait obligé de le ligoter et de lui mettre un bâillon sur la bouche. Il savait qu'il devait suivre son emploi du temps habituel, attendre que Parcs et Jardins vienne le chercher avec le camion de l'entreprise et le ramène le lendemain matin. Il apporterait des céréales et du jus d'orange pour

Timmy. Il arrivait tous les jours avec son déjeuner dans un sac en papier, personne ne s'en étonnerait.

L'équipe de tournage avait laissé traîner des copies du planning de la journée. Il savait que Powell serait le dernier interviewé, puis que toute la troupe serait photographiée à la table du petit déjeuner, comme le premier jour.

C'est alors que Timmy et moi faisons notre entrée, imagina-t-il. Je le tiens par la main et pointe un pistolet sur sa tempe. Je dis à Laurie de sortir sinon je tire. Toute bonne mère obéirait en courant pour sauver son petit garçon.

Il éclata d'un rire rauque et ouvrit la porte de l'abri. La lauréate et son invalide de mari étaient assis sur le banc près de la piscine.

Hoffa entreprit d'inspecter soigneusement les plantations autour de l'abri, à la recherche de la moindre imperfection.

Demain, elles seront maculées de sang, se réjouit-il. La mère et le fils. Finalement, qu'ils meurent ensemble, c'est l'idéal, même si je ne m'en tire pas.

59

« J'AVAIS RAISON », murmura Laurie en refermant son téléphone. « Ils lui font une angiographie, uniquement par précaution. C'est ce que m'a indiqué le Dr Morris, mais est-ce qu'il dit la vérité ?

– Laurie, que vous a-t-il dit exactement ? demanda Alex

– Que papa a eu une attaque de fibrillations auriculaires hier soir. »

D'une voix entrecoupée, Laurie répéta les explications du médecin. « Je connais la raison de ces fibrillations. Papa s'inquiétait de me voir faire cette émission. Il pense que c'est l'une des six personnes présentes dans la maison qui a commis le meurtre, et il craint qu'elle ne pète les plombs si la pression est trop forte. »

Il a peut-être raison, songea Alex. « Écoutez, quand vous en aurez terminé, laissez-moi vous conduire directement à l'hôpital. Vous n'avez pas besoin d'attendre le bus de la production. Laissez Jerry et Grace tout ranger. »

Puis il ajouta sur une impulsion : « J'attendrai en bas de l'hôpital que vous sortiez, puis nous irons manger un morceau, à moins que vous ayez d'autres plans.

– J'avais pour projet de dîner d'un hamburger avec papa. Comme tout flic qui se respecte, il voudra connaître en détail le déroulement de la journée.

– Alors, allez lui faire votre rapport et venez ensuite manger un hamburger avec moi », dit Alex sans se démonter.

Laurie hésita. Étant donné les circonstances, elle n'avait pas envie d'aller seule au restaurant. Alex Buckley est une présence rassurante, se dit-elle. Et je pourrai lui parler des prochaines interviews.

« Merci, j'accepte volontiers. » Elle eut un faible sourire, puis Alex la vit changer d'attitude : « Jerry, appela-t-elle, voulez-vous dire à Alison et à l'équipe que nous allons commencer ? » Sa voix avait retrouvé toute son assurance.

60

L'AIR SOMBRE, Regina Callari partit à la recherche de Josh Damiano. Elle le trouva en train de passer l'aspirateur dans la grande salle de séjour. Elle se souvint que Betsy l'appelait avec emphase « le salon ». *Jusqu'à ce qu'elle épouse Richard Powell, le seul salon où elle avait jamais mis les pieds était un salon de coiffure.* En tout cas, c'était ce que ma mère racontait, se souvint Regina.

Damiano leva les yeux et arrêta l'aspirateur en la voyant. « Je savais que vous me chercheriez », Regina, dit-il avec un sourire complice.

Regina avait ouvert son iPhone et enregistrait leur échange. « Vous avez différents jobs à ce que je vois, Josh. Chauffeur, homme de ménage, maître chanteur. Vos talents sont sans limites. »

Le sourire de Damiano s'effaça. « Prenez garde à ce que vous dites, Regina, dit-il calmement. La seule raison pour laquelle je donne un coup de main dans la maison est que M. Powell a annulé le service de nettoyage habituel jusqu'à jeudi, quand tout le monde sera parti.

– L'appellation homme de ménage ne vous plaît pas, apparemment, Josh ? dit Regina. Et escroc ? Est-ce que cela vous déplaît d'être qualifié ainsi ? »

Josh Damiano ne cilla pas. « Je préfère penser que je vous évite d'être accusée du meurtre de Betsy Powell. La lettre écrite par votre père avant son suicide explique pourquoi vous l'avez tuée. C'est un mobile flagrant, et souvenez-vous que vous n'avez cessé de mentir aux flics en niant avoir trouvé le moindre message sur le corps de votre père ou à proximité.

– J'ai menti, c'est vrai, admit Regina. D'un autre côté, j'ai aussi fait une énorme faveur à Robert Powell en me taisant. Réfléchissez. La lettre révèle en détail qu'il a laissé sa femme séduire mon père afin qu'elle puisse lui donner des tuyaux confidentiels sur son fonds de placement. Avec pour résultat de faire perdre à mon père toute sa fortune en renflouant les affaires de Powell.

– Et alors ? demanda Damiano.

– Alors, j'ai menti à mon fils dans la conversation que vous avez enregistrée dans la voiture. Je détiens une autre copie de la lettre de mon père. Maintenant, je vous donne le choix : soit vous me rendez l'original et nous sommes quittes. Soit je remets cette copie et l'enregistrement de notre entretien actuel au commissaire Penn, et c'est vous qui vous retrouverez derrière les barreaux. Je présume que vous avez enregistré les autres filles. J'imagine qu'elles remettront ces enregistrements à la police si on les y pousse.

– Vous plaisantez.

– Pas du tout. J'avais quinze ans quand j'ai trouvé cette lettre. En réalité, le suicide de mon père a été la raison du lent déclin de ma mère. Elle serait partie encore plus vite si elle avait appris qu'il avait en plus une liaison avec Betsy. »

Josh Damiano tenta de plaisanter : « Raison de plus pour avoir saisi l'occasion de passer la nuit dans cette maison afin de pouvoir vous venger de Betsy.

– Si ce n'est que Betsy Powell ne valait pas la peine que je me sacrifie en passant le reste de mes jours en prison. Je suis un peu claustrophobe, vous savez. J'espère que ce n'est pas votre cas. »

Sans attendre sa réaction, elle quitta la pièce. Une fois dans le couloir, elle se mit à trembler de tous ses membres.

Cela marcherait-il ? C'était son seul espoir. Elle monta dans sa chambre, ferma la porte à clé et vérifia son téléphone.

La batterie était à plat.

61

ALISON entra dans le bureau, calme en apparence malgré l'angoisse mortelle qui l'étreignait.

Je suis allée dans la chambre de Betsy cette nuit-là. Cette pensée ne la quittait pas.

Elle s'efforçait de se rappeler les paroles rassurantes de Rod, mais ne parvenait pas à oublier ce qu'elle lui avait dit, à savoir qu'il ne pouvait pas imaginer ce que représentait le fait de désirer si fort quelque chose et de le perdre.

Il ne pouvait pas l'imaginer, *lui* ?

Elle se souvint des articles dithyrambiques quand il avait signé son engagement avec les Giants. Des spéculations sur son brillant avenir.

Tout le temps qu'elle avait passé à étudier, il l'avait passé à s'entraîner au football.

Depuis la maternelle, Rod avait toujours été à ses côtés.

Mais moi, j'avais l'intention d'épouser un scientifique, se rappela-t-elle. Nous aurions été les Pierre et Marie Curie de la nouvelle génération.

Quelle arrogance de ma part. Et Rod l'a accepté. Il m'a demandée en mariage et j'ai accepté parce qu'il m'a promis de payer mes études de médecine. Quand il est devenu invalide, je suis parvenue à devenir pharmacienne, mais je ne pouvais pas le quitter. Au fond de moi, je lui en ai toujours voulu de m'être sentie obligée de rester avec lui. Et même aujourd'hui, je pense que si j'étais venue seule ici, je n'aurais pas parlé dans la voiture. Il n'y aurait pas eu d'enregistrement.

« À vous, Alison », l'invitait Laurie Moran.

Alex Buckley se leva.

Dieu qu'il est grand, pensa Alison en s'asseyant en face de lui à la table. Elle était si tendue qu'elle craignait de se briser comme du verre si elle faisait des mouvements trop brusques.

« Alison, je vous remercie d'avoir accepté de nous rejoindre, commença Alex. Il y a aujourd'hui vingt ans qu'a eu lieu le Gala des Lauréates, vingt ans que Betsy Powell est morte. Pourquoi avez-vous accepté de participer à cette émission ? »

La question était amicale. Rod lui avait conseillé de toujours rester sur ses gardes. Alison choisit ses mots avec soin : « Savez-vous, ou plutôt pouvez-vous imaginer ce que cela représente d'être soupçonnée de meurtre pendant *vingt ans* ?

– Non, je ne le sais pas, et je ne pourrais même pas l'imaginer. En tant qu'avocat pénaliste, j'ai vu des témoins assistés vivre avec une épée de Damoclès suspendue au-dessus de leur tête jusqu'à ce qu'un jury les déclare non coupables.

– “Jusqu’à ce qu’un jury les déclare non coupables” », répéta Alison, et il entendit l’amertume contenue dans sa voix. « Mais ne comprenez-vous pas ? Le problème est là. Personne n’a formellement accusé l’une d’entre nous, et nous sommes donc toutes traitées comme si nous étions coupables.

– Vous avez encore cette impression ?

– Comment ne l’aurais-je pas ? Rien que cette année il y a eu deux articles importants sur l’affaire dans la presse nationale. Je sais toujours quand un nouveau papier va sortir. Quelqu’un entre dans la pharmacie, achète un truc insignifiant comme une brosse à dents et me regarde comme si j’étais un insecte sous un microscope.

– La comparaison est intéressante. Avez-vous gardé l’impression d’être un insecte sous un microscope pendant toutes ces années ? Vous aviez espéré faire des études de médecine, n’est-ce pas ? »

Sois prudente, s’enjoignit Alison. « Oui, c’est ce que j’avais espéré.

– Et vous aviez toutes les raisons d’obtenir une bourse, n’est-ce pas ?

– J’étais en compétition, dit calmement Alison. Je suis arrivée en second. Ce sont des choses qui se produisent.

– Alison, j’ai fait certaines recherches. Est-il vrai que peu avant la remise de votre diplôme, Robert Powell s’était engagé à donner environ cinq millions de dollars à cette université pour qu’une nouvelle aile soit nommée Résidence Robert et Betsy Powell ?

– J'en ai entendu parler.

– Est-il exact que la bénéficiaire de la bourse a été la fille d'une amie de Betsy Powell ? »

Alison, tu es amère. Tu ne dois pas le montrer.

C'était comme si Rod lui avait crié ces mots à l'oreille.

« J'ai été très déçue, bien sûr. Je méritais cette bourse et tout le monde le savait. Faire en sorte qu'elle soit attribuée à Vivian Fields était pour Betsy une façon d'entrer dans le club que dirigeait la mère de Vivian. Mais les regrets se sont vite dissipés, vous savez. Rod venait de signer un gros contrat avec les Giants, et son premier geste a été de me demander en mariage. Nous étions fiancés et, en guise de cadeau de mariage, il m'a permis de m'inscrire à la faculté de médecine.

– Alors, pourquoi n'avez-vous pas invité Rod à assister au gala, si vous étiez fiancée avec lui ? »

Alison eut un sourire timide. « En fait, c'était peu avant nos fiançailles. Rod trouvait stupide de ma part d'assister à ce gala après le coup que Betsy m'avait fait. »

Ça semble plausible, se rassura-t-elle. La vérité, c'est que je ne l'ai pas invité parce que je n'étais pas amoureuse de lui. Mais quand il a signé le contrat avec les Giants et promis de payer mes frais d'études, j'ai accepté de l'épouser... Elle s'appliqua à garder son sang-froid.

Le regard d'Alex Buckley la transperçait. « Alison, j'aimerais que vous fermiez les yeux et que vous vous représentiez le moment où vous êtes entrée dans la chambre de Betsy après avoir entendu Jane Novak hurler. »

Son ton était presque hypnotique. Alison ferma docilement les yeux.

Elle était dans la chambre de Betsy. Elle marchait sur une boucle d'oreille et la surprise la faisait sursauter. Elle entendait une porte s'ouvrir et se glissait dans la penderie. Elle voyait quelqu'un entrer et prendre l'oreiller sur le lit. Puis la forme floue se penchait sur Betsy.

À travers une fissure dans la porte de la penderie, elle voyait le corps de Betsy se tortiller et se débattre tandis que l'oreiller la suffoquait. Ses gémissements sourds étaient rapidement étouffés.

Puis la forme s'en allait sans bruit. Est-ce que je rêvais, se demanda Alison, ou ai-je vraiment vu un visage ?

Elle ne savait pas. Elle ouvrit brusquement les yeux.

Alex Buckley vit la stupéfaction peinte sur son visage. « Qu'y a-t-il, Alison ? demanda-t-il aussitôt. Vous avez l'air effrayée. »

Alison s'écria : « Je n'en peux plus ! Je ne peux plus supporter ça. Je me fiche de ce que les gens pensent de moi. Qu'ils se demandent si j'ai tué Betsy. Je ne l'ai pas tuée, mais je vais vous dire ceci : quand je suis entrée dans cette chambre et que j'ai vu qu'elle était morte, j'étais contente ! Et les autres aussi. Betsy Powell était un monstre, une femme prétentieuse, une putain, et j'espère qu'elle rôtit en enfer. »

62

C'ÉTAIT AU TOUR de Jane Novak. Elle était plutôt mince, mais ses larges épaules et son port raide lui donnaient un air imposant. Toujours en robe noire et tablier blanc amidonné, elle semblait presque une caricature, se dit Alex Buckley. Sauf pour les dîners de cérémonie, aucun de ses amis n'avait de domestiques ainsi déguisés.

Elle s'assit sur la chaise libérée par Alison. « Madame Novak », commença Alex. « Betsy Powell et vous aviez travaillé ensemble au théâtre ? »

Jane Novak eut un mince sourire. « Cela paraît très chic, à vous entendre. Je faisais le ménage dans les loges. Betsy était ouvreuse et, quand une pièce était terminée, nous étions toutes les deux transférées dans un autre théâtre.

– Vous étiez donc de bonnes amies.

– De bonnes amies ? Qu'est-ce que cela signifie ? Nous travaillions ensemble. Je suis bonne cuisinière. Le dimanche je l'invitais à dîner avec sa fille Claire. J'étais sûre qu'elles ne mangeaient que des plats à emporter. Betsy ne savait pas cuisiner. Et Claire était une enfant adorable.

– Avez-vous été étonnée quand Betsy est venue vivre à Salem Ridge ?

– Betsy voulait rencontrer quelqu'un de fortuné. Elle avait décrété qu'elle aurait plus de chance dans une ville prospère. Il s'est avéré qu'elle avait raison.

– Elle avait trente-deux ans quand elle a épousé Robert Powell. N'y a-t-il eu personne avant ?

– Oh, Betsy sortait avec beaucoup d'hommes mais aucun n'était assez riche pour elle. » Jane eut un sourire affecté. « Vous auriez dû entendre ce qu'elle disait de certains d'entre eux.

– N'y en avait-il aucun avec qui elle ait eu une relation moins superficielle ? demanda Alex. Quelqu'un qui aurait pu être jaloux quand elle s'est mariée ? »

La domestique haussa les épaules. « Je ne pourrais pas vous le dire. Ils allaient et venaient.

– Avez-vous été vexée quand elle vous a demandé de l'appeler Mme Powell ?

– Vexée ? Bien sûr que non ! M. Powell était un homme très traditionnel. J'avais un bel appartement à ma disposition dans la maison. Un service de nettoyage venait deux fois par semaine, si bien que j'étais exemptée de ce genre de corvée. Je suis bonne cuisinière et, comme je vous l'ai dit, M. Powell est un gourmet. Pourquoi aurais-je été vexée ? Je viens d'un petit village de Hongrie. Nous n'avions que le confort minimum – l'eau courante, mais pas toujours l'électricité.

– Je comprends pourquoi vous avez été si heureuse ici. Mais on m'a dit qu'en vous précipitant dans la chambre de Betsy Powell ce matin-là, vous avez hurlé “Betsy, Betsy” !

– Oui, j'étais tellement bouleversée que je ne savais plus ce que je faisais ou disais.

– Madame Novak, qui a pu tuer Betsy Powell, à votre avis ? En avez-vous une idée ?

– Absolument, dit Jane Novak d'un ton ferme et, dans un sens, je me sens responsable de sa mort.

– Comment ça ?

– Parce que j'aurais dû savoir que ces jeunes filles entreraient et sortiraient pour aller fumer. J'aurais dû rester et m'assurer que la porte était fermée après qu'elles étaient allées se coucher.

– Donc vous pensez que c'est un inconnu qui s'est introduit dans la maison ?

– Soit par la porte qui n'était pas fermée, soit durant la réception. Il y avait deux penderies dans la chambre de Betsy. Quelqu'un aurait pu se cacher dans l'une d'elles. Elle portait sur elle une fortune en émeraudes, ce soir-là, et souvenez-vous, une des boucles d'oreilles était sur le sol. »

Derrière la caméra, prêtant une oreille et un œil attentifs, Laurie se demanda soudain si Jane Novak n'avait pas raison. Claire avait émis la même hypothèse. Et, à la réflexion, il était tout à fait possible que quelqu'un se soit glissé à l'étage pendant la réception.

Jane Novak expliquait à Buckley qu'elle avait tendu une chaîne de velours en travers des deux escaliers qui menaient au premier étage. « Il y a quatre cabinets de toilette au rez-de-chaussée, conclut-elle. Personne n'avait de raison de monter à l'étage, à moins d'avoir l'intention de voler les bijoux de Betsy. »

On dirait qu'elles se sont toutes donné le mot pour raconter la même histoire, pensa Laurie.

Alex Buckley disait : « Merci de nous avoir parlé, madame Novak. Je sais combien il est pénible pour vous de revivre cette terrible nuit.

– Non, vous ne pouvez pas savoir, le contredit Jane d'une voix morose. Avoir vu Betsy si belle ce soir-là, puis la trouver le visage recouvert par cet oreiller et savoir qu'elle était morte, et entendre M. Powell gémir de douleur… Non, vous ne pouvez pas, vous ne pouvez pas comprendre combien il est douloureux de revivre tout ça, monsieur Buckley. Vous ne pouvez tout simplement pas. »

63

NINA se tint à distance de sa mère pendant tout le reste de la matinée. Quand Alison rentra pour aller s'entretenir avec Alex Buckley, elle alla retrouver Rod sur le banc près de la piscine.

« Tu ne vois pas d'inconvénient à ce que je m'asseye avec toi pendant un moment ? » demanda-t-elle.

Rod eut l'air étonné, mais s'efforça de sourire. « Bien sûr que non.

– Est-ce qu'Alison et toi vous regrettez de vous être laissé entraîner dans cette situation ? » demanda Nina en prenant place près de lui.

Devant le regard surpris de Rod, elle poursuivit : « Écoute, j'ai eu droit à un enregistrement, moi aussi, et Regina de même. Je ne sais pas ce qu'il en est de Claire. J'ai vu qu'Alison était bouleversée quand elle a écouté le sien. Tout comme Regina. Penses-tu que Josh Damiano a fait ces enregistrements de son propre chef, ou bien crois-tu que Rob Powell le lui a demandé ?

– Je n'en sais rien, dit Rod avec prudence.

– Moi non plus. Mais je préfère prendre le risque qu'il s'agisse d'un chantage de Damiano et payer les cinquante mille dollars qu'il réclame. Je crois que vous devriez en faire autant, Alison et toi. J'ignore ce que Damiano vous a entendus raconter, mais ce commissaire va suivre toutes les pistes pour résoudre le meurtre de Betsy, et s'il en découvre une sérieuse, il sautera dessus. Crois-moi.

– Tu as sans doute raison, dit Rod d'un ton réservé. Mais que pourrait-il avoir te concernant qui fasse de toi une suspecte ? Certainement pas le fait que ta mère sortait avec Rob Powell avant qu'il n'épouse Betsy ?

– Ce n'est pas ça, dit Nina d'un ton léger. À moins que je ne paye les cinquante mille dollars que réclame Josh, ma mère menace de dire que je lui ai avoué avoir tué Betsy. »

Rod resta interdit. Il s'exclama, incrédule : « Elle bluffe !

– Oh non, dit Nina. Si Robert Powell écoute cet enregistrement où elle dit à quel point elle détestait Betsy, le peu de chances qu'elle pense avoir de le récupérer – je les crois, moi, inexistantes – sera fichu. En revanche, s'il s'agit seulement d'un manège de Josh Damiano, qui sait ? C'est pourquoi elle veut que je paye les cinquante mille dollars qu'il réclame. Mais tu sais, Alison a encore plus de souci à se faire que ma mère. J'ai été très gentille quand la police nous a questionnées toutes les quatre il y a vingt ans. » Elle s'interrompit et le regarda droit dans les yeux. « Je n'ai dit à personne que Betsy avait été d'une cruauté atroce avec Alison ce soir-là. Elle n'a cessé de répéter que Selma Fields était tellement fière que sa fille Vivian ait obtenu la bourse. Elle a mentionné exprès que Selma organisait une grande réception pour l'occasion, et que toute la famille partirait ensuite sur leur yacht sur la Riviera. Alison retenait ses larmes. Quand Betsy s'est éloignée, elle m'a dit : "Je vais tuer cette sorcière".

« Maintenant, Rod, est-ce que cette information ne mérite pas que tu remettes à Josh Damiano les cinquante mille dollars qu'il réclame à Alison et les cinquante mille dollars qu'il me demande ? Je veux partir d'ici avec de l'argent.

« Rod, crois-moi, j'ai honte de me conduire ainsi, mais je n'ai pas le choix. J'ai besoin de chaque centime de ces trois cent mille dollars pour acheter un appartement à ma mère et la faire sortir de ma vie. Si nous vivons sous le même toit plus longtemps, c'est elle que je tuerai. Je sais fort bien ce qu'Alison a ressenti pendant le gala. »

Elle se leva. « Avant de partir je tiens à te dire à quel point je vous admire tous les deux. Alison t'a épousé pour pouvoir faire ses études, mais elle ne t'a pas laissé tomber quand la fabuleuse carrière qui t'attendait s'est effondrée. Ma théorie est que tu la tiens parce qu'elle t'a avoué son crime. N'ai-je pas raison, Rod ? »

Rod saisit ses béquilles et se mit debout. Il était blême de colère. « Ta mère et toi, vous êtes bien de la même étoffe. Alison est très intelligente, tu sais. Peut-être pourrait-elle de son côté révéler quelques souvenirs sur la façon dont ta mère t'a harcelée pendant des années en fulminant d'avoir perdu Robert Powell à cause de Betsy. Peut-être as-tu fini par éliminer Betsy pour faire de Robert Powell un veuf. De toute façon, il y a un problème majeur : pour tout l'or du monde, Alison serait incapable de tuer quelqu'un. »

Nina sourit : « Quand aurai-je ma réponse ? demanda-t-elle.

– Je n'en sais rien, dit froidement Rod. Maintenant, si tu n'y vois pas d'inconvénient, j'aimerais que tu me laisses passer. Ma femme est en train de sortir de la maison et je veux aller la rejoindre.

– Je pense que je vais simplement me prélasser dans une de ces chaises longues », dit Nina allègrement en s'écartant sur le passage de Rod.

64

En sortant de son entretien, Jane Novak alla directement à la cuisine. Elle avait déjà préparé une crème vichyssoise, une salade Waldorf et des tranches de viande froide pour le déjeuner.

Robert Powell entra dans la cuisine quelques minutes plus tard. « Jane, je pensais à quelque chose. Il fait très chaud dehors. Mangeons dans la salle à manger. Combien de gens attendons-nous pour le déjeuner aujourd'hui ? »

Jane constata que son humeur s'était améliorée par rapport au début de la matinée. Il portait une chemise de sport bleu clair et un pantalon beige. Sa masse de cheveux blancs soulignait son beau visage. Son allure démentait son âge.

On ne lui donnerait pas soixante-dix-huit ans, pensa Jane. Il a toujours l'air d'un lord anglais.

Lord et lady Powell.

Que lui demandait-il ? Ah oui, combien seraient-ils aujourd'hui pour le déjeuner ?

« Les quatre lauréates, dit-elle après un instant d'hésitation. C'est toujours ainsi que je les nomme quand je pense à elles. Et puis Mme Moran, Mme Craig, M. Rod Kimball, M. Alex Buckley et vous-même, monsieur.

– L'heureux neuvième, dit Rob Powell d'un ton enjoué. Une bande hétéroclite. N'est-ce pas, Jane ? »

Sans attendre sa réponse, il ouvrit la porte du patio et sortit.

Qu'est-ce qui lui prend ? se demanda Jane Novak. Ce matin, on aurait cru que son seul désir était de les flanquer tous dehors. C'est peut-être la perspective de les voir partir demain qui le met de bonne humeur. J'ignore ce que les autres ont raconté à l'avocat, mais je sais que je m'en suis bien tirée.

Satisfaite d'elle-même, elle commença à dresser la table dans la salle à manger.

Damiano apparut sur le pas de la porte. « Je vais finir ça, dit-il d'un ton irrité. Allez vous occuper de la cuisine. »

Jane le regarda d'un air surpris. « Quelle mouche vous pique ?

– La mouche qui me pique, c'est que je ne suis pas un domestique », dit sèchement le chauffeur.

Jane commençait à disposer l'argenterie sur la table. Elle se redressa, les joues empourprées, les lèvres serrées. « Pour le salaire que vous gagnez, cracha-t-elle, vous avez un certain culot de vous plaindre parce qu'on vous a demandé de prêter main-forte dans la maison pendant quelques jours. Faites attention. Très attention. Si M. Powell vous entendait, il vous mettrait à la porte sur-le-champ. Si je lui raconte cette conversation, ce sera pareil.

– Eh bien, voyez donc la gardienne de la maison ! répliqua vivement Damiano. Que sont devenus tous les bijoux que George Curtis a donnés à Betsy, hein ? Ne prétendez pas ignorer de quoi je parle. Lorsque M. Powell était en voyage d'affaires, j'avais l'habitude de conduire Betsy à ses rancards avec George Curtis, et elle était parée comme un arbre de Noël quand je venais la chercher. Je sais qu'elle gardait ces bijoux cachés quelque part dans sa chambre, mais je n'ai jamais entendu dire qu'on les avait trouvés. S'il est une chose dont je suis certain, c'est que M. Powell ne soupçonnait pas cette liaison.

– Vous n'avez aucune certitude, chuchota Jane d'un ton revêche. Alors pourquoi ne pas convenir tous les deux de la boucler ? Demain à cette heure, ils seront tous sur le départ.

– Une dernière suggestion, Jane. Si Betsy avait quitté Robert Powell pour George Curtis, elle vous aurait emmenée avec elle pour deux bonnes raisons. Primo, parce que vous étiez aux petits soins pour elle. Deuzio, parce qu'une fois qu'elle serait partie et aurait demandé le divorce, Robert Powell aurait engagé des détectives pour savoir depuis combien de temps durait cette liaison et aurait découvert que vous couvriez Betsy quand il lui téléphonait de l'étranger.

– Et que croyez-vous qu'il vous aurait fait, à vous, en apprenant que vous la conduisiez à son petit nid d'amour dans sa Bentley ? » demanda Jane dans un murmure.

Ils se lancèrent un regard noir par-dessus la table, puis Jane ajouta d'un ton aimable : « Nous ferions mieux de nous remuer. Ils ont dit que le déjeuner serait servi à treize heures trente. »

65

APRÈS qu'Alison Schaefer eut quitté précipitamment le bureau, Alex Buckley et Laurie restèrent silencieux jusqu'à ce que Jerry, Grace et l'équipe caméra soient partis.

« Deux de nos lauréates ont maintenant reconnu publiquement qu'elles avaient une raison de tuer Betsy Powell », dit enfin Buckley, songeur.

« Absolument, dit Laurie. Et qui sait ce que Regina et Nina auront à nous dire cet après-midi ? Je ne serais pas étonnée que toutes quatre regrettent d'ici peu amèrement de s'être impliquées dans cette émission, même pour de l'argent.

– Je suis sûr qu'elles le regrettent déjà, renchérit Alex.

– Pourquoi pensez-vous que Powell a insisté pour qu'elles logent ici cette nuit – et que nous ne l'interrogions pas avant demain matin, Alex ?

– Pour faire monter la pression sur chacune, en espérant que l'une des quatre craquera ? Dans ce cas, nous serions tous les deux les témoins principaux », répondit vivement Alex. « Mon intuition est qu'il bluffe. » Il consulta sa montre. « Je ferais mieux de téléphoner à mon cabinet. Nous sommes attendus dans cinq minutes.

– Et je vais essayer de joindre mon père. »

Buckley se cala sur sa chaise, feignant de chercher quelque chose dans sa serviette.

Il voulait être auprès de Laurie si jamais Leo ne répondait pas – ou ne *pouvait* pas répondre – au téléphone.

66

LE JOYEUX « HELLO » de Leo calma immédiatement les angoisses de Laurie.

« Il paraît que tu as fait la tournée des grands-ducs hier soir, papa, dit-elle.

– Oui, j'avais un rendez-vous au Mount Sinai. Comment se passe le tournage ?

– Pourquoi ne m'as-tu pas appelée quand tu es allé à l'hôpital ?

– Pour que tu ne te précipites pas ici. J'ai déjà eu des crises de ce genre dans le temps. Jim Morris m'a dit de me calmer en regardant la télé. En ce moment je regarde une rediffusion de *L'Extravagante Lucy.*

– Dans ce cas, je ne voudrais surtout pas t'en priver. Je serai là vers dix-neuf heures trente au plus tard. » Laurie hésita, puis demanda : « Papa, tu te sens *vraiment* bien maintenant ?

– Très bien. Cesse de t'inquiéter.

– Ce n'est pas facile avec toi, dit Laurie avec humeur. Bon, retourne à *L'Extravagante Lucy.* On se voit plus tard. »

D'une main elle remit son portable dans sa poche, de l'autre, elle chercha impatiemment un kleenex pour essuyer les larmes qui lui montaient aux yeux.

Alex Buckley fouilla dans sa poche et lui tendit son mouchoir fraîchement repassé. « Laurie, ça ne fait pas de mal de se laisser aller de temps en temps, lui dit-il doucement.

– Je ne peux pas, murmura-t-elle. Le jour où je me laisserai aller, je lâcherai prise pour de bon. Je ne cesse d'entendre cette menace résonner dans mes oreilles. La seule façon de ne pas devenir folle est d'espérer que Yeux Bleus s'en tiendra à sa promesse et que je serai la prochaine. Peut-être sera-t-il arrêté quand il me tuera. S'il s'enfuit, papa et Timmy pourront changer d'identité et disparaître. Qui sait ? Mais supposons que Timmy et moi soyons tués ensemble ? Ou, si je meurs, supposons que papa ne soit pas là pour protéger Timmy ? »

Buckley ne sut quoi lui répondre. Les larmes de Laurie cessèrent immédiatement, et il la vit sortir sa poudre compacte et se tamponner les yeux. Quand elle parla, sa voix ne montrait aucun signe de stress. « Vous feriez bien de passer ce coup de fil, Alex, dit-elle. M. Powell nous attend. »

67

LE COMMISSAIRE PENN, les lauréates, Rod, Alex, Muriel et Laurie étaient réunis dans la salle à manger quand Robert Powell fit son entrée.

« Vous êtes tous bien silencieux, fit-il remarquer. Je comprends pourquoi. Vous avez vécu des moments de tension. » Il s'interrompit et les regarda chacun à tour de rôle. « Et moi aussi. »

Jane Novak était sur le point d'entrer dans la pièce.

« Jane, voulez-vous je vous prie nous excuser et fermer la porte. J'ai certaines informations à partager avec mes invités.

– Bien sûr, Monsieur. »

Robert Powell se tourna alors vers eux. « Vous ne trouvez pas que cette belle journée est en tout point semblable à celle du Gala des Lauréates ? Je me souviens de Betsy assise à cette table avec moi ce matin-là. Nous nous félicitions d'avoir un si beau temps. Qui d'entre nous aurait pu imaginer que le lendemain matin Betsy serait retrouvée morte, assassinée par un intrus ? » Il se tut un instant « Ou peut-être *pas* par un intrus ? »

Il attendit et, comme aucune réponse ne venait, il continua d'un ton sec : « Maintenant, voyons si j'ai bien tout enregistré. Cet après-midi, Regina et ensuite Nina seront interrogées. À quatre heures et demie, les lauréates, revêtues des robes semblables à celles qu'elles portaient cette nuit-là, seront photographiées avec, en arrière-plan, des scènes filmées lors du gala. Mon bon ami George Curtis se tiendra avec vous, monsieur Buckley, et nous donnera ses impressions à propos de cette soirée. »

Il regarda Laurie. « Je n'ai rien oublié jusqu'ici ?

– Vous n'avez rien oublié. »

Powell sourit. « Dans la matinée, j'aurai mon entretien avec vous, monsieur Buckley – en présence des lauréates. J'espère qu'il vous paraîtra intéressant. À certains d'entre vous en particulier. » Il leur adressa un sourire crispé.

« Tous ceux qui sont autour de cette table, à l'exception du commissaire Penn, passeront la nuit ici. Une fois la dernière scène tournée, les lauréates seront reconduites en voiture individuelle jusqu'à leur hôtel. Vous ferez vos bagages et quitterez l'hôtel. Vous pourrez dîner où bon vous semblera – à mon compte naturellement –, mais soyez assez aimables pour revenir ici vers vingt-trois heures. Nous prendrons un dernier verre ensemble, avant de nous retirer. Je veux que tout le monde ait l'esprit éveillé pour écouter ce que j'aurai à vous dire demain. Est-ce clair ? »

Cette fois un hochement de tête général lui répondit docilement.

« Au brunch, demain matin, j'apporterai les chèques qui vous ont été promis. Après cela, l'une de vous pourra vouloir retenir les services de M. Buckley. » Il eut un sourire froid, sans joie. « Je plaisante, bien sûr », ajouta-t-il.

Il se tourna vers Nina. « Vous n'avez pas besoin de partager votre voiture avec votre chère mère, Nina. Muriel et moi dînerons ensemble ce soir. Il est temps de tourner la page. »

Muriel adressa un sourire d'adoration à Powell, suivi d'un regard triomphant à Nina.

« Assez parlé travail. Profitons de ce déjeuner. Ah, voilà Jane. Je sais qu'elle a préparé une crème vichyssoise. Vous n'avez pas vécu tant que vous n'avez pas goûté la vichyssoise de Jane. C'est le nectar des dieux. »

La crème fut servie dans un silence religieux.

68

En quittant la salle à manger, Regina se dirigea vers le camion de la production, à l'arrière de la maison. Il faisait très chaud dehors par rapport à la fraîcheur de l'intérieur, mais ce n'était pas pour lui déplaire. Après avoir écouté Robert Powell expliquer en détail l'emploi du temps de la journée et du lendemain matin, elle était convaincue d'une chose : il avait en sa possession la lettre de son père. Quelle meilleure preuve, s'il en était besoin, que c'était elle qui avait tué Betsy ?

Pendant vingt-sept ans, elle avait juré, même sous serment, qu'il n'y avait pas de lettre ni dans la poche de son père ni ailleurs.

Qui aurait pu avoir un motif plus convaincant de tuer Betsy ? se demanda-t-elle. Et il n'était pas douteux que Robert Powell était déterminé à connaître le fin mot sur la mort de sa femme. Il avait financé l'émission dans ce but.

Elle marcha jusqu'à la piscine. L'eau claire, le reflet du soleil, les chaises longues aux formes élégantes disposées autour du bassin, tout donnait à cet endroit l'apparence d'un décor de théâtre. Dans le courrier qu'elles avaient reçu, elles avaient toutes été invitées à apporter leur maillot de bain.

Aucune ne l'avait fait.

Plus loin, l'abri de la piscine, une maison miniature, ne semblait utilisé par personne sauf le jardinier, qui entrait et sortait sans arrêt, s'affairant dans le parc.

Devant le camion de la production, Regina hésita, puis ouvrit la portière.

Meg attendait, ses pots de cosmétiques bien alignés sur l'étagère en face d'elle.

Courtney était assise sur l'autre chaise et lisait, devant un éventail de brosses, de vaporisateurs et un sèche-cheveux.

Ce matin, Courtney avait dit à Regina que les femmes se damneraient pour avoir son épaisse chevelure bouclée. « Et je parie que vous trouvez horripilant de les voir pousser si vite », avait-elle ajouté.

C'est exactement ce que je lui ai dit, pensa Regina.

Elle évita de regarder le mur, sur sa gauche, où étaient exposées les photos agrandies des quatre lauréates.

Elle savait à quoi elles ressemblaient. Claire, sans une once de maquillage, les cheveux tirés en queue-de-cheval, vêtue d'une robe à col montant et manches trois quarts. Alison, dans une tenue confectionnée par sa mère, habile couturière, qui faisait tous ses vêtements – le père d'Alison était gérant d'une épicerie. Nina, en jupe effrontément courte, avec ses cheveux d'un roux flamboyant, maquillée à la perfection. Elle semblait déjà si assurée, à l'époque, pensa encore Regina.

Et j'avais la robe la plus élégante de toutes. Maman était allée travailler chez Bergdorf quand nous avions tout perdu, mais elle avait insisté pour me l'offrir. « *Ton père te l'aurait achetée* », m'avait-elle dit.

Regina se rendit compte qu'elle n'avait pas adressé un mot à Meg et à Courtney. « Bonjour, vous deux, s'empressa-t-elle de dire. Ne pensez pas que j'aie plutôt la tête ailleurs. Je me prépare seulement pour l'entretien.

– Claire et Alison étaient nerveuses elles aussi », dit Meg gentiment. « Pourquoi pas vous ? Cette émission va être diffusée dans le monde entier. »

Regina s'installa devant la table de maquillage de Meg.

« Merci de me le rappeler », dit-elle, tandis que Meg lui attachait une collerette de plastique autour du cou.

Ce matin, pour la photo qui les représentait toutes les quatre après la découverte du corps et l'arrivée de la police, Meg les avait très peu maquillées et Courtney avait laissé leurs cheveux un peu décoiffés, comme ils l'étaient le matin de la mort de Betsy.

À présent elles portaient toutes des vêtements de leur choix. « Habillez-vous confortablement et à votre guise », leur avait dit Laurie.

Regina avait choisi une veste de lin bleu marine, un débardeur blanc et un pantalon de sport. Pour seul bijou, un rang de perles que son père lui avait offert pour son quinzième anniversaire.

À présent elle regardait Meg lui appliquer par petites touches habiles fond de teint, blush, ombre à paupières, mascara et rouge à lèvres carmin.

Courtney prit la relève et, en quelques rapides coups de brosse, rejeta les cheveux de Regina en une frange sur le côté et les tira derrière ses oreilles.

« Vous êtes très belle, dit-elle.

– Superbe », renchérit Meg.

Comme Meg détachait la collerette qui protégeait Regina, Jerry ouvrit la porte du camion.
« Prête, Regina ? demanda-t-il.

– Je crois. »

Tandis qu'ils regagnaient la maison, Jerry chercha à la rassurer : « Je sais que vous êtes nerveuse, Regina. Ne vous en faites pas. Savez-vous qu'Helen Hayes a le trac tous les soirs jusqu'au moment où elle monte sur scène ?

– C'est drôle, lui dit Regina. Vous savez que j'ai une agence immobilière. Ce matin, je me suis rappelé que le jour où j'ai reçu la lettre concernant l'émission, j'étais tellement troublée que j'ai fait une présentation lamentable de la maison que j'avais à vendre. La propriétaire est une vieille dame qui voulait déménager pour s'installer dans une résidence médicalisée. J'ai vendu la maison deux mois plus tard, mais pour trente mille dollars de moins que ce que j'aurais dû obtenir. Quand j'aurai reçu mes chèques à la fin du tournage, je lui rendrai la commission que j'ai touchée.

– Vous êtes formidable », dit Jerry d'un ton pince-sans-rire en lui ouvrant la porte du patio qui donnait dans la cuisine.

Regina se souvint que, plus tôt dans la matinée, cette entrée du patio était fermée à clé.

« Pas un chat dans le patio aujourd'hui, et aucune trace de Jane Novak, fit remarquer Jerry. Peut-être prend-elle un peu de temps libre après tout. »

Où sont les autres ? se demanda Regina tandis qu'ils longeaient le couloir qui menait au bureau. Ont-elles peur de se retrouver ensemble ?

Nous nous méfions les unes des autres, conclut-elle. Nous avions chacune une raison de tuer Betsy, mais la mienne était la plus forte.

Laurie Moran et Alex Buckley l'attendaient dans le bureau. L'assistante de Laurie, Grace, se tenait à l'écart. Un des techniciens arrangeait encore l'éclairage. Le cameraman était à son poste.

Sans y être invitée, Regina s'assit à la table en face de Buckley. Elle avait les mains crispées. Détends-toi, s'enjoignit-elle. Elle entendit le bonjour de Laurie Moran et y répondit.

Alex Buckley la salua, mais elle décela de l'hostilité dans son attitude. Quand produirait-il la lettre de son père ? se demanda-t-elle.

« Action », lança le réalisateur, et il commença à décompter. « Dix, neuf, huit, sept, six, cinq, quatre, trois, deux, un. » Le clap résonna, et Buckley commença :

« Nous nous entretenons maintenant avec la troisième des quatre jeunes femmes du Gala des Lauréates, Regina Callari.

« Regina, merci d'avoir accepté d'être avec nous pour cette émission. Vous avez grandi dans cette ville, n'est-ce pas ?

– Oui.

– Et pourtant, si mes renseignements sont exacts, vous n'y êtes pas restée longtemps après le gala et la mort de Betsy Bonner Powell ? »

Tâche de garder ton calme, s'exhorta Regina.

« Comme les autres vous l'ont sûrement dit, nous avons été traitées toutes les quatre comme des suspectes. Est-ce que vous auriez eu envie de vous attarder ici à notre place ?

– Vous êtes partie en Floride peu après. Votre mère vous y a suivie ?

– Oui.

– N'était-elle pas encore jeune quand elle est morte ?

– Elle venait d'avoir cinquante ans. C'était une de ces femmes qui font le bien autour d'elle mais détestent se faire remarquer.

– Quels étaient ses rapports avec votre père ?

– Ils ne faisaient qu'un.

– Quelle profession exerçait-il ?

– Il achetait des sociétés en faillite, les remettait sur pied et les vendait ensuite avec profit. Il avait très bien réussi.

– Nous y reviendrons plus tard. Je voudrais vous parler de la nuit du gala, en commençant par le moment où vous étiez toutes réunies dans le bureau. »

Laurie écouta Regina débiter la même histoire que les autres filles. Elles avaient bu beaucoup de vin. Elles avaient discuté de la soirée, s'étaient moquées de certaines tenues des femmes plus âgées. Exactement comme les autres filles, elle décrivit la découverte du corps de Betsy.

« Nous étions jeunes. Vous savez sûrement que nous avions toutes des problèmes particuliers avec les Powell, disait Regina. Ce jour-là, j'étais détendue et heureuse d'être avec les autres. Nous remplissions nos verres, sortions pour aller fumer. Même Claire se moquait de son beau-père qui se montrait si tatillon pour la fumée. "Je vous en prie, disait-elle, ne les allumez pas avant d'être à l'autre extrémité du patio. Il a l'odorat d'un chien limier."

« Nous parlions de nos projets. Nina allait à Hollywood. C'était toujours elle qui tenait le rôle principal dans les pièces de théâtre au lycée et à l'université, et, bien sûr, sa mère était une actrice. Nina se moquait même d'elle, qui lui reprochait encore d'avoir fait signe à Claire et Betsy un jour où elles se trouvaient dans le même restaurant.

– Comment Claire réagissait-elle ? demanda vivement Alex.

– Elle disait : "Tu as de la chance, Nina."

– Que voulait-elle dire ?

– Je ne sais pas vraiment.

– Revenons un peu en arrière, dit Alex. J'ai vu des photos de votre maison. Elle était très belle.

– Elle l'était en effet, dit Regina. Et, plus encore, c'était une maison chaleureuse et confortable.

– Mais naturellement tout a changé quand votre père a investi dans les fonds de Robert Powell. »

Regina comprit où il voulait en venir. Il était en train d'échafauder son mobile pour avoir assassiné Betsy.

« Ce doit être difficile de ne pas se révolter quand on apprend que pratiquement toute la fortune de votre père a été engloutie dans cet investissement, précisa-t-il.

– Ma mère a été triste, mais pas amère. Elle m'a dit que mon père avait une mentalité de gagnant et qu'il avait trop souvent mis ses œufs dans le même panier.

– Mais vous êtes quand même restée proche de Claire ?

– Oui, jusqu'à ce que nous quittions toutes Salem Ridge. Je suppose que, tacitement, nous ne voulions plus rester en contact après la mort de Betsy.

– Qu'avez-vous ressenti en venant dans cette maison après la mort de votre père ?

– J'y suis très peu venue. Je ne crois pas que Robert Powell avait envie de voir les amies de Claire dans les parages. Nous préférions nous rencontrer les unes chez les autres.

– Alors, pourquoi a-t-il voulu donner ce gala en votre honneur ?

– Je suppose que c'était l'idée de Betsy. Certains de ses amis donnaient des réceptions pour fêter les diplômes de leurs filles. Elle aura voulu les surpasser.

– Que ressentiez-vous ce soir-là ?

– Mon père me manquait. Je pensais que cette belle nuit aurait été parfaite s'il avait été là. Ma mère était invitée, elle aussi – je voyais dans ses yeux que ses pensées reflétaient les miennes.

– Regina, à l'âge de quinze ans vous avez découvert le corps de votre père, continua Alex.

– Oui, confirma calmement Regina.

– Les choses auraient-elles été plus faciles pour vous s'il avait laissé une lettre ? S'il s'était excusé de son suicide et du désastre financier ? S'il vous avait dit une dernière fois qu'il vous aimait ? Croyez-vous que cela vous aurait aidées, votre mère et vous ? »

Elle se revit en train de remonter gaiement en bicyclette l'allée de la maison, l'air salé lui remplissant les narines, puis d'appuyer sur la commande qui ouvrait la porte du garage et de voir son père, son père encore jeune, si beau, se balançant au bout de la corde.

« Si une lettre aurait changé les choses ? murmura-t-elle d'une voix étranglée. Mon père était mort.

– En avez-vous voulu à Robert Powell en apprenant que votre père avait tout perdu dans son fonds d'investissement ? »

Regina sentit s'écrouler ce qui lui restait de sang-froid. « Je leur en veux à tous les deux. Betsy était mouillée jusqu'au cou dans l'histoire. Elle avait dupé mon père, elle était aussi coupable que Robert Powell.

– Comment le savez-vous, Regina ? N'est-ce pas parce que votre père a laissé une lettre en réalité ? »

Alex attendit puis répéta d'un ton ferme. « Il a laissé une lettre, n'est-ce pas ? »

Regina tenta désespérément de murmurer un faible : « Non... non... non », tandis qu'il fixait sur elle un regard compatissant, mais qui exigeait une réponse.

69

APRÈS QU'IL EUT écouté la conversation de Laurie avec son père, l'excitation de Bruno Hoffa était à son comble. Tout se combinait à la perfection.

Leo Farley resterait hospitalisé jusqu'au lendemain matin.

Lui et Laurie prendraient ensemble l'appel téléphonique de Timmy.

Deux heures plus tard, j'irai chercher Timmy, pensa Hoffa. Leo a prévenu le directeur du camp qu'il était à l'hôpital. Je serai en uniforme de flic.

Tout marchera comme sur des roulettes.

Il est même probable que je m'en tirerai.

De toute façon, ça vaut le coup. Le meurtre commis par « Yeux Bleus » a fait les gros titres pendant des années, et on en parle encore. S'ils savaient que j'ai pourri en prison près de cinq ans après avoir tué le mari de Laurie. Et tout ça pour une foutue violation des règles de ma libération conditionnelle. Mais je ne suis pas mécontent tout de même. Leo Farley et sa fille ont passé ces cinq années à s'angoisser et à se demander quand je frapperais à nouveau. Demain, leur attente prendra fin.

Bruno Hoffa fourra son téléphone portable dans sa poche et sortit à temps pour voir la voiture du commissaire s'arrêter derrière les camions du studio.

Hoffa s'avança jusqu'au terrain de golf, aussi loin que possible du commissaire. De là où il était, Ed Penn ne distinguerait pas clairement son visage.

S'il était une chose qu'il savait, c'est que la plupart des flics ont la mémoire des visages, même quand les gens vieillissent, se font teindre les cheveux ou pousser la barbe.

Ou s'ils sont assez stupides pour s'inscrire sur Facebook.

Hoffa rit tout haut à cette pensée.

Une heure plus tard, il inspectait soigneusement les massifs de fleurs le long de la piscine quand la voiture de police s'en alla.

Cela signifiait que le commissaire ne serait pas de retour avant le lendemain.

Juste à temps pour le spectacle final, pensa Hoffa gaiement.

70

NINA ET MURIEL restèrent silencieuses après le déjeuner. Muriel avait apparemment demandé à Robert Powell d'avoir une voiture à sa disposition pour l'après-midi, car un véhicule l'attendait devant la porte.

Nina savait ce que cela signifiait. Les vêtements neufs et coûteux que sa mère s'était offerts avec sa carte de crédit allaient être remplacés par de nouveaux – qui seraient également achetés avec la carte de sa fille.

Désireuse de se concentrer avant l'interview, Nina monta dans sa chambre.

Comme celles où logeaient ses amies, c'était une pièce de belles dimensions, avec un coin-salon meublé d'un canapé, d'un fauteuil inclinable, d'une table basse et d'un poste de télévision.

Nina s'assit sur le canapé, contempla les tentures couleur crème derrière le lit, bordées de ganses assorties à celles des panneaux de la fenêtre, admira l'harmonie des teintes du tapis et des housses des oreillers. Un rêve de décorateur d'intérieur.

Elle se rappela qu'un an avant sa mort, Betsy avait entièrement fait redécorer la maison. Claire en avait parlé à ses amies.

Vous êtes invitées à venir admirer le résultat. Ma mère organise une visite détaillée.

La « visite détaillée » avait eu lieu après sa mort, se souvint Nina. En fait, une de ses amies étudiantes qui préparait l'école de droit l'avait avertie que si quelqu'un était accusé du meurtre de Betsy, un argument de la défense serait de souligner que beaucoup de gens connaissaient le plan de la maison – et qu'en outre Betsy et Robert faisaient chambre à part.

Que va-t-il se passer ? se demanda Nina. Je suis certaine que Robert joue la comédie. Il se moque de ma mère, et elle va se retourner contre moi une fois de plus. Ira-t-elle jusqu'à raconter que je lui ai avoué avoir tué Betsy ?

Non, même elle ne le pourrait pas.

Vraiment ?

Son portable sonna. Elle le saisit et ses yeux s'agrandirent de surprise en voyant s'afficher le numéro. Elle se hâta de répondre : « Allô, Grant. »

Il lui expliqua avec empressement la raison de son appel.

Il lui demandait de ne faire aucun projet pour le samedi soir. Il voulait l'emmener à un dîner donné par Steven Spielberg.

Nina n'en croyait pas ses oreilles. Accompagner Grant à un dîner chez Steven Spielberg ! Il y aurait là le top du gratin hollywoodien !

Et si malgré tout sa mère l'accusait d'avoir reconnu qu'elle avait tué Betsy Powell ? Ou, presque pire, si elle repartait en Californie avec elle et qu'elles reprenaient le cours de leur existence ? La vie commune, les récriminations du matin au soir, le foutoir dans l'appartement, les verres de vin traînant partout, l'odeur de tabac flottant dans l'air…

« J'ai hâte de vous voir samedi soir », disait Grant.

Ne fais pas comme Muriel, toujours en train de minauder, se dit Nina. « Je suis très impatiente, moi aussi, Grant », dit-elle, avec chaleur mais sans montrer trop d'excitation.

Après avoir éteint son téléphone elle resta assise, à peine consciente du décor qui l'entourait.

D'une manière ou d'une autre, ma mère fera tout pour me miner la vie, pensa-t-elle, amère.

Le téléphone sonna à nouveau. C'était Grace. « Nina, pouvez-vous vous rendre au maquillage ? Ils seront prêts pour l'entretien dans environ une demi-heure. »

71

DANS LE BUREAU, Laurie et Alex comparaient leurs notes après l'interview de Regina.

« Ai-je été trop brutal avec elle ? demanda Alex.

– Non, je ne crois pas, dit lentement Laurie. N'empêche que, en l'écoutant, je pense que personne ne pourra douter que son père a bel et bien laissé une lettre avant de se suicider. Mais pourquoi une fille de quinze ans l'aurait-elle subtilisée ?

– Vous avez votre propre idée sur la question, je n'en doute pas, dit Alex. Vous croyez que je n'ai pas remarqué que chaque fois que vous me demandez quelle est ma théorie sur une question, c'est parce que vous avez déjà la vôtre ? »

Laurie sourit. « Je plaide coupable. Mon avis est que cette lettre contenait quelque chose que Regina voulait cacher à sa mère – et que cela concernait Betsy. Peut-être le fait que son père avait une liaison avec elle. C'est ce que je suppose. Souvenez-vous, Regina a déclaré que ses parents ne "faisaient qu'un".

– Poussons le raisonnement plus loin : c'est peut-être Betsy qui a incité le père de Regina à prendre cette décision insensée de placer tout ce qu'il possédait dans le fonds de placement de Powell. N'était-ce pas une raison suffisante pour Regina de saisir une occasion inespérée de se venger de Betsy ? suggéra Alex.

– Si j'étais à sa place, si j'avais perdu mes parents et tout ce que je possédais à cause de Betsy Powell, dit Laurie, je pourrais tuer. Je sais que je le pourrais.

– Vous imaginez que vous le pourriez, corrigea Alex. Maintenant, dites-moi ce que vous pensez du discours de Robert Powell au déjeuner. Pour moi, il bluffe, mais si une des personnes présentes autour de cette table a assassiné Betsy Powell, elle peut prendre cette menace au sérieux. Il joue un jeu dangereux. »

72

NINA se regarda dans la glace tandis que Meg attachait la collerette de plastique autour de son cou.

« Dites-moi, Meg, on vous a donné pour instructions de faire de nous des poupées, ce matin ? demanda-t-elle.

– On m'a demandé de vous donner l'apparence que vous deviez avoir le matin où le corps de Betsy a été découvert, dit Meg d'un ton posé. Et même ce jour-là, vous étiez mieux que les autres.

– J'étais passable, mais pour l'interview je voudrais que vous me donniez l'apparence de cette femme. »

Nina lui montra une photo de Grant avec son épouse décédée, Kathryn.

Meg l'étudia avec attention. « Vous lui ressemblez, fit-elle remarquer.

– Je *veux* lui ressembler », dit Nina catégoriquement.

Elle avait cherché sur Google tout ce qu'elle pouvait trouver sur Grant Richmond. Pour un producteur de cinéma important, il menait une vie calme, à l'abri du public. Il s'était marié à vingt-six ans. Sa femme en avait vingt et un.

Ils étaient restés mariés pendant trente ans. Elle souffrait d'insuffisance cardiaque et était décédée deux ans auparavant.

Pas d'enfant, pas la moindre trace de scandale les concernant.

Ainsi Grant avait été l'homme d'une seule femme, et il était célibataire depuis deux ans. À présent, il devait se sentir très seul.

Et il approchait de la soixantaine.

Nina lui montra une autre photo sur son portable. « À qui ressemble cette personne ? » demanda-t-elle.

Meg l'étudia avec soin. « C'est la même femme, Nina. Est-ce une de vos parentes ? »

Nina hocha la tête avec satisfaction. Je ne suis pas seulement une bonne danseuse, pensa-t-elle. Je ressemble à sa femme.

« Non, ce n'est pas une parente, mais je voudrais que vous accentuiez cette similitude.

– Dans ce cas, je dois utiliser un maquillage plus discret. Atténuer l'eye-liner et l'ombre à paupières.

– D'accord. »

« Et voilà le travail ! » dit Meg une demi-heure plus tard.

Nina se regarda dans la glace. « Je pourrais être sa sœur, dit-elle. Parfait.

– À mon tour, Nina. Il vous reste peu de temps, l'interrompit Courtney fermement.

– Je sais. » Nina s'assit à la place que lui désignait Courtney. La photo à la main, elle dit : « Elle avait les cheveux courts. Je n'ai pas envie de couper les miens.

– Il n'en est pas question, dit Courtney. Je vais les coiffer en rouleau. Ça fera le même effet. »

Cinq minutes plus tard, Jerry frappa à la porte du camion. En entrant, il resta un instant stupéfié par la transformation de Nina.

« Prête, Nina ?

– Oui. » Elle lança un dernier regard au miroir avant de se lever. « Ces deux-là font des miracles, dit-elle. N'est-ce pas, Jerry ?

– C'est sûr », fit-il, admiratif, et il se hâta d'ajouter : « Je veux dire que vous êtes changée, pas plus belle. »

Nina rit. « Heureusement que vous avez ajouté ces derniers mots. »

Alors qu'ils quittaient le camion, Jerry fit en lui-même la comparaison entre les lauréates. C'était Nina qu'il préférait. Les autres semblaient enfermées dans leur coquille. Pour des amies qui étaient restées proches jusqu'à l'âge de vingt-deux ans, on aurait dit qu'elles n'avaient plus rien à partager. Lorsqu'elles étaient dans le patio ou entre les prises de vues, elles prenaient un livre ou consultaient leur smartphone.

Nina en faisait autant, sauf quand Muriel se mettait à parler et qu'elle l'écoutait se répandre en compliments sur Robert Powell, clamer que c'était un homme merveilleux et que Betsy avait été sa plus chère amie.

On dirait qu'elle espère que Powell peut l'entendre, pensait Jerry. Elle surjoue son rôle. J'ai assisté à assez de tournages pour le savoir.

Nina et lui passaient devant la piscine. « J'aimerais bien piquer une tête dans l'eau par une journée pareille, fit-il remarquer. Pas vous ?

– Je préfère nager dans la piscine de mon immeuble. C'est ce que je fais tous les jours, ou dans la soirée quand je travaille tard », répondit Nina.

Que vais-je dire ? se tourmentait-elle. Quel genre de questions vont-ils me poser ? Que se passera-t-il demain quand Robert Powell prendra congé de nous ? Ma mère va-t-elle profiter de ce moment pour dire que je lui ai avoué avoir tué Betsy et réclamer la récompense ?

Tu parles qu'elle en est capable !

Je ne la laisserai pas faire.

Jerry n'essaya pas de poursuivre la conversation. Au contraire de Regina, Nina ne paraissait pas nerveuse, mais il était clair qu'elle se préparait pour l'entretien.

Soudain elle dit : « Tiens, voilà encore ce type bizarroïde. » Elle désigna Bruno Hoffa à l'extrémité du parc, derrière la maison. « Qu'est-ce qu'il fabrique ? Il chasse les insectes des plantes ? »

Jerry éclata de rire. « M. Powell est tatillon. Il tient à ce que pour chaque prise de vues, le décor soit dans un état impeccable. Hier, quand nous vous avons photographiées dans différents endroits du parc, il a paru choqué en voyant que nous avions laissé des marques sur le gazon. Alors, ce type bizarroïde, comme vous dites, s'est précipité pour tout réparer.

– Oh là là, c'est vrai qu'il était horriblement tatillon ! s'exclama Nina. Lors de cette fameuse soirée, quand nous passions notre temps à aller du bureau au patio et que Regina a éteint sa dernière cigarette, elle a délibérément loupé le cendrier et écrasé son mégot sur la table. Je crois que personne d'autre que lui ne s'en est aperçu. »

Devrait-elle raconter cette histoire quand elle serait interviewée ?

Cette fois encore, le patio et la cuisine étaient déserts.

Grant va regarder l'émission quand elle passera à la télévision, réfléchit Nina tout en parcourant avec Jerry le couloir qui menait au bureau. C'est moi qui ai le moins de raisons d'avoir tué Betsy. Aucune personne saine d'esprit ne croirait le contraire. Que ma mère m'accuse d'avoir présenté Betsy à Rob Powell n'est pas un motif suffisant.

Elle s'arrêta un moment à la porte du bureau. Bon, il fallait y aller. Alex Buckley et Laurie Moran l'attendaient. Je me demande ce que les autres ont ressenti en entrant ici, songea-t-elle. Étaient-elles aussi terrifiées que moi ?

Allons, je suis une actrice. Je vais très bien m'en tirer… L'air confiant, avec un bref sourire, elle s'assit en face de Buckley.

« Nina Craig était la dernière lauréate à avoir été honorée le soir tragique du Gala des Lauréates », dit-il en préambule. « Nina, merci d'être avec nous aujourd'hui. »

La bouche trop sèche pour parler, Nina hocha la tête.

Souriant, amical, Buckley demanda : « Quelle impression ressentez-vous en vous retrouvant ici, à Salem Ridge, avec vos anciennes amies, vingt ans après ? »

Nina s'exhorta en son for intérieur à être sincère. « C'est une situation délicate, étrange. Nous savons toutes pourquoi nous sommes là.

– Et pour quelle raison, Nina ?

– Pour essayer de prouver qu'aucune de nous n'a assassiné Betsy Powell. Qu'elle a été tuée par un inconnu qui s'est introduit dans la maison. Par ailleurs, nous savons que vous espérez voir l'une d'entre nous laisser échapper un aveu ou se trahir. Je suppose que c'est ce qu'attend Robert Powell. Et, d'une certaine manière, je ne puis l'en blâmer.

– Et vous, comment réagissez-vous, Nina ?

– Je suis en colère. Toujours sur la défensive. Mais nous avons toutes éprouvé ces sentiments pendant ces vingt dernières années, donc ce n'est pas une nouveauté. J'ai appris, à mes dépens, que l'on peut s'habituer à tout. »

De sa place d'observatrice, Laurie eut peine à cacher sa surprise. Nina Craig ne réagissait pas aux questions d'Alex comme elle l'avait imaginé. Sans savoir pourquoi, elle s'était attendue à un comportement plus belliqueux de sa part. Après tout, c'était elle qui avait eu le moins de motifs pour tuer Betsy, mais son attitude aujourd'hui reflétait un certain regret, même quand elle confessait sa colère. Et elle a changé d'apparence, aussi, pensa Laurie. Elle est plus douce. Pour quelle raison a-t-elle coiffé ses cheveux en rouleau ? Dans toutes les recherches que nous avons faites, je n'ai jamais vu une seule photo d'elle sans ses boucles folles. Elle joue un jeu, mais lequel ?

À présent, Nina racontait son enfance.

« Comme vous le savez certainement, ma mère, Muriel Craig, est une actrice. Je suis plus ou moins née au milieu des valises. Nous bougions sans arrêt à cette époque.

– Et l'école ? demanda Buckley.

– Cahin-caha, entre la côte Est et la côte Ouest, j'ai terminé mes études secondaires.

– Et votre père ? Je sais que vos parents ont divorcé quand vous étiez très jeune. »

Lui non plus ne pouvait pas supporter ma mère, se rappela Nina. Et il a décampé rapidement. « Ils se sont mariés jeunes et ils ont divorcé quand j'avais trois ans, dit-elle.

– L'avez-vous revu souvent par la suite ?

– Non, mais il a participé aux frais de scolarité. »

Un peu, un tout petit peu, rectifia-t-elle in petto – ce que ma mère est parvenue à lui extorquer au tribunal.

« En réalité, vous l'avez très peu vu après le divorce, n'est-ce pas, Nina ?

– Il a essayé de faire du théâtre, sans succès, puis il est parti à Chicago, s'est remarié et a eu quatre autres enfants. Cela ne me laissait pas beaucoup de place. »

Où veut-il en venir avec toutes ses questions ? se demandait Nina, affolée.

« Par conséquent vous n'avez pas eu de père durant votre adolescence ?

– Ça me semble évident.

– Pourquoi êtes-vous venues à Salem Ridge, votre mère et vous ?

– Ma mère sortait avec Robert Powell.

– Ne lui avait-on pas proposé le rôle principal dans le pilote d'une série qui a duré six ans et qui a été rediffusée plusieurs fois depuis ?

– C'est exact. Mais Robert Powell lui avait dit qu'il ne souhaitait pas vivre avec une femme qui serait trop absorbée par son travail.

– Quand sa relation avec Powell a pris fin, vous êtes restées toutes les deux à Salem Ridge. Cela me paraît curieux.

– Je ne sais pas pourquoi. Elle avait loué un appartement. Il y avait un couple de voisins très gentils, les Johnson. Lorsqu'elle a rompu avec Robert Powell, ma mère a reçu une quantité de propositions. Je venais d'entrer au lycée. Elle rémunérait les Johnson pour s'occuper de moi quand elle travaillait. »

Elle ne mentionna pas combien elle se sentait délaissée lorsque les Johnson venaient lui dire un rapide bonsoir et qu'elle restait seule pour la nuit. Et quand ma mère rentrait à la maison, se souvint-elle, elle se mettait à récriminer, se plaignait de travailler dur, ressassait que tout était ma faute. Elle me manquait quand elle était absente, mais dès qu'elle revenait, j'aurais voulu qu'elle aille au diable.

« Votre mère a habité avec vous jusqu'à ce que vous alliez à l'université, n'est-ce pas ?

– Oui. À partir de cette époque, on ne trouvait plus d'engagements que sur la côte Ouest. Elle y avait acheté un appartement.

– Vous passiez donc vos vacances avec elle ?

– En partie, oui. Mais je trouvais des boulots d'été dans des théâtres saisonniers. Je saisissais toutes les occasions.

– Parlons du gala, Nina. »

Laurie écouta Alex Buckley poser, sous des formes différentes, les mêmes questions qu'aux autres jeunes femmes. Les réponses de Nina différaient peu. Elle aussi insista sur le fait que le coupable était sans doute un intrus.

« Revenons en arrière, suggéra Buckley. N'avez-vous pas été surprise quand Claire vous a téléphoné que sa mère et Robert Powell désiraient organiser un gala pour la remise de vos diplômes ?

– Si, mais c'était une bonne occasion de nous revoir toutes les quatre.

– Votre mère a-t-elle été invitée ?

– Oui, mais elle n'est pas venue.

– Pourquoi ?

– Elle ne pouvait pas interrompre son travail. Elle avait une audition en vue.

– Nina, n'est-ce pas plutôt parce que Betsy avait griffonné sur l'invitation qu'elle et Robert étaient impatients de la revoir, ajoutant qu'elle vous devait la chance d'avoir rencontré Robert Powell le jour où vous l'aviez fait venir à votre table ?

– Comment le savez-vous ? Qui vous l'a dit ?

– En vérité, c'est votre mère elle-même, répondit Buckley avec douceur. Tout à l'heure, un peu avant le déjeuner. »

Elle s'apprête à dire que j'ai avoué avoir tué Betsy, pensa Nina. Qu'on la croie ou non, ce sera la fin de tous mes espoirs avec Grant.

Que voulait d'elle Alex Buckley ? Comment décrirait-elle ses sentiments envers Betsy Powell ?

Pourquoi ne pas dire la vérité ? Pourquoi pas ?

« Je la détestais, dit-elle. Surtout après avoir lu ce mot. Elle était méchante. Cruelle. Il n'y avait pas une once d'humanité chez elle, et quand j'ai regardé son visage sans vie, j'ai dû me retenir pour ne pas lui cracher dessus. »

73

GEORGE CURTIS arriva chez Robert Powell à quinze heures trente. On lui avait demandé de mettre la même tenue de soirée qu'il portait au gala. Il en possédait une identique dans sa penderie. Étant donné la chaleur, il emporta son smoking blanc, sa chemise et son nœud papillon dans une housse en plastique.

Avant de se rendre au club pour jouer au bridge avec ses amies, Isabelle lui avait glissé un petit mot d'avertissement : « Souviens-toi que tu croyais avoir gardé secrète ta petite aventure, mais si j'ai eu des soupçons, il est possible que d'autres en aient eu aussi. Peut-être même Rob Powell. Reste sur tes gardes, ne te laisse pas piéger. Tu avais un motif évident de voir Betsy morte. » Puis, avec un baiser et un signe de la main, elle était montée dans sa décapotable.

« Isabelle, je te jure..., avait-il commencé.

– Je sais, dit-elle. Mais ce n'est pas moi que tu dois convaincre, et je me fiche éperdument que ce soit toi ou pas. Simplement ne te fais pas prendre. »

La température avait un peu diminué, mais il faisait encore très chaud. George gara sa voiture dans l'allée, devant la maison, prit ses vêtements dans leur housse et fit le tour jusqu'à l'arrière de la maison. Une activité intense régnait. L'équipe de tournage avait planté des caméras dans différents endroits du parc. Il devina que ce serait là que se tiendraient les lauréates pendant qu'il s'entretiendrait au premier plan avec Alex Buckley. On lui avait dit que l'arrière-plan serait constitué de scènes filmées pendant le gala.

Laurie Moran s'avança vers lui dès qu'elle l'aperçut. « Merci, monsieur Curtis, d'avoir accepté de venir. Nous tâcherons de ne pas vous garder trop longtemps. Vous devriez attendre à l'intérieur avec les autres. Il fait trop chaud dehors. »

George obtempéra, traversa le patio et pénétra, sans enthousiasme, dans la maison. Les quatre lauréates se trouvaient dans la grande salle à manger, vêtues des robes du soir qui lui semblèrent des copies parfaites de celles qu'elles avaient portées cette nuit-là. Même sous leur maquillage parfait, la tension que reflétait leur visage était flagrante.

Il n'eut pas longtemps à attendre. Grace, l'assistante de Laurie, vint chercher les lauréates qu'elle conduisit au-dehors. Quand vint son tour, il les vit toutes les quatre debout comme des statues devant l'écran où défilaient les images filmées à l'époque. Il se demanda ce qu'elles pensaient. Chacune ressentait-elle la crainte qui l'avait étreint cette nuit-là ? J'étais terrifié, se rappela-t-il, à l'idée que Betsy puisse détruire mon mariage au moment où l'arrivée des enfants que nous avions si ardemment souhaités devenait une réalité. Alison était certainement pleine d'amertume. Sa bourse lui avait échappé à cause de Betsy Powell. Il m'arrivait de faire des achats à l'épicerie où travaillait son père, et il vantait toujours les résultats de son étudiante de fille…

Tout le monde, à des kilomètres à la ronde, avait entendu Muriel raconter comment Betsy lui avait piqué Rob, et tout ça par la faute de Nina. Et, d'après ce qu'on disait, Claire souhaitait désespérément être pensionnaire à Vassar, mais ni Betsy ni Rob n'avaient voulu en entendre parler. « *Un vrai gâchis alors qu'elle habite une si belle maison* », disait Betsy. Et le père de Regina s'était suicidé parce qu'il avait tout investi dans le fonds de Rob.

Laquelle de ces filles, dans cet extravagant inventaire, n'aurait pas éprouvé d'amertume ce soir-là ? Et depuis, elles avaient dû vivre sous un nuage de suspicion.

George Curtis éprouva un profond sentiment de honte. Je suis bien revenu ici le soir du gala, se souvint-il. Il était environ quatre heures du matin. J'étais ici même, à cet endroit. Je savais où se trouvait la chambre de Betsy. J'étais fou d'angoisse à l'idée qu'Isabelle puisse demander le divorce si jamais Betsy lui parlait de nous. C'est alors que j'ai distingué une ombre qui se déplaçait dans la chambre de Betsy. Il y avait de la lumière dans le couloir, et quand la porte s'est ouverte j'ai cru reconnaître qui c'était.

Et ma conviction est toujours la même. Je sais qui c'était. Quand on a découvert le corps de Betsy, j'ai voulu le dire, mais comment aurais-je pu expliquer ma présence sur les lieux à ce moment-là ? Je n'ai pas pu. Pourtant, si j'avais déclaré ce que j'avais vu, aucune des personnes suspectées n'aurait vécu cet enfer pendant vingt ans. Le remords lui noua le ventre.

Alex Buckley s'avançait vers lui. « Prêt à prendre le chemin des souvenirs, monsieur Curtis ? » demanda-t-il aimablement.

74

« ALORS, quelle a été votre impression ? » demanda Laurie, inquiète, en montant dans la voiture d'Alex Buckley.

Buckley avait mis le contact et relevait le toit de sa décapotable. « Je crois qu'un peu d'air conditionné ne nous ferait pas de mal. Pour répondre à votre question, mon impression est que tout s'est formidablement bien passé.

– C'est aussi mon avis. Mais il est sept heures moins vingt. J'ai bien peur que nous tombions dans les embouteillages et ne soyons pas à temps à l'hôpital quand Timmy appellera, et papa ratera l'occasion de lui parler.

– J'ai vérifié l'état du trafic, il y a quelques minutes, sur mon iPhone. Pas de problème. Nous serons à l'hôpital à l'heure.

– Prenez la première à gauche, indiqua Laurie comme Buckley sortait du parc. Et maintenant la question habituelle. Votre opinion sur George Curtis ?

– La distinction personnifiée, répondit Buckley sans hésitation. Le genre de personnage qui suscite le respect. Pourquoi pas ? Il a fait la couverture de *Forbes*.

– Et qu'il soit beau ne gâche rien, dit Laurie. Curtis est milliardaire, charmant, élégant. Comparable à Robert Powell, du moins en ce qui concerne la fortune.

– Il n'y a aucune comparaison, Laurie. Curtis vaut peut-être un demi-milliard, quand Powell en vaut plusieurs.

– Maintenant, rappelez-vous cette image d'un des films pris lors du gala où George Curtis et Betsy ont l'air si sérieux. On dirait presque qu'ils se disputent.

– Vous avez l'intention de l'utiliser en arrière-plan ?

– Non, ce ne serait pas correct. Mais je suis convaincue d'une chose : les gens comme George Curtis ne se laissent pas embarquer dans ce genre d'émission à moins d'avoir quelque chose à cacher. Réfléchissez-y.

– Laurie, vous continuez à m'étonner. J'y ai effectivement pensé. Et, une fois de plus, je suis d'accord avec vous. »

Laurie sortit son téléphone. « Je vais juste prévenir papa que nous sommes en route. »

Leo répondit à la première sonnerie. « Je suis encore de ce monde, dit-il. Je regarde *All in the Family*. Un vieux classique génial. Où es-tu ?

– Sur la route. Pour l'instant, la circulation est fluide.

– N'as-tu pas dit qu'Alex Buckley te conduisait ici, puis te ramènerait chez Powell ?

– C'est exact.

– Ne le laisse pas se morfondre dans la voiture. Propose-lui de monter. J'aimerais faire sa connaissance. »

Laurie se tourna vers Buckley. « Aimeriez-vous faire la connaissance de mon père ?

– Bien sûr.

– Alex accepte avec plaisir, papa. À tout à l'heure. »

75

BRUNO HOFFA était en train d'enfiler son uniforme de la police quand il écouta l'échange téléphonique de Leo Farley avec sa fille. Le compte à rebours a commencé ! jubila-t-il. Après toutes ces années, l'heure de la vengeance est venue. Il y aura des pleurs et des grincements de dents. Pauvre Leo, tu vas être tellement malheureux. Ta fille. Ton petit-fils. Et pendant tout ce temps, ils ont cherché dans les archives des hôpitaux pour voir si le médecin avait fait une erreur sur un patient. C'est toi qui as fait l'erreur, Leo. À l'époque où tu étais un jeune flic, inflexible, tu aurais pu me donner une chance quand tu m'as arrêté, mais tu ne l'as pas fait. Tu as ruiné ma vie. À cause de toi, j'ai fait trente ans de taule, et cinq en rab pour faire bonne mesure.

Hoffa se tenait devant la glace de la penderie de son minable logement. Il l'avait loué au mois car, avait-il expliqué à son propriétaire, il voulait être sûr que son job chez Parcs et Jardins donnerait satisfaction. Heureux de ne pas avoir à faire les réparations indispensables pour le moment, le propriétaire s'était estimé satisfait de cet arrangement temporaire.

Me voir partir subitement ne le préoccupera pas, puisque je l'ai payé jusqu'à la fin du mois et que je ne vais pas lui réclamer le dépôt de garantie.

Comme si quelqu'un pouvait détériorer encore plus ce taudis.

76

Au moment où Laurie Moran et Alex Buckley quittaient les lieux, l'équipe de tournage bouclait la journée.

Les lauréates avaient ôté leurs robes du soir. Toutes avaient décliné l'offre de les conserver. « Laurie aimerait vraiment que vous les gardiez, avait expliqué Jerry. Et je peux vous dire qu'elles ont coûté très cher. »

Nina fut la première à réagir : « Un autre rappel de cette nuit-là, c'est exactement ce que nous voulons éviter. »

Leurs voitures attendaient pour les conduire à leurs hôtels.

Une fois dans leur chambre, Rod et Alison refermèrent la porte derrière eux avec soulagement. Puis Rod attira Alison dans ses bras. « Ali, tout va bien.

– Non, Rod. Tout ne va pas bien. Tu sais ce que contient cet enregistrement. Tu sais ce que Damiano peut en faire. »

Elle s'écarta de lui et se dirigea avec vers la penderie, prit leurs vêtements sur les cintres et les jeta rageusement sur le lit.

Rod s'enfonça dans le canapé et se mit à masser ses genoux endoloris. « Nous allons prendre un scotch maintenant, dit-il avec détermination. Puis nous irons faire un excellent dîner, ici ou dehors, comme tu voudras. Nous choisirons ce qu'il y a de plus cher sur la carte, aux frais de Robert Powell.

– Je serais incapable d'avaler un morceau ! protesta Alison.

– Tu feras semblant.

– Rod, tu me fais rire malgré moi.

– C'est exactement pour ça que je suis là », dit Rod avec bonne humeur. Il ne lui dirait pas qu'il partageait son inquiétude à propos de l'enregistrement de Josh Damiano – non pas à cause de l'argent, mais des conséquences pour Ali si, une fois encore par la faute de Betsy Powell, lui était retirée la possibilité de faire ses études de médecine.

77

REGINA emballa soigneusement les quelques vêtements neufs qu'elle avait apportés en prévision de l'émission. Je vais peut-être les troquer contre la tenue orange des prisonniers, pensa-t-elle avec amertume. Robert Powell est gagnant sur tous les tableaux. Il a ruiné ma vie quand j'avais quinze ans, et maintenant il a toutes les chances de ruiner ce qu'il en reste. Je ne serais pas étonnée qu'il ait poussé Josh Damiano à fouiller dans mon sac.

Pourtant, dans sa lettre, c'est Betsy que papa accuse de l'avoir délibérément escroqué. Quel intérêt aurait Robert à intervenir ? Le chauffeur a sûrement agi de sa propre initiative. Il faut que je le paye, se dit-elle. C'est le comble de l'ironie – je me suis moi-même mise en position d'être accusée du meurtre de Betsy. J'aurais mieux fait de rester chez moi à vendre des maisons.

Elle remplit avec diligence son nécessaire de voyage et sa grande valise. Et maintenant, où aller ? se demanda-t-elle. Je n'ai pas envie d'appeler le service d'étage. J'ai une voiture en bas, fournie par M. Powell. Pourquoi pas ?

Oui, pourquoi pas ? Elle lui demanderait de passer devant son ancienne vieille maison, puis de l'emmener dans le restaurant où ses parents et elle dînaient régulièrement.

Ce n'est qu'un au revoir, pensa-t-elle.

78

Une nuit de plus dans cette maison qu'elle détestait ! Pourquoi me suis-je infligé une telle épreuve ?

C'était la question que Claire s'était posée depuis son arrivée à Salem Ridge. Pourquoi s'était-elle donné l'apparence de sa mère, le premier jour ? Pour se venger de « Papa Rob » ? Peut-être. Il avait eu le culot d'ouvrir la porte de sa chambre ce matin après l'entretien et de venir lui poser exactement cette question. Pourquoi ne l'ai-je jamais poursuivi en justice durant toutes ces années ? Et pourquoi est-ce que je ne le fais pas maintenant ?

Elle connaissait la réponse. Parce que cela lui donnait une excellente raison de tuer sa mère et parce que, à l'époque, avec sa cohorte d'avocats, Papa Rob l'aurait fait passer pour une folle, une affabulatrice. C'est la raison qui m'a poussée à devenir assistante sociale, pensa-t-elle. Pour aider d'autres filles dans ma situation. Mais elles sont rares celles qui m'ont confié que leur mère acceptait que leur beau-père s'introduise dans leur chambre la nuit.

Claire savait que tant qu'elle ne suivrait pas une thérapie, elle n'avancerait pas dans la vie. Elle était l'otage de Powell depuis si longtemps.

Pourtant, il y avait une façon de le prendre au piège. Ce soir et demain matin elle se maquillerait et se coifferait à nouveau pour accentuer sa ressemblance avec la chère Betsy. Comme si cela pouvait avoir la moindre incidence sur l'ordre de l'univers, pensa Claire avec résignation en décrochant le téléphone pour appeler le service d'étage. Je me demande si Nina va encore s'évanouir en me voyant.

Et d'ailleurs, pourquoi s'était-elle évanouie ?

79

Nina prépara ses valises, puis se fit monter son dîner. Elle commençait à l'entamer sans enthousiasme quand son téléphone sonna. À sa grande surprise, c'était Grant.

« J'étais impatient de savoir comment s'était passée l'interview. Alex Buckley a la réputation de ne pas ménager les témoins.

– Eh bien, sa prestation avec moi mériterait un Oscar, dit Nina. Vous verrez.

– Dites-moi, vous avez l'air plutôt déprimée.

– Plutôt, en effet, reconnut Nina.

– Je comprends. J'ai été témoin dans une affaire de fraude il y a vingt ans. Ce n'était pas agréable. »

C'est le moins qu'on puisse dire, pensa Nina en écoutant Grant lui déclarer qu'il était impatient de la revoir et lui souhaiter un bon voyage.

Elle avala une grande gorgée de la vodka posée à côté de son assiette. Si je promets à ma mère de lui donner tout l'argent qui me restera après avoir payé Damiano, peut-être s'en contentera-t-elle. Surtout si elle apprend qu'un producteur comme Grant sort avec moi !

80

À L'HÔPITAL, Leo consultait sa montre avec impatience. Il était huit heures moins vingt et Laurie n'était toujours pas là. Mais au moment où il se disait qu'elle serait obligée de prendre l'appel de Timmy dans la voiture, elle apparut sur le pas de la porte. Dans le grand échalas qui se tenait derrière elle, il reconnut immédiatement le célèbre Alex Buckley.

Laurie se précipita pour l'embrasser. « Papa, je suis désolée. On ne devrait jamais prendre East River Drive. Il y avait un accident à la hauteur de la 125ᵉ Rue. Toute la circulation était bloquée. On aurait cru qu'il s'agissait d'une attaque terroriste.

– Calme-toi, dit Leo, sinon tu vas avoir une crise de tachycardie toi aussi. » Il se tourna vers Buckley. « N'est-ce pas, maître ?

– Votre fille est terriblement stressée, c'est vrai, dit prudemment Buckley en approchant une chaise du lit de Leo Farley. Mais elle accomplit un travail remarquable pour cette émission. Je peux vous le certifier.

– Maintenant, avant que tu me poses à nouveau la question, oui, je me sens bien, et oui, je sors demain matin, déclara Leo Farley. À quelle heure se termine cette chasse aux sorcières dans laquelle tu t'es lancée ?

– Dis donc, papa, tu ne montres pas beaucoup de respect pour ce que je fais, protesta Laurie.

– J'ai le plus profond respect pour ton travail, protesta Leo. Mais si j'étais passé entre les mailles du filet pour un meurtre commis il y a vingt ans, que je me retrouvais aujourd'hui sous le feu des projecteurs et que chacun de mes propos pouvait être décortiqué par tous les détectives amateurs du pays, je serais prêt à tout pour brouiller les pistes. »

Buckley vit Leo et Laurie regarder leurs montres. Il était huit heures moins cinq.

« Timmy est en retard. Je ferais mieux d'appeler à nouveau le camp et leur demander s'il y a un problème, dit Leo.

– Papa, tu as déjà appelé le bureau du camp ? demanda Laurie.

– Bien sûr que oui. Je veux m'assurer de leur vigilance et du bon fonctionnement du système de sécurité. Qu'en pensez-vous, Alex ?

– Dans votre situation, si j'étais parent ou grand-parent, j'en ferais autant. »

La sonnerie du téléphone de Laurie provoqua un soupir de soulagement général. Ils n'attendirent pas de l'entendre une deuxième fois. « Hello, Timmy, dirent-ils ensemble.

– Hello, maman, répondit une jeune voix réjouie. J'avais peur que tu n'arrives pas à temps pour être avec grand-père quand j'appellerais.

– Eh bien, nous sommes tous les deux là », dit Laurie.

Buckley écouta Timmy décrire ses activités de la journée. Il faisait partie de l'équipe « A » de natation. Il aimait bien les trois autres garçons qui étaient dans sa tente. Il s'amusait bien au camp. Ce n'est qu'à la fin de la conversation que son ton devint mélancolique. « Vous me manquez, tous les deux. Vous viendrez le jour de la visite ?

– Tu parles que nous allons venir ! assura Leo. Ai-je jamais manqué à une de mes promesses, mon bonhomme ?

– Non, grand-père.

– Crois-tu que je vais commencer maintenant ? » demanda Leo, avec une feinte sévérité dans la voix.

La note de mélancolie disparut.

« Non, grand-père », dit Timmy joyeusement.

Quand ils eurent échangé un dernier au revoir, Laurie regarda Alex Buckley. « C'est mon petit bonhomme, dit-elle fièrement.

– Il a l'air d'un chouette gamin.

– Bon, à présent je veux que vous alliez manger un morceau avant de retourner chez Powell, dit Leo d'un ton ferme. Il est déjà assez tard comme ça, Laurie. J'espère que tu vas prendre deux ou trois jours de congé une fois que tu auras bouclé cette émission.

– Ça m'étonnerait, papa. Curieusement, la post-production est souvent la partie la plus difficile. Mais j'en conviens avec toi, sur le plan émotionnel, le tournage a été rude. Je t'avoue que j'espère ne jamais être soupçonnée de meurtre. »

Alex Buckley devina quelles étaient les pensées de Laurie et de son père. « Je vous défendrais avec dix pour cent de rabais », promit-il. Ils rirent et, au moment de saluer Leo, Buckley lui proposa : « J'ai défendu des gens dans des affaires à propos desquelles j'aimerais avoir votre opinion. Accepteriez-vous que nous dînions ensemble un soir ?

– Bien sûr.

– Je pourrai venir ? demanda Laurie en riant.

– Il n'en est pas question », fit Buckley avec le plus grand sérieux.

Ils quittèrent Leo, regagnèrent le rez-de-chaussée et s'éloignèrent de l'hôpital.

« J'aime tellement Manhattan, soupira Laurie. Je m'y sens comme un poisson dans l'eau.

– Moi aussi », convint Buckley. « Écoutez, nous n'avons pas besoin d'être de retour dans cette espèce de mausolée avant onze heures, et il n'est que huit heures et demie. Si nous allions dîner tranquillement ?

– Nous avions parlé d'avaler un hamburger.

– Marea, sur Central Park South, est l'un des meilleurs restaurants de New York. C'est toujours plein, mais à cette heure la foule des amateurs de théâtre est partie. Qu'en dites-vous ?

– C'est parfait. » Détendue après avoir vu Leo en forme et entendu la voix joyeuse de Timmy,

Laurie s'apprêtait à profiter de son dîner avec Alex Buckley.

Au même instant, Bruno Hoffa franchissait le pont Tappan Zee et se dirigeait vers le camp de Timmy.

81

À QUARANTE KILOMÈTRES DE LÀ, dans un restaurant tout aussi chic du comté de Westchester, Robert Powell et Muriel Craig buvaient du champagne. « À nos retrouvailles, murmura Rob.

– Rob, très cher, tu m'as manqué. Tu m'as tellement manqué ! » Muriel tendit le bras en travers de la table et lui prit la main. « Pourquoi ne m'as-tu jamais téléphoné pendant toutes ces années ?

– J'avais peur de t'appeler. Quand nous avons rompu, je n'ai pas été correct avec toi. Je savais que tu avais renoncé pour moi au rôle qu'on te proposait dans cette série télévisée qui a eu ensuite un tel succès. J'avais des remords, je ne savais pas comment m'y prendre.

– Je t'ai téléphoné, je t'ai écrit, lui rappela Muriel.

– Je me suis senti encore plus coupable, avoua Robert Powell. Mais je ne t'ai pas encore dit combien tu es ravissante ce soir. »

Muriel savait qu'il était sincère. Elle avait convaincu Meg et Courtney de la maquiller et de la coiffer. Elle avait trouvé un superbe tailleur du soir dans une boutique chic de Bedford. Et ne s'était pas gênée pour acheter des accessoires assortis sur Rodeo Drive à Hollywood. Elle avait la carte de crédit de Nina.

Robert dit : « Je crois qu'il est temps de commander. »

Durant tout le dîner, il mêla habilement compliments et questions subtiles. « J'ai entendu dire que tu avais reproché à Nina d'avoir invité Claire et Betsy à nous rejoindre à notre table, ce jour-là.

– Je l'aurais volontiers tuée, reconnut Muriel d'une voix un peu pâteuse. J'étais tellement amoureuse de toi.

– Et j'ai souvent pensé à toi pendant tout ce temps. Je me demandais pourquoi je m'étais laissé prendre aussi bêtement. Je l'ai souvent regretté. » Il s'interrompit un instant. « Et quand j'ai été si providentiellement débarrassé de Betsy, j'aurais aimé savoir qui remercier.

– Robbie, ne me dis pas que tu as été *content* que Betsy soit morte assassinée ?

– Promets-moi de ne le répéter à personne, murmura-t-il.

– Je te le promets. C'est notre secret. Mais tu sais combien Nina et moi avons toujours été proches.

– Je le sais.

– Écoute, elle a été tellement bouleversée par le mot que Betsy avait écrit sur l'invitation, où elle disait qu'elle et toi étiez impatients de nous revoir.

– Je l'ai appris plus tard, et j'ai été choqué.

– J'ai été blessée, mais Nina était furieuse contre Betsy. Elle savait combien je t'aimais. Rob, je crois que c'est Nina qui l'a tuée. Elle l'a fait pour moi, afin que j'aie une nouvelle chance avec toi.

– Tu en es sûre, ou n'est-ce qu'une supposition, Muriel ? »

Le regard de Robert Powell était soudain devenu perçant, sa voix, cassante.

Muriel Craig le regarda, vaguement consciente de son changement d'attitude. « Bien entendu que j'en suis sûre, Robbie. Elle m'a appelée. Elle était à Hollywood alors et elle pleurait au téléphone. Elle disait : "Maman, maman, j'ai peur. Ils posent tellement de questions. Maman, je l'ai fait pour toi." »

82

JANE NOVAK inspecta les chambres une dernière fois avant le retour des invités. Elle avait ouvert le bar dans le bureau et disposé un plateau de petits sandwichs comme le soir où Betsy avait été assassinée. Enfin, elle allait être débarrassée de tous ces gens.

Après toute cette animation, elle avait perdu l'habitude du merveilleux silence de la maison. Monsieur Robert avait emmené dîner cette insupportable Muriel Craig. Certes, elle était belle, mais il était visible qu'elle avait déjà éclusé plus d'un verre.

Et il régnait une légère odeur de tabac dans sa salle de bains.

Monsieur Robert détestait qu'on boive ou qu'on fume.

Il menait Muriel Craig en bateau. Jane le voyait bien. C'était le même manège que celui de Betsy avec le père de Regina, quand elle l'avait poussé à investir jusqu'à son dernier sou dans le fonds de placement.

Oh, c'était un vrai couple d'arnaqueurs, des experts, pensa-t-elle avec admiration. En outre, Betsy était une hypocrite de premier ordre. Elle avait habilement dissimulé à Monsieur Robert ses escapades.

C'est pour cela que Betsy me faisait des petits cadeaux, pour que je me taise, pensa Jane.

Mais elle s'inquiétait à présent.

Si M. Powell apprenait qu'elle avait protégé Betsy, il la congédierait sur-le-champ. Mais qui le lui dirait ? Pas Josh. Lui aussi perdrait sa place.

J'ai toujours en ma possession les bijoux que George Curtis avait offerts à Betsy, pensa encore Jane en préparant les lits pour les invités et en fermant les rideaux de leurs chambres, chose qu'elle n'avait pas faite depuis vingt ans – sauf, naturellement, pour Monsieur Robert. Elle posait parfois un chocolat sur son oreiller, comme on le fait dans les hôtels.

M. Curtis était là cet après-midi. Il devait être dans ses petits souliers quand il a parlé du gala avec Alex Buckley.

Après le gala, elle avait préparé le plateau de canapés pour les filles et l'avait apporté dans le bureau. J'ai passé la première demi-heure à entrer et sortir de la pièce, se souvint-elle, et je les ai toutes écoutées bavarder jusqu'à ce qu'elles finissent par lâcher le morceau sur Betsy. Elles se sont aperçues de ma présence et je leur ai dit bonsoir.

Au pire, je pourrais accuser n'importe laquelle d'entre elles.

Elle posa un instant sa tête sur l'oreiller de Monsieur Robert, puis se redressa et le tapota rapidement pour effacer toute trace importune.

Demain soir à la même heure, monsieur Robert et elle seraient de nouveau seuls.

83

« IL FAUT Y ALLER », dit Alex Buckley à regret. Durant l'heure et demie qui venait de s'écouler, hormis le plaisir extrême de converser avec Laurie tout en faisant un excellent dîner, il s'était surpris à lui faire des confidences sur sa vie privée – la mort de sa mère puis de son père quand il était à l'université, sa nomination de tuteur de son jeune frère âgé de dix-sept ans.

« Il était devenu mon "petit bonhomme" », dit-il. Puis, consterné par les mots qu'il venait de prononcer, il s'était repris : « Laurie, je suis désolé, Il n'y a aucune comparaison avec votre situation.

– Non, bien sûr », répondit Laurie calmement. « Mais je ne supporte pas que les gens pèsent et mesurent chacun des mots qu'ils m'adressent. Cela arrive tout le temps. Votre frère a grandi et il est devenu un brillant avocat, et un jour Yeux Bleus sera arrêté et cet horrible fardeau disparaîtra. Mon seul réconfort est qu'il a juré que je serais la première. » Elle but une gorgée de champagne. « Je bois à cette idée ! » dit-elle.

Alex protesta énergiquement. « Posez ce verre. Buvons plutôt à la capture de ce salaud, qu'il soit emprisonné pour le restant de son existence. » Il n'ajouta pas : ou abattu de sang-froid d'une balle entre les yeux, comme il a assassiné votre mari, le Dr Greg Moran.

Il fit signe qu'on lui apporte l'addition.

Un quart d'heure plus tard, ils roulaient en direction du comté de Westchester sur l'Henry Hudson Parkway.

S'apercevant que Laurie luttait contre le sommeil, Alex Buckley suggéra. « Écoutez, Laurie, vous devriez vous laisser aller. Vous m'avez dit que vous n'aviez pas dormi la nuit dernière parce que vous étiez inquiète pour votre père, et je doute que vous dormiez beaucoup plus cette nuit.

– Vous avez sans doute raison », soupira Laurie.

Elle ferma les yeux et, moins d'une minute plus tard, il entendait sa respiration régulière.

Il lui jetait un coup d'œil de temps en temps. Il la voyait de profil sous la lumière des lampadaires, puis elle tourna la tête vers lui dans son sommeil et il la regarda avec tendresse.

Savoir qu'elle passerait la nuit sous le même toit que ces personnes, dont l'une était sûrement un assassin, l'inquiétait. Mais laquelle était-ce ?

Et le jardinier ? Quelque chose lui était familier chez ce type. Quoi ? Il l'avait pris en photo la veille quand il était dans le patio et avait envoyé le cliché à son enquêteur. Il avait aussi appelé Parcs et Jardins et expliqué à l'employé que pour des raisons de sécurité, il vérifiait le nom de toutes les personnes qui se trouvaient sur le domaine.

Le discours de Robert Powell au déjeuner était manifestement destiné à effrayer l'un de ses hôtes pour le décider à se dévoiler et le coupable, quel qu'il soit, se lancerait peut-être dans une tentative désespérée pour le supprimer.

Une demi-heure plus tard Alex posa une main sur le bras de Laurie. « Allez, la Belle au Bois dormant. Il est temps de se réveiller. Nous sommes arrivés. »

84

Bruno Hoffa se trouvait dans le bureau du camp. Il avait fait prévenir la personne qui assurait la garde de nuit.

Toby Barber, un jeune moniteur de vingt-six ans, pénétra dans la pièce en se frottant les yeux et se trouva face à un homme imposant dans son uniforme de policier. « Je suis désolé de vous déranger, monsieur, dit-il à Toby, l'air préoccupé, mais c'est d'une urgence extrême. Le commissaire Farley vient d'avoir une crise cardiaque. Il est possible qu'il ne s'en tire pas. Il veut voir son petit-fils. »

Hoffa était un bon acteur. Il planta ses yeux dans ceux du jeune homme.

« On nous a demandé de prendre un soin particulier de Timmy, dit Toby, s'efforçant de secouer un reste de sommeil, mais je sais que son grand-père a appelé aujourd'hui le directeur du camp et lui a dit qu'il était à l'hôpital pour un problème cardiaque. Je vais appeler mon boss tout de suite sur son portable pour avoir son autorisation. Il assiste à un dîner d'anniversaire chez des amis. »

Hoffa laissa percer sa fureur. « Le commissaire Farley est en train de mourir. Il veut voir son petit-fils.

– Je comprends, je comprends, dit Toby nerveusement. Je passe juste un coup de fil. »

Personne ne décrocha.

« Il n'entend probablement pas, dit Toby d'une voix anxieuse. J'essaierai de nouveau dans quelques minutes.

– Pas question que j'attende une minute de plus, tonna le faux policier. Le commissaire est mourant, et il veut absolument voir son petit-fils. »

Impressionné, Barber obéit : « Je vais chercher Timmy. Laissez-moi seulement l'aider à se changer.

– Non. Ne le changez pas. Mettez-lui sa robe de chambre et des pantoufles ! ordonna Hoffa. Il a tous les vêtements qu'il faut chez lui.

– Entendu. Je reviens tout de suite. »

Dix minutes plus tard, Bruno Hoffa tenait par la main un Timmy à moitié endormi et le faisait monter dans sa voiture.

Son esprit bouillonnait, partagé entre des sentiments de triomphe et d'impatience.

85

ROBERT POWELL arriva chez lui à temps pour accueillir la première de ses invitées.

Muriel monta à l'étage se changer. Horrifiée par son reflet dans la glace, elle refit son maquillage et se brossa vigoureusement les cheveux. Puis elle descendit l'escalier en s'efforçant de dissimuler son pas mal assuré. En pénétrant dans le bureau, elle s'aperçut que Nina était déjà là. Un mépris profond se lisait dans le regard de sa fille. Et tu n'as pas tout vu, pensa-t-elle en s'approchant de Robert Powell et en l'embrassant sur la joue. Il passa tendrement le bras autour de ses épaules.

Claire, Regina, Alison et Rod arrivèrent à quelques minutes d'intervalle. Laurie et Alex Buckley furent les derniers. En l'espace de dix minutes, tout le monde se trouva réuni dans le bureau.

Jane Novak s'était installée derrière le bar pour servir vin et alcools.

Robert Powell leva son verre. « Je ne pourrai jamais assez vous remercier tous et toutes d'être avec moi ici ce soir, et je regrette sincèrement que vous ayez dû endurer cette épreuve pendant vingt ans. Comme vous le savez, j'ai été moi-même en butte à la suspicion. Mais je suis heureux de pouvoir vous annoncer que demain matin, pendant mon entretien, j'annoncerai au monde que je sais qui a tué ma bien-aimée Betsy – et je donnerai le nom de cette personne. Aussi portons ce dernier toast au soulagement qui va enfin être le nôtre, et souhaitons-nous bonne nuit. »

Un silence absolu régnait dans la pièce. Les canapés si soigneusement préparés par Jane Novak restèrent intacts sur le plateau.

Chacun reposa son verre sans un mot avant de quitter la pièce.

Josh Damiano se tenait dans le couloir, prêt à aider Jane à emporter les verres et à éteindre les lumières.

Laurie Moran et Alex Buckley attendirent pour dire bonsoir à Robert Powell que tout le monde soit monté.

« C'était une déclaration plutôt solennelle, monsieur Powell, dit Buckley sans détour. Et menaçante. Pensez-vous vraiment qu'elle était nécessaire ?

– Elle l'était, assura Robert Powell. J'ai passé de nombreuses années à me torturer la cervelle pour deviner laquelle de ces jeunes filles était entrée dans la chambre de ma femme et lui avait ôté son dernier souffle. Certes, Betsy avait ses défauts, mais nous étions heureux ensemble, et elle m'a manqué pendant vingt ans. Pourquoi croyez-vous que je ne me suis jamais remarié ? Parce qu'elle était irremplaçable. »

Et que devient Muriel Craig dans cette histoire ? se demanda Laurie.

« Et maintenant je vous souhaite une bonne nuit », dit Powell brusquement.

Buckley raccompagna Laurie jusqu'à sa chambre. « Fermez votre porte à clé, lui conseilla-t-il. Si Powell a raison, quelqu'un s'apprête en ce moment à entrer en scène. Cela peut paraître insensé, mais ce quelqu'un pourrait vous en vouloir d'avoir monté cette émission.

– Ou d'avoir poussé chacune de ces jeunes femmes à reconnaître qu'elle détestait Betsy Powell.

– Je ne suis pas inquiet, dit tranquillement Alex Buckley. Allez vous coucher et fermez votre porte à clé. »

86

REGINA s'assit au bord du lit. Il croit que c'est moi, se dit-elle. Le chauffeur lui a certainement communiqué la lettre de mon père. Est-ce que je toucherai quand même l'argent ? Je pourrais l'utiliser pour ma défense. Pendant vingt ans, j'ai espéré que ce cauchemar prendrait fin un jour. Eh bien, c'est fini maintenant.

Telle un automate, elle enfila son pyjama, se rendit dans la salle de bains, se lava le visage, éteignit la lumière et se coucha. Incapable de dormir, elle resta les yeux ouverts dans l'obscurité.

87

ÉTENDUS CÔTE À CÔTE, Alison et Rod joignaient leurs mains sous la légère couverture.

« C'est moi qui l'ai fait, dit Alison. Je sais que j'étais dans la chambre de Betsy, et j'étais dans la penderie en train de regarder.

– De regarder quoi ? demanda Rod.

– Quelqu'un qui appuyait l'oreiller sur le visage de Betsy. Mais, Rod, ce n'était pas quelqu'un, c'était moi.

– Ne dis pas ça !

– C'est vrai, Rod. Je sais que c'est vrai.

– Tu ne sais rien. Arrête de dire ça.

– Rod, on va me mettre en prison.

– Non, sûrement pas. Et pour une bonne raison : je serais incapable de vivre sans toi. »

Alison scruta l'obscurité et comprit enfin ce que la colère lui avait si longtemps caché. Elle dit : « Rod, tu as toujours cru que je t'avais épousé à cause de ta promesse de payer mes études médicales. Je l'ai peut-être cru moi-même. Mais tu n'as pas été le seul à avoir le béguin dès la maternelle. Moi aussi, je suis tombée amoureuse. C'est affreux, mais je sais que j'ai gâché vingt années de ma vie à haïr Betsy Powell. »

Elle partit d'un rire sans joie. « Si seulement j'avais eu la satisfaction de savoir ce que je faisais quand je l'ai tuée. »

88

CLAIRE ÉTAIT ASSISE sur le divan de sa chambre. Elle ne cherchait même pas à dormir.

Donc, il aimait vraiment ma mère, pensait-elle. Quand il a commencé à venir dans ma chambre, moins d'un mois après notre installation ici, je l'ai laissé faire à cause d'elle. Je voyais qu'elle était heureuse et je voulais qu'elle le reste. J'étais sûre que si je lui avouais tout, elle quitterait la maison aussitôt, et où serions-nous allées ?

Dans un deux pièces minable, comme avant ? Elle sortait avec beaucoup d'hommes, à la recherche de celui qui lui apporterait la richesse. Nous étions si proches quand j'étais petite. Il me semblait que je devais tout faire pour elle. C'était mon secret, un sacrifice que je faisais pour ma mère. Bénissant chacune des nuits où il ne me rejoignait pas. Puis je les ai surpris en train d'en parler. Il lui racontait la nuit précédente, et elle était contente que je me montre aussi bien disposée.

Qu'elle soit maudite ! Oui, qu'elle soit maudite !

89

NINA N'ESSAYA MÊME PAS de se coucher. Elle s'assit, croisa les jambes et repassa en esprit les événements de la journée. Était-il possible que sa mère ait mis sa menace à exécution ? Elle était bonne comédienne. Capable de convaincre n'importe qui.

J'ignorais que Robert Powell était sous l'emprise de Betsy au point de ne pas la voir telle qu'elle était, songea-t-elle. Ou peut-être n'était-il pas aveugle au contraire, peut-être trouvait-il tout ça excitant ?

Il fait des avances à ma mère depuis deux jours et elle est visiblement assez stupide pour se laisser prendre. Si elle raconte que je me suis accusée du meurtre de Betsy, tout est perdu pour moi. Et quand Robert la raccompagnera à la porte demain, elle pourra aller directement à la police réclamer la récompense. Que deviendrai-je alors ?

90

APRÈS AVOIR VU la dernière lumière s'éteindre dans la maison, Bruno Hoffa sortit de la voiture. Il avait donné à Timmy un somnifère et le portait sur son épaule. Il escalada la clôture avec précaution, marcha lentement pour ne pas le réveiller. Il l'emmena dans l'abri de la piscine, ouvrit la porte du débarras et le coucha sur la pile de couvertures qu'il avait préparée à son intention. Puis il lui attacha les pieds et les mains sans serrer la corde.

Timmy remua et murmura une vague protestation quand l'homme lui mit un bâillon sur la bouche, puis il sombra à nouveau dans un profond sommeil.

Hoffa savait que le lendemain matin, le camion de Parcs et Jardins passerait le prendre. Il ne pouvait sous aucun prétexte ne pas se présenter au rendez-vous. Le gosse ne poserait pas de problème jusqu'à son retour. Même s'il se réveille, pensa-t-il, il ne pourra ni sortir ni retirer son bâillon. Il a les mains attachées dans le dos.

Maintenant que la fin approchait, Hoffa était d'un calme inébranlable. Déterminé à conserver son sang-froid jusqu'au bout. Il regarda le visage endormi de Timmy. La lune l'éclairait comme en plein jour. « Tu aurais été le portrait de ton papa, un jour, dit-il, et ta maman se trouve dans cette maison en ce moment sans savoir que tu y es aussi. Elle va être folle d'angoisse quand elle apprendra que tu as disparu. »

Il n'avait pas le temps de s'attarder mais il ne put résister à l'impulsion de fouiller dans sa poche et d'en tirer un petit étui. Il l'ouvrit et en sortit des lentilles d'un bleu éclatant qu'il posa sur ses yeux. Il les avait mises ce jour-là parce qu'il voulait qu'on remarque ses yeux au cas où quelqu'un s'approcherait d'assez près pour le décrire. Il se souvenait d'avoir entendu Timmy gémir cinq ans auparavant : *« Z'yeux Bleus a tué mon papa. »*

Oui, je l'ai tué.

Il retira les lentilles. Il les réservait pour le lendemain.

91

Leo Farley ne parvenait pas à dormir. Son instinct de policier l'avertissait d'un danger. Il essaya de refouler son angoisse.

Laurie est en sûreté, se rassura-t-il. Je suis content qu'Alex Buckley se trouve aussi dans cette maison. Laurie lui plaît, c'est évident, mais il sait surtout que la situation est potentiellement explosive pour elle, avec tous ces gens rassemblés sous le même toit.

Timmy avait l'air très en forme et je vais le voir dimanche. Pourquoi ai-je l'impression que quelque chose cloche ? C'est la faute de tous ces moniteurs cardiaques. Ils me rendent dingue.

L'infirmière avait laissé un comprimé de somnifère sur la table de nuit. « Il n'est pas très fort, commissaire, lui avait-elle dit, mais cela vous calmera et vous permettra de dormir un peu. »

Leo le prit, puis le reposa sur la table. Je ne veux pas me réveiller à moitié groggy, grommela-t-il in petto.

Et de toute façon, cela ne m'aidera pas à dormir.

92

À TROIS HEURES DU MATIN, Jane Novak sortit doucement du lit, ouvrit la porte et s'avança en silence jusqu'à la chambre où dormait Muriel Craig.

Son ronflement sonore était la preuve évidente qu'elle avait ingurgité une quantité excessive de boisson. Jane s'approcha du lit sur la pointe des pieds, se pencha en avant, et brandit l'oreiller qu'elle tenait à la main. Puis, d'un geste brusque, elle le plaqua sur le visage de Muriel et l'y maintint.

Le ronflement se transforma en un hoquet de suffocation. Des mains maintenaient l'oreiller d'une poigne de fer. Muriel chercha désespérément sa respiration.

Elle se débattit, haletante. « Trop tard », murmura une voix.

Les vestiges du brouillard qui encombrait son cerveau se dissipèrent.

Je ne veux pas mourir, pensa-t-elle de toutes ses forces. Je ne veux pas mourir.

Ses longs ongles se plantèrent profondément dans les mains qui l'agressaient et elle sentit un moment leur étau se desserrer. Elle parvint à se dégager et à hurler, mais l'oreiller revint aussitôt s'appliquer encore plus violemment sur son visage. « Tu ne croyais quand même pas que je te le laisserais », siffla Jane Novak d'une voix rauque tout en augmentant sa pression. « Ils savent peut-être que j'ai tué Betsy, mais tu ne l'auras jamais. *Il est à moi, il est à moi.* »

Son cri résonna dans tout l'étage.

Alex Buckley fut le premier sur les lieux. Se ruant sur Jane, il la repoussa violemment sur le sol. Puis, allumant la lumière, il se tourna vers Muriel et s'aperçut que son visage était devenu bleu. Elle ne respirait plus. Il la sortit du lit, l'allongea par terre et procéda aussitôt à un massage cardiaque.

Robert Powell surgit alors dans la chambre, Rod et les quatre lauréates sur ses talons. Jane Novak, les yeux exorbités, les regarda l'un après l'autre, puis se redressa et s'enfuit, agrippant toujours l'oreiller.

« Vous ? cria Powell, s'élançant à ses trousses. C'était vous ? »

Trébuchant, hors d'haleine, Jane Novak descendit l'escalier et traversa la cuisine à toute allure. Poussant la porte du patio, elle sortit et courut dans le noir, ne sachant vers où se diriger. Elle était près de la piscine quand Robert Powell la rattrapa.

“C'était vous ? répéta-t-il. Pendant tout ce temps c'était *vous* ? Durant vingt ans, je vous ai vue tous les jours et je n'ai jamais soupçonné, pas un seul instant, que vous aviez tué ma Betsy.

– Je vous aime, Rob, gémit-elle. Je vous aime, je vous aime, je vous aime.

– Vous ne savez pas nager, n'est-ce pas ? Vous avez peur de l'eau ? » D'un mouvement soudain, il la précipita dans la piscine, puis couvrit ses appels à l'aide en criant : « Jane, Jane, n'ayez pas peur, nous allons venir à votre secours, Jane, n'ayez pas peur. Où êtes-vous ? »

Quand il fut certain qu'elle était en train de couler, il reprit sa course, passa devant l'abri et s'engagea dans l'allée jusqu'à ce que, épuisé, il s'effondre sur le sol. C'est là que le découvrit une voiture de police. Un policier s'agenouilla à côté de lui. « Tout va bien, monsieur Powell, tout va bien. Savez-vous quelle direction elle a prise ?

– Non. » Robert Powell respirait difficilement, il était d'une pâleur extrême. À ce moment précis, l'éclairage extérieur s'alluma, et chaque recoin du parc apparut en pleine lumière. « Peut-être vers l'abri de la piscine, souffla-t-il. Peut-être se cache-t-elle là. »

Sirènes en action, d'autres voitures de police déboulèrent dans l'allée. Edward Penn était à bord de l'une d'entre elles.

« Allez voir dans l'abri de la piscine », cria le policier qui était auprès de Powell.

Un des policiers courut jusqu'à la porte de l'abri et s'apprêtait à l'ouvrir quand un autre s'écria : « Elle est là. »

Debout au bord de la piscine, il regardait Jane qui gisait dans le fond, sur le dos. Ses yeux étaient grands ouverts et ses poings serrés comme s'ils agrippaient encore l'oreiller. Le policier plongea et la ramena avec difficulté à la surface. Ses collègues l'aidèrent à la tirer hors de l'eau et la déposèrent sur le sol. Comprimant sa poitrine, ils pratiquèrent un massage cardiaque. Après plusieurs minutes, ils abandonnèrent leurs vaines tentatives pour la ranimer.

À l'intérieur de la maison, Alex Buckley était parvenu à faire repartir le cœur de Muriel. Les lauréates et Rod se tenaient immobiles dans la pièce. Alors qu'elle reprenait lentement conscience, Muriel murmura : « Rob, Rob. »

Le rire hystérique de Nina retentit à travers toute la maison.

93

LE LENDEMAIN MATIN, Bruno Hoffa patienta sur le trottoir pendant un bon quart d'heure devant chez lui avant que Dave Cappo s'arrête au volant du camion de Parcs et Jardins. Dave contenait à grand-peine son excitation tandis qu'ils roulaient vers la propriété.

« Tu es au courant de ce qui se passe dans le coin ? demanda-t-il.

– Que se passe-t-il ? demanda Hoffa, sans ajouter qu'il s'en fichait royalement.

– On a essayé de tuer quelqu'un chez Powell la nuit dernière.

– Quoi ?

– La gouvernante. C'est elle qui a liquidé la femme de Powell il y a vingt ans, continua Dave fébrilement. Elle a essayé de faire le même coup à quelqu'un d'autre hier, mais elle a été prise sur le fait. Elle a essayé de s'enfuir et elle est tombée dans la piscine – il paraît qu'elle ne savait pas nager. »

L'effroi envahit Hoffa. Est-ce qu'ils avaient découvert Timmy ?

« Qu'est-ce que tu en penses ? demandait Dave Cappo. Tu imagines, pendant vingt ans ces quatre filles ont été soupçonnées, et voilà qu'on découvre qu'aucune d'elles n'était coupable.

– Qu'est-ce qu'ils fabriquent là-bas en ce moment ? » voulut savoir Hoffa. S'ils ont trouvé Timmy, pensa-t-il, je peux toujours demander à Dave de me reconduire chez moi sans attendre. Je dirai que je ne me sens pas bien. Il me faudra à peine quelques minutes pour quitter la ville. Timmy ne sait pas qui l'a kidnappé, mais ils se lanceront vite à ma recherche…

« Oh, les trucs habituels dans ce cas, répondit Dave. Le médecin légiste a emporté le corps. D'après ce que j'ai entendu dire, on a surpris la gouvernante en train de plaquer un oreiller sur le visage de la mère d'une des lauréates. Elle s'appelle Muriel Craig. C'est une actrice. »

Hoffa répondit prudemment : « Ouais, j'ai entendu parler d'elle. » Ils n'ont donc pas fouillé l'abri, se dit-il. Ils n'ont aucune raison de le faire maintenant. Je vais m'en tirer.

Dave le déposait en général dans l'allée de la maison. « Je ne sais pas s'ils vont te laisser passer, mais on peut toujours essayer. Comme ça, tu pourras tout nous raconter en détail. »

Un policier arrêta le camion. « Je dois vérifier que vous pouvez entrer », dit-il. Il téléphona et attendit que le nom de Hoffa lui soit confirmé.

« M. Powell dit de le laisser passer. Il peut commencer à travailler sur le green, à l'extérieur de la zone dont la police a interdit l'accès. »

S'efforçant de prendre un air décontracté, Hoffa descendit du camion et s'avança lentement vers l'abri de la piscine. Il passa devant le bassin. Le corps n'y était plus. Il entra, referma la porte, et se précipita dans le débarras. Timmy était réveillé. Il se tortillait sur l'amas de couvertures. Des larmes coulaient le long de ses joues. Hoffa s'agenouilla près de lui. « Ne pleure pas, Timmy. Maman va venir. Je vais te donner des céréales et te conduire aux toilettes. Puis maman t'emmènera voir grand-père. C'est d'accord ? »

Timmy hocha la tête.

« Maintenant il faut que tu promettes de ne pas appeler quand je te laisserai manger. Tu le promets ? »

Timmy fit un nouveau signe de tête.

Il y avait une petite salle d'eau à côté du débarras, destinée aux employés qui travaillaient dans le parc. Bruno porta Timmy à l'intérieur et resta à côté de lui. Ce sera la dernière fois, pensa-t-il.

Il reposa Timmy sur les couvertures, alla dans la cuisine et apporta des céréales, du lait et du jus d'orange.

« Je vais t'enlever ton bâillon, dit-il. Dépêche-toi de manger. »

Terrifié, Timmy obéit.

Quand il eut fini, Hoffa rattacha le bâillon, s'assurant qu'il n'était pas trop serré. Il allongea Timmy sur les couvertures. « Si tu essayes de faire du bruit, personne ne t'entendra, l'avertit-il. Si tu restes très, très sage, je te promets que maman viendra te chercher. »

Bruno s'empara d'un râteau, sortit du débarras, et referma la porte à clé derrière lui.

Il se mit à ratisser l'herbe autour du green.

94

Avant que la police réponde à l'appel du 911, Josh Damiano s'était précipité dans l'appartement de Jane Novak et avait fini par trouver les bijoux que George Curtis avait offerts à Betsy. Ils étaient à présent en sécurité dans sa poche et personne n'en savait rien. Il s'était étonné que ce soit Jane qui ait tué Betsy, même s'il avait deviné qu'elle était dingue de Robert Powell.

À neuf heures, tous ceux qui avaient passé la nuit sur place descendirent prendre leur petit déjeuner. Les filles n'échangèrent pas un mot. Le fait d'être libérées des soupçons qui pesaient sur elles commençait à peine à pénétrer leur conscience.

Muriel avait refusé d'aller à l'hôpital, mais elle resta couchée jusqu'à ce que le médecin légiste eût terminé l'examen du corps de Jane Novak. La gorge enflée, la respiration sifflante, elle se rendait compte que Robert allait vite comprendre qu'elle lui avait menti. Mais d'un autre côté, se dit-elle, peut-être comprendra-t-il aussi que j'ai menti parce que je l'aime. Elle finit par se lever, prit une douche, se maquilla soigneusement et se coiffa. Puis elle enfila un pull léger, un pantalon de sport et des sandales. Elle espérait que les ecchymoses visibles autour de son cou prouveraient à Rob à quel point elle avait souffert pour lui.

Le commissaire Penn et les autres inspecteurs avaient passé les heures qui avaient suivi l'incident à interroger individuellement tous ceux qui se trouvaient dans la maison. Toutes leurs déclarations concordaient. D'après ce qui en ressortait, la gouvernante avait agi seule dans sa tentative de tuer Muriel. De même, elle semblait être tombée dans la piscine en s'enfuyant de la maison.

Dans ces circonstances, Penn accéda à regret à la demande instante d'Alex Buckley et de Laurie de terminer le tournage de l'émission. « L'enquête n'est pas terminée, leur dit-il fermement. Chacun devra venir faire une déposition définitive. Mais, tant que personne ne tente de pénétrer dans les zones interdites, je vous laisse continuer. »

Dans le bureau, Laurie et Alex Buckley attendaient de procéder à l'entretien final avec Robert Powell.

Les autres avaient été invités à y assister. Les quatre lauréates avaient fait leurs valises et s'étaient habillées, impatientes de partir. Ayant toujours peine à croire que leur cauchemar était fini, elles entrèrent à la queue leu leu dans le bureau, s'assirent derrière les caméras et attendirent Robert Powell.

95

MARK GARRET, le directeur du camp, regarda Toby Barber, incrédule. « Vous voulez dire que vous avez laissé Timmy Moran partir avec un inconnu hier soir ?

– Son grand-père est mourant. Un policier est venu le chercher, dit Toby, sur la défensive.

– Pourquoi ne m'avez-vous pas appelé ?

– Je l'ai fait, monsieur. Vous n'avez pas répondu. »

La mort dans l'âme, Garret se rendit compte que Toby disait vrai. Chez ses amis, il avait ôté sa veste et le bruit de la fête l'avait empêché d'entendre la sonnerie de son portable.

J'ai parlé hier avec Leo Farley, pensa-t-il, essayant de se rassurer. *Il m'a dit qu'il était à l'hôpital*.

Mort d'inquiétude, Garret décrocha son téléphone. Le numéro de Leo Farley était sur son bureau, à portée de main, au cas où se concrétiserait une menace envers Timmy. Il ne pouvait qu'espérer que l'état de Leo Farley s'était véritablement aggravé.

Farley répondit aussitôt.

« Hello, Mark dit-il. Comment ça va ? »

Garret hésita, puis demanda : « Comment vous sentez-vous, commissaire ?

– Oh, je vais parfaitement bien à présent. En fait, je vais sortir ce matin. J'ai parlé à Timmy hier soir. Il est très content de son séjour au camp. »

Mark Garret ne put retenir un cri : « Vous n'avez donc pas envoyé un policier le récupérer hier soir ? »

Il fallut plusieurs secondes à Leo avant de digérer ce qu'il entendait. Son cauchemar devenait réalité. Yeux Bleus avait enlevé Timmy.

« Vous me dites qu'en dépit de tous mes avertissements vous avez laissé mon petit-fils partir avec un inconnu ? À quoi ressemblait-il ? »

Garret demanda à Toby de décrire le policier.

Désespéré, Leo l'entendit faire une description qui correspondait à celle que la vieille Margy Bless avait donnée du meurtrier de Greg cinq ans auparavant. D'une taille en dessous de la moyenne, plutôt corpulent...

« Avait-il les yeux bleus ? demanda-t-il.

– J'ai posé la question à Toby. Il ne l'a pas remarqué. Il était mort de fatigue.

– Espèce de crétin », hurla Leo, et il coupa la communication.

Il arracha les fils de tous les moniteurs branchés sur lui. Dans son esprit résonnaient les mots que Yeux Bleus avait criés à Timmy : « Dis à ta mère qu'elle est la prochaine. Puis ce sera ton tour. »

Il composa fébrilement le numéro d'Ed Penn. S'il mettait sa menace à exécution, l'homme tuerait d'abord Laurie. Il devait se diriger vers elle en ce moment – et Dieu veuille que Timmy soit toujours vivant !

96

HAGARD, l'air exténué, mais impeccablement vêtu d'une veste légère, avec chemise et cravate, Robert Powell écouta calmement Alex Buckley le saluer.

« Monsieur Powell, ce n'est pas vraiment la façon dont j'avais espéré que se terminerait ce tournage. Avez-vous jamais soupçonné Jane Novak d'avoir assassiné votre femme ?

– Pas le moins du monde, répondit Robert Powell d'un ton las. J'ai toujours cru que la coupable se trouvait parmi les lauréates. Je n'étais pas sûr de savoir laquelle, mais je voulais une réponse. Je voulais faire mon deuil. Je ne suis pas en très bonne santé, mes jours sont comptés. Je viens d'apprendre qu'en plus de mes autres problèmes médicaux, je suis atteint d'un cancer du pancréas à évolution rapide. Avant peu, je vais rejoindre ma Betsy bien-aimée au ciel ou en enfer. »

Le silence régna un instant.

« J'ai l'intention de laisser cinq millions de dollars à chacune des lauréates. Je sais que, par des voies différentes, Betsy et moi avons porté préjudice à chacune d'entre elles. »

Il se retourna pour regarder les jeunes femmes assises derrière lui, s'attendant à leur voir une expression de gratitude.

Il ne vit que mépris et dégoût.

97

« C'EST L'HEURE, dit Hoffa. Tu vas pouvoir téléphoner à ta maman. » Il avait remis ses lentilles de contact bleues.

Timmy fixa les yeux qui l'avaient hanté pendant plus de cinq années de sa jeune vie. « C'est vous qui avez tué mon papa, dit-il.

– Oui, Timmy, et je vais te dire pourquoi. Je ne voulais pas être un criminel. Je voulais rompre avec le gang. Je n'avais que dix-neuf ans. J'aurais pu avoir une vie différente. Mais ton brillant grand-père m'a un jour coincé ivre au volant. Je l'ai supplié de me laisser partir, je lui ai dit que je devais entrer dans l'armée le lendemain. Mais il m'a arrêté. L'armée n'a pas voulu de moi, et je suis retourné chez les gangsters. Je suis entré par effraction dans une maison, et la vieille dame qui l'habitait a eu une crise cardiaque en me voyant. Elle est morte. J'ai écopé de trente ans. »

La rage tordait le visage de Hoffa. « J'aurais pu faire n'importe quel boulot. Je sais fabriquer des ordinateurs. Je peux pirater n'importe quel ordinateur ou téléphone. J'avais trouvé comment me venger de Leo Farley. J'allais tuer les gens qu'il aimait – son gendre, sa fille et toi. J'ai eu ton père, mais ils m'ont renvoyé en prison pendant cinq ans pour une stupide histoire de violation des règles de ma libération conditionnelle. Maintenant tu sais tout, Timmy, il est temps d'appeler ta maman. »

Laurie Moran et Alex Buckley regardèrent les lauréates sortir de la pièce, laissant Robert Powell seul sur sa chaise. En silence, Laurie fit signe aux techniciens de remballer le matériel. Il n'y avait rien d'autre à dire.

Buckley sentit son téléphone vibrer dans sa poche. C'était l'enquêteur qu'il avait chargé de se renseigner sur le jardinier.

« Alex. » Son ton était pressant. « Le jardinier sur qui vous nous avez demandé de faire des recherches n'est pas Bruno Hoffa. C'est Rusty Tillman. Il a écopé de trente ans de prison. Il en est sorti il y a cinq ans et demi, une semaine avant le meurtre du Dr Grant. Il était retourné en prison pour avoir violé les engagements de sa liberté conditionnelle, et il a été relâché il y a cinq mois. »

Buckley laissa tomber son téléphone. Horrifié, il regarda Laurie. Elle s'apprêtait à sortir dans le patio. Il entendit son téléphone sonner et, affolé, s'écria : « Laurie, attendez ! »

Elle était déjà dans le patio, le téléphone à l'oreille.

« Timmy, tu n'as pas le droit de m'appeler pendant la journée, dit-elle. Que se passe-t-il ? » Puis elle leva les yeux.

La porte de l'abri de la piscine s'ouvrait et Timmy, en pyjama et robe de chambre, en sortait. Le jardinier le tenait par la main et pointait une arme sur sa tête.

Poussant un hurlement, Laurie s'élança à travers la pelouse.

Le commissaire Ed Penn fonçait vers la propriété de Powell. « Ne branchez pas les sirènes, ordonna-t-il à son chauffeur. Nous ne devons pas l'alerter. Ordre à toutes les unités de se rendre chez Powell. »

Le policier posté dans la voiture stationnée à l'arrière du domaine avait reçu le message. Coupant à travers bois, il escalada la clôture. Bien que bon tireur, Ron Teski n'avait encore jamais utilisé son arme quand il était en service. Comme il sprintait vers le jardin, à l'arrière de la maison, il se dit qu'il allait peut-être mettre en pratique ce qu'il avait appris lors de l'entraînement. Yeux Bleus lâcha la main de Timmy et, avec un rire sinistre, le laissa s'élancer vers Laurie, qui courait vers eux, à vingt mètres de là.

La voiture de police d'Ed Penn s'engagea en trombe dans l'allée circulaire, devant l'entrée. Penn arma son pistolet et visa Yeux Bleus. Le coup manqua sa cible.

Laurie avait rejoint Timmy et se penchait vers lui pour le soulever dans ses bras. Désireux de terminer sa tâche comme il l'avait prévu, Yeux Bleus dirigea le canon de son arme vers la tête de Laurie. Au moment où il allait tirer, la première balle de Teski lui traversa l'épaule. Pivotant sur lui-même, il leva son revolver et voulut le pointer en direction de la jeune femme. Son doigt était sur la détente quand une deuxième balle l'atteignit en pleine poitrine.

Son corps s'écroula sur le sol, accompagné d'un bruit de verre brisé. La balle que Bruno Hoffa avait tirée avait traversé la fenêtre du bureau où Robert Powell était assis. Avec une expression de surprise, Powell porta la main à ce qui restait de son front, puis tomba de sa chaise.

Quelques secondes plus tard, Alex Buckley serrait Laurie et Timmy dans ses bras.

Épilogue

Quelques mois plus tard eut lieu une seconde réunion des quatre lauréates – dans une atmosphère nettement plus chaleureuse.

C'était Alex Buckley qui avait suggéré qu'elles se retrouvent dans son appartement la veille de Noël. Leur vie avait radicalement changé, et il pensait qu'il était temps qu'elles se racontent leurs nouvelles expériences.

Elles s'assirent et discutèrent en buvant des cocktails.

Claire était allée consulter un psychothérapeute et arrivait enfin à parler de ce que Powell lui avait fait. « Ce n'était pas ma faute », pouvait-elle enfin dire avec conviction. Elle se maquillait à nouveau, sans plus chercher à cacher sa ressemblance avec sa mère. C'était une ravissante jeune femme qui riait avec ses anciennes amies et leur parlait de sa nouvelle vie.

Le premier geste de Regina, après avoir touché l'argent du Gala des Lauréates, avait été de rembourser la commission que Bridget Whiting lui avait payée lors de la vente de sa maison. Le marché de l'immobilier s'améliorait, et Regina envisageait l'achat d'une plus grande demeure, dotée d'un bureau séparé. Elle s'était malicieusement réjouie en apprenant que son ex-mari et sa rock star d'épouse étaient engagés dans une féroce procédure de divorce.

Nina était fiancée à Grant Richmond. Elle avait de bon gré cédé à sa mère sa part de l'argent versé par Powell et la maison de production, à la condition qu'elles n'aient plus jamais de contact. Muriel, comme prévu, racontait à la terre entière que Robert l'avait follement aimée, et qu'ils avaient prévu de se marier juste avant le terrible accident qui lui avait coûté la vie.

Alison faisait quotidiennement le trajet depuis chez elle pour suivre des cours de médecine à Cleveland. Elle disait en riant qu'il était difficile de se maintenir au même niveau que ses jeunes camarades. Elle leur annonça par la même occasion qu'elle était enceinte de trois mois. Quant à Rod, il avait déclaré qu'il allait se remettre à ses études en même temps qu'elle. Pendant des années, il avait voulu devenir pharmacien.

Les quatre lauréates s'accordaient toutes à dire que Robert Powell avait été tué avant de pouvoir se racheter. S'il avait vécu, elles se demandaient si elles auraient accepté son argent. Elles convinrent qu'après tout ce qu'elles avaient enduré, leur réponse aurait été positive.

George Curtis avait été invité à la réunion, lui aussi. En les écoutant, il reconnut qu'il s'en était tiré à bon compte. Robert Powell n'avait jamais soupçonné sa liaison avec Betsy. Isabelle lui avait pardonné. Il aurait pu s'éviter vingt ans d'angoisse, mais il avait été trop lâche.

Pendant le dîner, George sourit à la perspective de l'annonce qu'il était sur le point de faire. Avant de mourir, Robert Powell avait promis de donner à chacune des lauréates cinq millions de dollars, mais il était mort avant de pouvoir modifier son testament. George leur offrirait lui-même ces cinq millions. Il savait au plus profond de lui-même qu'il espérait ainsi compenser le préjudice que son long silence leur avait causé.

Trois des lauréates étaient allées trouver le commissaire Penn avec les enregistrements de Josh Damiano, qui, dans l'attente de son procès, était en liberté surveillée. Un mandat de perquisition avait permis de découvrir chez lui les bijoux volés par Jane Novak. Comme elle les avait dérobés à Betsy, ils revenaient à la succession de celle-ci.

Lorsque le procès de Josh Damiano et ses procédures d'appel seraient terminés, ils seraient remis à Claire, qui en disposerait à sa guise.

En écoutant les quatre jeunes femmes, Alex Buckley admira la capacité de résistance qu'elles avaient montrée, puis il regarda Laurie. Pour la première fois en presque six ans, depuis la mort de Greg, Leo et elle avaient laissé Timmy chez une voisine qui le gardait. Il les regarda rire avec insouciance, partageant leur étonnement. Comment une simple arrestation pour conduite en état d'ivresse à laquelle avait procédé Leo, alors jeune agent de police, était-elle devenue pour Yeux Bleus l'événement qui avait ruiné sa vie – l'amenant à assassiner Greg Moran et les forçant à vivre tous sous la menace pendant si longtemps ?

La série *Suspicion* avait bien démarré, comme Laurie l'avait prédit.

Alex Buckley savait qu'il était trop tôt pour lui dire qu'il était profondément amoureux d'elle. Elle avait besoin de davantage de temps.

Je peux attendre, pensa-t-il, aussi longtemps qu'il le faudra.

REMERCIEMENTS

Une fois encore, l'histoire a été dite. La nuit dernière, j'en ai écrit les derniers mots, puis j'ai dormi douze heures.

Ce matin je me suis réveillée en me disant avec joie que j'allais enfin pouvoir renouveler tous les rendez-vous avec mes amis que j'avais annulés.

Mais il est si satisfaisant de raconter une nouvelle histoire, d'effectuer un nouveau voyage en compagnie de personnages de mon invention auxquels je me suis profondément attachée – mais pas toujours.

Comme chaque fois depuis quarante ans, Michael V. Korda, mon éditeur, a été le capitaine de mon navire. Je lui fais parvenir vingt ou vingt-cinq pages à la fois. Son coup de téléphone – « C'est bon » – résonne comme une musique à mes oreilles. Merci encore, Michael, ce fut formidable de travailler ensemble.

Marysue Rucci, la nouvelle éditrice en chef de chez Simon & Schuster, a été un amical soutien du début à la fin. J'ai pris un grand plaisir à travailler avec elle.

L'équipe maison commence par ma main droite, Nadine Petry, ma fille Patty et mon fils Dave, Agnes Newton et Irene Clark. Et bien sûr John Conheeney, mon mari, et toute ma famille.

Tous mes remerciements les plus chaleureux à Gypsy da Silva, ma fidèle correctrice, et à Jackie Seow, notre directrice artistique, dont les couvertures sont toujours aussi élégantes. Merci aussi à Elizabeth Breeden.

Il est temps de penser à la suite. Mais je vais attendre un peu. Après tout, demain est un autre jour.

Du même auteur

Aux Éditions Albin Michel

LA NUIT DU RENARD
Grand Prix de littérature policière 1980
LA CLINIQUE DU DOCTEUR H.
UN CRI DANS LA NUIT
LA MAISON DU GUET
LE DÉMON DU PASSÉ
NE PLEURE PAS, MA BELLE
DORS MA JOLIE
LE FANTÔME DE LADY MARGARET
RECHERCHE JEUNE FEMME AIMANT DANSER
NOUS N'IRONS PLUS AU BOIS
UN JOUR TU VERRAS
SOUVIENS-TOI
CE QUE VIVENT LES ROSES
DOUCE NUIT
LA MAISON DU CLAIR DE LUNE
JOYEUX NOËL, MERRY CHRISTMAS
NI VUE NI CONNUE
TU M'APPARTIENS
UNE SI LONGUE NUIT
ET NOUS NOUS REVERRONS
AVANT DE TE DIRE ADIEU
DANS LA RUE OÙ VIT CELLE QUE J'AIME
TOI QUE J'AIMAIS TANT
LE BILLET GAGNANT
UNE SECONDE CHANCE
ENTRE HIER ET DEMAIN

LA NUIT EST MON ROYAUME
RIEN NE VAUT LA DOUCEUR DU FOYER
DEUX PETITES FILLES EN BLEU
CETTE CHANSON QUE JE N'OUBLIERAI JAMAIS
LE ROMAN DE GEORGE ET MARTHA
OÙ ES-TU MAINTENANT ?
JE T'AI DONNÉ MON CŒUR
L'OMBRE DE TON SOURIRE
QUAND REVIENDRAS-TU ?
LES ANNÉES PERDUES
UNE CHANSON DOUCE

En collaboration avec Carol Higgins Clark

TROIS JOURS AVANT NOËL
CE SOIR JE VEILLERAI SUR TOI
LE VOLEUR DE NOËL
LA CROISIÈRE DE NOËL
LE MYSTÈRE DE NOËL

« *SPÉCIAL SUSPENSE* »

MATT ALEXANDER
Requiem pour les artistes

STEPHEN AMIDON
Sortie de route

RICHARD BACHMAN
La Peau sur les os
Chantier
Rage
Marche ou crève

CLIVE BARKER
Le Jeu de la Damnation

INGRID BLACK
Sept jours pour mourir

GILES BLUNT
Le Témoin privilégié

GERALD A. BROWNE
19 Purchase Street
Stone 588
Adieu Sibérie

ROBERT BUCHARD
Parole d'homme
Meurtres à Missoula

JOHN CAMP
Trajectoire de fou

CAROLINE CARVER
Carrefour sanglant

JOHN CASE
Genesis

PATRICK CAUVIN
Le Sang des roses
Jardin fatal

MARCIA CLARK
Mauvaises fréquentations

JEAN-FRANÇOIS COATMEUR
La Nuit rouge
Yesterday
Narcose
La Danse des masques
Des feux sous la cendre
La Porte de l'enfer
Tous nos soleils sont morts
La Fille de Baal
Une écharde au cœur
L'Ouest barbare

CAROLINE B. COONEY
Une femme traquée

HUBERT CORBIN
Week-end sauvage
Nécropsie
Droit de traque

PHILIPPE COUSIN
Le Pacte Pretorius

DEBORAH CROMBIE
Le passé ne meurt jamais
Une affaire très personnelle
Chambre noire
Une eau froide comme la pierre
Les larmes de diamant
La Loi du sang
Mort sur la Tamise

VINCENT CROUZET
Rouge intense

JAMES CRUMLEY
La Danse de l'ours

JACK CURTIS

Le Parlement des corbeaux

ROBERT DALEY

La nuit tombe sur Manhattan

GARY DEVON

Désirs inavouables

Nuit de noces

WILLIAM DICKINSON

Des diamants pour Mrs Clark

Mrs Clark et les enfants du diable

De l'autre côté de la nuit

MARJORIE DORNER

Plan fixe

FRÉDÉRIC H. FAJARDIE

Le Loup d'écume

FROMENTAL/LANDON

Le Système de l'homme-mort

STEPHEN GALLAGHER

Mort sur catalogue

LISA GARDNER

Disparue

Sauver sa peau

La maison d'à côté

Derniers adieux

Les Morsures du passé

CHRISTIAN GERNIGON

La Queue du Scorpion

Le Sommeil de l'ours

Berlinstrasse

Les Yeux du soupçon

Preuves d'amour

JOSHUA GILDER

Le Deuxième Visage

JOHN GILSTRAP

Nathan

MICHELE GIUTTARI

Souviens-toi que tu dois mourir

La Loge des Innocents

JEAN-CHRISTOPHE GRANGÉ

Le Vol des cigognes

Les Rivières pourpres

Le Concile de pierre

SYLVIE GRANOTIER

Double Je

Le passé n'oublie jamais

Cette fille est dangereuse

Belle à tuer

Tuer n'est pas jouer

La Rigole du diable

La Place des morts

AMY GUTMAN

Anniversaire fatal

JAMES W. HALL

En plein jour

Bleu Floride

Marée rouge

Court-circuit

JEAN-CLAUDE HÉBERLÉ

La Deuxième Vie de Ray Sullivan

CARL HIAASEN

Cousu main

JACK HIGGINS

Confessionnal

MARY HIGGINS CLARK

La Nuit du Renard

La Clinique du Docteur H.

Un cri dans la nuit

La Maison du guet

Le Démon du passé
Ne pleure pas, ma belle
Dors ma jolie
Le Fantôme de Lady Margaret
Recherche jeune femme aimant danser
Nous n'irons plus au bois
Un jour tu verras…
Souviens-toi
Ce que vivent les roses
La Maison du clair de lune
Ni vue ni connue
Tu m'appartiens
Et nous nous reverrons…
Avant de te dire adieu
Dans la rue où vit celle que j'aime
Toi que j'aimais tant
Le Billet gagnant
Une seconde chance
La nuit est mon royaume
Rien ne vaut la douceur du foyer
Deux petites filles en bleu
Cette chanson que je n'oublierai jamais
Où es-tu maintenant ?
Je t'ai donné mon cœur
L'ombre de ton sourire
Les Années perdues
Une chanson douce

CHUCK HOGAN
Face à face

KAY HOOPER
Ombres volées

PHILIPPE HUET
La Nuit des docks

GWEN HUNTER
La Malédiction des bayous

PETER JAMES
Vérité

TOM KAKONIS
Chicane au Michigan
Double Mise

MICHAEL KIMBALL
Un cercueil pour les Caïmans

LAURIE R. KING
Un talent mortel

STEPHEN KING
Cujo
Charlie

JOSEPH KLEMPNER
Le Grand Chelem
Un hiver à Flat Lake
Mon nom est Jillian Gray
Préjudice irréparable

DEAN R. KOONTZ
Chasse à mort
Les Étrangers

AMANDA KYLE WILLIAMS
Celui que tu cherches

NOËLLE LORIOT
Le tueur est parmi nous
Le Domaine du Prince
L'Inculpé
Prière d'insérer
Meurtrière bourgeoisie

ANDREW LYONS
La Tentation des ténèbres

PATRICIA MACDONALD
Un étranger dans la maison
Petite Sœur

Sans retour
La Double Mort de Linda
Une femme sous surveillance
Expiation
Personnes disparues
Dernier refuge
Un coupable trop parfait
Origine suspecte
La Fille sans visage
J'ai épousé un inconnu
Rapt de nuit
Une mère sous influence
Une nuit, sur la mer
Le Poids des mensonges
La Sœur de l'ombre

JULIETTE MANET
Le Disciple du Mal

PHILLIP M. MARGOLIN
La Rose noire
Les Heures noires
Le Dernier Homme innocent
Justice barbare
L'Avocat de Portland
Un lien très compromettant
Sleeping Beauty
Le Cadavre du lac

DAVID MARTIN
Un si beau mensonge

LISA MISCIONE
L'Ange de feu
La Peur de l'ombre

MIKAËL OLLIVIER
Trois souris aveugles
L'Inhumaine Nuit des nuits
Noces de glace
La Promesse du feu

ALAIN PARIS
Impact
Opération Gomorrhe

DAVID PASCOE
Fugitive

RICHARD NORTH PATTERSON
Projection privée

THOMAS PERRY
Une fille de rêve
Chien qui dort

STEPHEN PETERS
Central Park

JOHN PHILPIN/PATRICIA SIERRA
Plumes de sang
Tunnel de nuit

NICHOLAS PROFFITT
L'Exécuteur du Mékong

PETER ROBINSON
Qui sème la violence...
Saison sèche
Froid comme la tombe
Beau monstre
L'été qui ne s'achève jamais
Ne jouez pas avec le feu
Étrange affaire
Coup au cœur
L'Amie du diable
Toutes les couleurs des ténèbres
Bad Boy
Le Silence de Grace
Face à la nuit

DAVID ROSENFELT
Une affaire trop vite classée

FRANCIS RYCK
Le Nuage et la Foudre
Le Piège

RYCK EDO
Mauvais sort

LEONARD SANDERS
Dans la vallée des ombres

TOM SAVAGE
Le Meurtre de la Saint-Valentin

JOYCE ANNE SCHNEIDER
Baignade interdite

THIERRY SERFATY
Le Gène de la révolte

JENNY SILER
Argent facile

BROOKS STANWOOD
Jogging

VIVECA STEN
La Reine de la Baltique

WHITLEY STRIEBER
Billy

MAUD TABACHNIK
Le Cinquième Jour
Mauvais Frère
Douze heures pour mourir
J'ai regardé le diable en face
Le chien qui riait
Ne vous retournez pas
L'ordre et le chaos

LAURA WILSON
Une mort absurde

THE ADAMS ROUND TABLE
PRÉSENTE
Meurtres en cavale
Meurtres entre amis
Meurtres en famille

Composition Nord Compo
Éditions Albin Michel
22, rue Huyghens, 75014 Paris
www.albin-michel.fr
ISBN : 978-2-226-25807-6
ISSN : 0290-3326
N° d'édition : 21003/01
Dépôt légal : mai 2014
Imprimé au Canada

M
MARQUIS
Québec, Canada